明熊宗立本《素問》（下）

主　編◎錢超塵
副主編◎王育林　劉　陽

《黃帝内經》版本通鑒　第一輯

北京科学技术出版社

《黄帝内經》版本通鑒·第一輯

明熊宗立本《素問》（下）

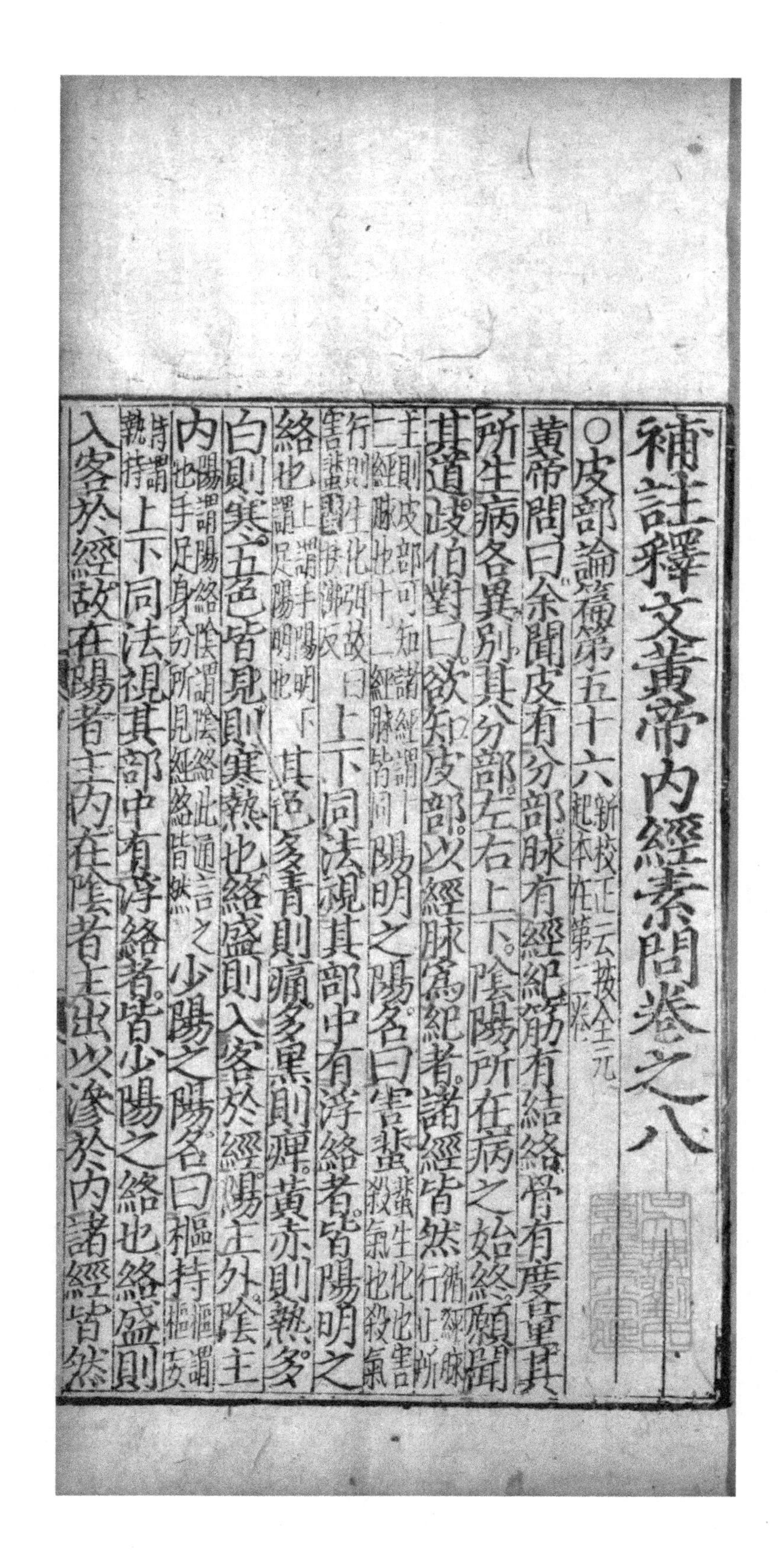

補註釋文黄帝内經素問卷之八

○皮部論篇第五十六 新校正云按全元起本在第二卷

黄帝問曰：余聞皮有分部，脉有經紀，筋有結絡，骨有度量，其所生病各異，別其分部，左右上下，陰陽所在，病之始終，願聞其道。岐伯對曰：欲知皮部，以經脉爲紀者，諸經皆然。循經脉行止所主，則皮部可知。諸經謂十二經脉也。十二經脉皆同。陽明之陽，名曰害蜚，蜚，生化也。害，殺氣也。殺氣行則生化弭，故曰害蜚。蜚扶沸反 上下同法，視其部中有浮絡者，皆陽明之絡也，上謂手陽明，下謂足陽明也。其色多青則痛，多黑則痺，黄赤則熱，多白則寒，五色皆見則寒熱也。絡盛則入客於經，陽主外，陰主内。陽謂陽絡，陰謂陰絡，此通言之也。手足身分所見經絡皆然。少陽之陽，名曰樞持，樞謂樞要，持謂執持。上下同法，視其部中有浮絡者，皆少陽之絡也，絡盛則入客於經，故在陽者主内，在陰者主出，以滲於内，諸經皆然。

太陽之陽名曰關樞樞關同外動以靜鎮爲事如樞之運則氣和平也上下同法視其部中有浮絡者皆太陽之絡也絡盛則入客於經少陰之陰名曰樞儒儒順也守要而順陰陽開闔之用也○新校正云按甲乙經儒作檽上下同法視其部中有浮絡者皆少陰之絡也絡盛則入客於經其入經也從陽部注於經其出者從陰內注於骨心主之陰名曰害肩心主脈入腋下氣不和則妨害肩腋之動運上下同法視其部中有浮絡者皆心主之絡也絡盛則入客於經太陰之陰名曰關蟄關閉蟄類使順行藏○新校正云按甲乙經蟄作執上下同法視其部中有浮絡者皆太陰之絡也絡盛則入客於經部皆謂本經絡之所部分浮謂浮見也凡十二經絡脈者皮之部也列陰陽位部主於皮故曰皮之部也是故百病之始生也必先於皮毛邪中之則腠理開開則入客於絡脈留而不去傳入於經留而不去傳入於府廩於腸胃廩積也聚也邪之始入於皮也泝然起毫毛開腠理泝然惡寒也起謂毛起豎也腠理皆謂皮空及文理也其入於絡也

則絡脈盛色變（盛謂盛滿，變謂易其常也）其入客於絡也則感虛乃陷下（經虛邪入，故曰感虛。脈虛氣少，故陷下也）其留於筋骨之間，寒多則筋攣骨痛，熱多則筋弛骨消，肉爍䐃破，毛直而敗（攣，急也。弛，緩也。消，爍也。經曰：寒則筋急，熱則筋緩。寒勝爲痛，熱勝爲氣消。䐃者，肉之標。故內消則䐃破，毛直而敗也。䐃，渠殞反）帝曰：夫子言皮之十二部，其生病皆何如？岐伯曰：皮者脈之部也（脈氣流行，各有陰陽，氣隨經所過而部主之，故云脈之部）邪客於皮則腠理開，開則邪入客於絡脈，絡脈滿則注於經脈，經脈滿則入舍於府藏也，故皮者有分部，不與而生大病也（脈行皮中，各有部分，脈受邪氣，隨則病生，非由皮氣而能生也。○新校正云：按《甲乙經》"不与"作"不愈"，全元起本作"不与"，元起云[illegible]不与經脈和調，則氣傷於外，邪流入於內，必生大病也）帝曰：善。

○經絡論篇第五十七（新校正云：按全元起本在皮部論末，王氏分篇）

黃帝問曰：夫絡脈之見也，其五色各異，青黃赤白黑不同，其故何也？岐伯對曰：經有常色而絡無常變也（經行氣，故色見常應於時；絡主血，故受邪則變而不一矣）帝曰：經之常色何如？岐伯曰：心赤，肺白，肝青，脾黄賢黑皆亦應其經脉之色也帝曰絡之陰陽亦應其經乎岐伯曰陰絡之色應其經陽絡之色變無常隨四時而行也順四時氣化之行止寒多則凝泣凝泣則青黑熱多則淖澤淖澤則黄赤此皆常色謂之無病五色具見者謂之寒熱淖濕也澤潤液也謂微濕潤也帝曰善

○氣穴論篇第五十八新校正云按全元起本在第二卷

黄帝問曰余聞氣穴三百六十五以應一歲未知其所願卒聞之岐伯稽首再拜對曰窘乎哉問也其非聖帝孰能窮其道焉因請溢意盡言其處孰誰也帝捧手逡巡而却曰夫子之開余道也目未見其處耳未聞其數而目以明耳以聰矣以明耳以聰言心志通明逈如意也岐伯曰此所謂聖人易語良馬易御也帝曰余非聖人之易語也世言真數開人意今余所訪問者真數發蒙解惑未足以論也問氣穴有數欲解發蒙昧之疑惑未足以論述深微之意也然

余願聞夫子溢志盡言其處。令解其意，請藏之金匱，不敢復出。言其處，謂穴俞處所。岐伯再拜而起曰：臣請言之。背與心相控而痛，所治天突與十椎及上紀。天突在頸結喉下同身寸之四寸中央宛宛中，陰維任脈之會，低鍼取之，刺可入同身寸之一寸，留七呼，若灸者可灸三壯。按今甲乙經經脈流注孔穴圖經當脊十椎下並無穴目，恐是七椎也。此則督脈氣所主之上紀之處，次如下說。○新校正云：按甲乙經云天突在結喉下五寸。上紀者，胃脘也。謂中脘也。脘者胃募也，在上脘下同身寸之一寸，居心蔽骨與齊之中，手太陽少陽足陽明三脈所生，任脈氣所發也。刺可入同身寸之一寸二分，若灸者可灸七壯。○新校正云：按甲乙經云任脈之會。此蠱必寢反。下紀者，關元也。關元者，小腸募也，在齊下同身寸之三寸，足三陰任脈之會，刺可入同身寸之二寸，留七呼，若灸者可灸七壯。背胷邪繫陰陽左右，如此。其病前後痛濇，胸脇痛而不得息，不得卧，上氣短氣偏痛。新校正云：按別本偏一作滿。脈滿起，斜出尻脈，絡胸脇，支心貫鬲，上肩加天突，斜下肩交十椎下。尋此支絡脈流注病形證，悉是督脈支絡，自尾骶出，各上行斜絡脇，支心貫鬲，上加天突，斜之肩而下交於十椎。○新校正云：詳自背與心相控而痛至此，疑是骨空論文，簡脫誤於此。藏俞五十穴，藏謂五藏肝心脾肺腎，非兼四形藏也。俞謂井滎俞經合

非背俞也然井滎俞經合者肝之井者大敦也滎行間也俞
大衝也經中封也合曲泉也大敦在足大指端去爪甲角如
韭葉及三毛之中足厥陰脈之所出也刺可入同身寸之三
分留十呼若灸者可灸三壯行間在足大指之間脈動應手
陷者中足厥陰之所流也○新校正云按甲乙經留作流無
所流迹作留○刺可入同身寸之三分留十呼若灸者可灸
三壯太衝在足大指本節後同身寸之二寸陷者中○新校
正云按刺腰痛注云本節後內間同身寸之二寸陷者中動
脈應手足厥陰脈之所注也刺可入同身寸之三分留十呼
若灸者可灸三壯中封在足內踝前同身寸之一寸半○新
校正云按甲乙經云一寸○陷者中仰足而取之伸足乃得
之足厥陰脈之所行也刺可入同身寸之四分留七呼若灸
者可灸三壯曲泉在膝內輔骨下大筋上小筋下陷者中屈
膝而得之足厥陰脈之所入也刺可入同身寸之六分留十
呼若灸者可灸三壯心包之井者中衝也滎勞宮也俞大陵
也經間使也合曲澤也中衝在手中指之端去爪甲角如韭
葉陷者中手心主脈之所出也刺可入同身寸之一分留三
呼若灸者可灸一壯勞宮在掌中央動脈手心主脈之所流
也刺可入同身寸之三分留六呼若灸者可灸三壯大陵在
掌後骨兩筋間陷者中手心主脈之所注也刺可入同身寸
之三分留六呼若灸者可灸三壯間使在掌後同身寸之三
寸兩筋間陷者中手心主脈之所行也刺可入同身寸之六
分留七呼若灸者可灸七壯○新校正云按甲乙經云灸三
壯○曲澤在肘內廉下陷者中屈肘而得之手心主脈之所
入也刺可入同身寸之三分留七呼若灸者可灸三壯脾之
井者隱白也滎大都也俞太白也經商丘也合陰陵泉也隱

白在足大指之端内側去爪甲角如韭葉足太陰脈之所出也刺可入同身寸之一分留三呼若灸者可灸三壯大都在足大指本節後陷者中足太陰脈之所流也刺可入同身寸之三分留七呼若灸者可灸三壯大白在足内側核骨下陷者中足太陰脈之所注也刺可入同身寸之三分留七呼若灸者可灸三壯商丘在足内踝下微前陷者中足太陰脈之所行也刺可入同身寸之四分留七呼若灸者可灸三壯陰陵泉在膝下内側輔骨下陷者中伸足乃得之足太陰脈之所入也刺可入同身寸之五分留七呼若灸者可灸三壯肺之井者少商也滎魚際也俞大淵也經經渠也合尺澤也少商在手大指之端内側去爪甲角如韭葉手太陰脈之所出也刺可入同身寸之一分留一呼若灸者可灸三壯○新校正云按甲乙經作一壯○魚際在手大指本節後内側散脈手太陰脈之所流也刺可入同身寸之二分留三呼若灸者可灸三壯大淵在掌後陷者中手太陰脈之所注也刺可入同身寸之二分留二呼若灸者可灸三壯經渠在寸口陷者中手太陰脈之所行也刺可入同身寸之三分留三呼不可灸傷人神明尺澤在肘中約上動脈手太陰脈之所入也刺可入同身寸之三分留三呼若灸者可灸三壯腎之井者涌泉也滎然谷也俞大谿也經復溜也○新校正云按甲乙經溜作留餘溜字並同○合陰谷也涌泉在足心陷者中屈足捲指宛宛中足少陰脈之所出也刺可入同身寸之三分留三呼若灸者可灸三壯然谷在足内踝前起大骨下陷者中足少陰脈之所流也刺可入同身寸之三分留三呼若灸者可灸三壯刺此多見血令人立饑欲食太谿在足内踝後跟骨上動脈陷者中足少陰脈之所注也刺可入同身寸之三

分留七呼若灸者可灸三壯復溜在足內踝上同身寸之二寸陷者中○新校正云按刺腰痛篇注云在內踝後上二寸動脉○足少陰脉之所行也刺可入同身寸之三分留三呼若灸者可灸五壯陰谷在膝下內輔骨之後大筋之下小筋之上按之應手屈膝而得之足少陰脉之所入也刺可入同身寸之四分若灸者可灸三壯如是五藏之俞藏各五穴則二十五俞以左右脉具而言之則五十穴

府俞七十二穴

府謂六府非兼九形府也俞亦謂井滎俞原經合非背俞也所之府膽二之井者竅陰也滎俠谿也俞臨泣也原丘墟也經陽輔也合陽陵泉也竅陰在足小指次指之端去爪甲角如韭葉足少陽脉之所出也刺可入同身寸之一分留一呼○新校正云按甲乙經作三呼○若灸者可灸三壯俠谿在足小指次指歧骨間本節前陷者中足少陽脉之所流也刺可入同身寸之三分留三呼若灸者可灸三壯臨泣在足小指次指本節後間陷者中去俠谿同身寸之一寸半足少陽脉之所注也刺可入同身寸之二分○新校正云按甲乙經作二分○留五呼若灸者可灸三壯丘墟在足外踝下如前陷者中去臨泣同身寸之三寸足少陽脉之所過也刺可入同身寸之五分留七呼若灸者可灸三壯陽輔在足外踝上○新校正云按甲乙經云外踝上四寸輔骨前絕骨之端如前同身寸之三分所去丘墟同身寸之七寸足少陽脉之所行也刺可入同身寸之五分留七呼若灸者可灸三壯陽陵泉在膝下一寸䯒外廉陷者中足少陽脉之所入也刺可入同身寸之六分留十呼若灸者可灸三壯[illegible]之有胃胃之井者厲兌也滎內庭也俞陷谷也原衝陽也經解谿也合三里也厲兌在足大指次指之端去爪甲

角如韭葉足陽明脈之所出也刺可入同身寸之一分留一呼若灸者可灸一壯內庭在足大指次指外間陷者中足陽明脈之所流也刺可入同身寸之三分留十呼○新校正云甲乙經云作二十呼○若灸者可灸三壯陷谷在足大指次指外間本節後陷者中去內庭同身寸之二寸足陽明脈之所注也刺可入同身寸之五分留七呼若灸者可灸三壯衝陽在足附上同身寸之五寸骨間動脈上去陷谷同身寸之三寸足陽明脈之所過也刺可入同身寸之三分留十呼若灸者可灸三壯解谿在衝陽後同身寸之二寸半○新校正云按甲乙經作一寸半刺瘧注作三寸半素問二注不同當從甲乙經之說○腕上陷者中足陽明脈之所行也刺可入同身寸之五分留五呼若灸者可灸三壯三里在膝下同身寸之三寸骬骨外廉兩筋肉分間足陽明脈之所入也刺可入同身寸之一寸留七呼若灸者可灸三壯[illegible]大腸之井者商陽也滎二間也俞三間也原合谷也經陽谿也合曲池也商陽在手大指次指內側去爪甲角如韭葉手陽明脈之所出也刺可入同身寸之一分留一呼若灸者可灸三壯二間在手大指次指本節前內側陷者中手陽明脈之所流也刺可入同身寸之三分留六呼若灸者可灸三壯三間在手大指次指本節後內側陷者中手陽明脈之所注也刺可入同身寸之三分留三呼若灸者可灸三壯合谷在手大指次指歧骨之間手陽明脈之所過也刺可入同身寸之三分留六呼若灸者可灸三壯陽谿在腕中上側兩筋間陷者中手陽明脈之所行也刺可入同身寸之三分留七呼若灸者可灸三壯曲池在肘外輔屈肘兩骨之中手陽明脈之所入也以手拱胸取之刺可入同身寸之五分留七呼若灸

者可灸三壯心之府小腸小腸之井者少澤也榮前谷也俞
後谿也原腕骨也經陽谷也合少海也少澤在手小指之端
云爪甲下同身寸之一分陷者中手大陽脉之所出也刺可
入同身寸之一分留二呼若灸者可灸一壯前谷在手小指
外側本節前陷者中手大陽脉之所流也刺可入同身寸之
一分留三呼若灸者可灸三壯後谿在手小指外側本節後
陷者中手大陽脉之所注也刺可入同身寸之一分留二呼
若灸者可灸一壯腕骨在手外側腕前起骨下陷者中手大
陽脉之所過也刺可入同身寸之二分留三呼若灸者可灸
三壯陽谷在手外側腕中鋭骨之下陷者中手大陽脉之所
行也刺可入同身寸之二分留三呼○新校正云按甲乙經
作二呼○若灸者可灸三壯少海在肘內大骨外去肘端同
身寸之五分陷者中屈肘乃得之手大陽脉之所入也刺可
入同身寸之二分留七呼若灸者可灸五壯心包之府三焦
三焦之井者關衝也榮液門也俞中渚也原陽池也經支溝
也合天井也關衝在手小指次指之端去爪甲角如韭葉手
少陽脉之所出也刺可入同身寸之一分留三呼若灸者可
灸三壯液門在手小指次指間陷者中手少陽脉之所流也
刺可入同身寸之二分留二呼若灸者可灸三壯中渚在手
小指次指本節後間陷者中手少陽脉之所注也刺可入同
身寸之二分留三呼若灸者可灸三壯陽池在手表腕上陷
者中手少陽脉之所過也刺可入同身寸之二分留六呼若
灸者可灸三壯支溝在腕後同身寸之三寸兩骨之間陷者
中手少陽脉之所行也刺可入同身寸之二分留七呼若灸
者可灸三壯天井在肘外大骨之後同身寸之一寸兩筋間
陷者中屈肘得之手少陽脉之所入也刺可入同身寸之一

寸留七呼若灸者可灸三壯骨之府膀胱之井者至陰也滎通谷也俞束骨也原京骨也經崑崙也合委中也至陰在足小指外側去爪甲角如韭葉足太陽脈之所出也刺可入同身寸之一分留五呼若灸者可灸三壯通谷在小指外側本節前陷者中大陽脈之所流也刺可入同身寸之二分留五呼若灸者可灸三壯束骨在足小指外側本節後赤白肉際陷者中足太陽脈之所注也刺可入同身寸之三分留三呼若灸者可灸三壯京骨在足外側大骨下赤白肉際陷者中足太陽脈之所過也刺可入同身寸之三分留七呼若灸者可灸三壯崑崙在足外踝後跟骨上陷者中細脈動應手足太陽脈之所行也刺可入同身寸之五分留十呼若灸者可灸三壯委中在膕中央約文中動脈○新校正云詳委中穴與甲乙經及刺瘧篇注痺論注同又骨空論云在膝解之後曲脚之中背面取之又熱穴論注刺熱篇注云在足膝後屈處○足太陽脈之所入也刺可入同身寸之五分留七呼若灸者可灸三壯如是六府之俞府各六穴則二十六俞以左右脈俱而言之則七十二穴

熱俞五十九穴，水俞五十七穴，並具水熱論中○新校正云按熱俞又見刺熱篇注

頭上五行行五，五五二十五穴，此亦熱俞之五十九穴也

中膂兩傍各五，凡十穴，謂五藏之背俞也肺俞在第三椎下兩傍心俞在第五椎下兩傍肝俞在第九椎下兩傍脾俞在第十一椎下兩傍腎俞在第十四椎下兩傍此五藏俞者各俠脊相去同身寸之一寸半並足太陽脈之會刺可入同身寸之三分肝俞留六呼餘並留七呼若灸者可灸三壯俠脊數之則十穴也

大椎

上兩傍各一凡二穴今甲乙經二脉流注孔穴圖經並不載未詳何俞也○新校正云按大椎上傍
無穴大椎下傍穴名大杼後有故王氏云未詳目瞳子浮白二穴瞳子髎在目外去眥同身寸之五分
手太陽手足少陽三脉之會刺可入同身寸之三分若灸者可灸三壯浮白在耳後入髮際同身寸之一寸足太陽少陽
二脉之會刺可入同身寸之三分若灸者可灸三壯左右言之各二為四也兩髀厭分中二穴謂環
銚穴也在髀樞後足少陽太陽二脉之會刺可入同身寸之一寸留二呼若灸者可灸三壯○新校正云按王氏云在髀
樞後按甲乙經云在髀樞中後當作中灸三壯甲乙經作五壯犢鼻二穴在膝髕下胻上俠解大筋中足陽明
脉氣所發刺可入同身寸之六分若灸者可灸三壯耳中多所聞二穴聽宮穴也在耳中珠子大如赤
小豆手足少陽手太陽三脉之會刺可入同身寸之一分若灸者可灸三壯○新校正云按甲乙經云刺可入三分眉
本二穴攢竹穴也在眉頭陷者中足太陽脉氣所發刺可入同身寸之三分留六呼若灸者可灸三壯完骨
二穴在耳後入髮際同身寸之四分足太陽少陽之會刺可入同身寸之三分留七呼若灸者可灸三壯○新校正
云刺可入三分灸七壯項中央一穴風府穴也在項上入髮際同身寸之一寸大筋內宛宛中督脉陽維
二經之會疾言其肉立起言休其肉立下刺可入同身寸之四分留三呼灸之不幸使人瘖枕骨二穴竅陰
穴也在完骨上枕骨下搖動應手足太陽少陽之會刺可入同身寸之三分若灸者可灸三壯○新校正云按甲乙經云

刺可入四分灸可五壯**上關二穴**鍼經所謂刺之則欬不能欠者也在耳前上廉起骨開口有空手少陽足陽明之會刺可入同身寸之三分留七呼若灸者可灸三壯刺深令人耳無所聞**大迎二穴**在曲頷前同身寸之一寸三分骨陷者中動脈足陽明脈氣所發刺可入同身寸之三分留七呼若灸者可灸三壯**下關二穴**鍼經所謂刺之則欠不能欬者也在上關下耳前動脈下廉合口有空張口而閉足陽明少陽二脈之會刺可入同身寸之三分留七呼若灸者可灸三壯耳中有乾擿之不得灸也○新校正云按甲乙經擿之作擿抵擿音適抵丁礼反**天柱二穴**在頸項後髮際大筋外廉陷者中足太陽脈氣所發刺可入同身寸之二分留六呼若灸者可灸三壯**巨虛上下廉四穴**上廉足陽明與大腸合也在膝犢鼻下胻外廉同身寸之六寸足陽明脈氣所發刺可入同身寸之八分若灸者可灸三壯下廉足陽明與小腸合也在上廉下同身寸之三寸足陽明脈氣所發刺可入同身寸之三分若灸者可灸三壯○新校正云按甲乙經并刺熱篇注水熱穴注上廉在三里下三寸此云犢鼻下六寸者蓋三里在犢鼻下三寸上廉又在三里下三寸故云六寸也**曲牙二穴**曲牙頰車穴也在耳下曲頰端陷者中開口有空足陽明脈氣所發刺可入同身寸之三分若灸者可灸三壯**天突一穴**[illegible]**天府二穴**在腋下同身寸之三寸臂臑內廉動脈手太陰脈氣所發禁不可灸刺可入同身寸之四分留三呼臑奴到反**天牖二穴**在頸筋間缺盆上天容後天柱前完骨下髮際上手少陽脈氣所發刺可入同身寸之一寸留七呼若灸者可灸

三壯扶突二穴在頸當曲頰下同身寸之一寸人迎後手陽明脉氣所發仰而取之刺可入同身寸之四分若灸者可灸三壯天窓二穴在曲頰下扶突後動脉應手陷者中手大陽脉氣所發刺可入同身寸之六分若灸者可灸三壯肩解二穴謂肩井也在肩上陷解中缺盆上大骨前手足少陽二維之會刺可入同身寸之五分若灸者可灸三壯○新校正云按甲乙經灸五壯關元一穴新校正云詳此已前釋旧當篇再注今去之委陽二穴三焦下輔俞也在膕中外廉兩筋間此足太陽之别絡刺可入同身寸之七分留五呼若灸者可灸三壯屈伸而取之肩貞二穴在肩曲甲下兩骨解間肩髃後陷者中手太陽脉氣所發刺可入同身寸之八分若灸者可灸三壯瘖門一穴在項髮際宛宛中入係舌本督脉陽維二經之會仰頭取之刺可入同身寸之四分不可灸之令人瘖○新校正云按氣府注云去風府一寸齊一穴齊中也禁不可刺〻之使人齊中惡瘍潰矢出者死不可治若灸者可灸三壯膺俞十二穴謂俞府或中神藏靈墟神封步廊左右則十二穴也俞府在巨骨下俠任脉兩傍横去任脉各同身寸之二寸陷者中下五穴遞相去同身寸之一寸六分陷者中並足少陰脉氣所發仰而取之刺可入同身寸之四分若灸者可灸五壯背俞二穴大杼穴也在脊第一椎下兩傍相去各同身寸之一寸半陷者中督脉别絡手足太陽三脉氣之會刺可入同身寸之三分留七呼若灸者可灸七壯膺俞十二穴謂雲門中府周榮胷鄉天谿食竇左右則十二穴也○新校正云按甲乙經作周榮胷鄉○雲門在巨骨

下俠任脉傍横去任脉各同身寸之六寸○新校正云按水熱穴注作背中行兩傍与此文雖異處所亦別陷者中動脉延手雲門中府相去同身寸之一寸餘五穴遞相去同身寸之一寸六分陷者中並手太陰脉氣所發雲門令人舉臂取之餘一仰而取之雲門刺可入同身寸之七分太深令人逆息中府刺可入同身寸之三分留五呼餘刺可入同身寸之四分若灸者可灸五壯○新校正云詳王氏以此十二穴并手太陰按甲乙經雲門乃手太陰中府乃手足太陰之會周榮已下乃足太陰非十二穴並手太陰也分肉二穴在足外踝上絶骨之端同身寸之三分筋肉分間陽維脉氣所發刺可入同身寸之三分留七呼若灸者可灸三壯○新校正云按甲乙經无分肉穴詳處所疑是陽輔在足外踝上輔骨前絶骨端如前三分所又按刺腰痛注作絶骨之端如後二分刺入五分留十呼与此注小異踝上横二穴内踝上者交信穴也交信去内踝上同身寸之二寸少陰前大陰後筋骨間足陰蹻之郄刺可入同身寸之四分留五呼若灸者可灸三壯外踝上者附陽穴也附陽去外踝上同身寸之三寸太陽前少陽後筋骨間陽蹻之郄刺可入同身寸之六分留七呼若灸者可灸三壯○新校正云按甲乙經附陽作付陽陰陽蹻四穴陰蹻穴在足内踝下是謂照海陰蹻所生刺可入同身寸之四分留六呼若灸者可灸三壯陽蹻穴是謂申脉陽蹻所生在外踝下陷者中○新校正云按刺腰痛篇注作在外踝下五分繆刺論注云外踝下半寸○容爪甲刺可入同身寸之三分留七呼若灸者可灸三壯○新校正云按甲乙經留七呼作六呼刺腰痛篇注作十呼水俞在諸分分謂肉之分理

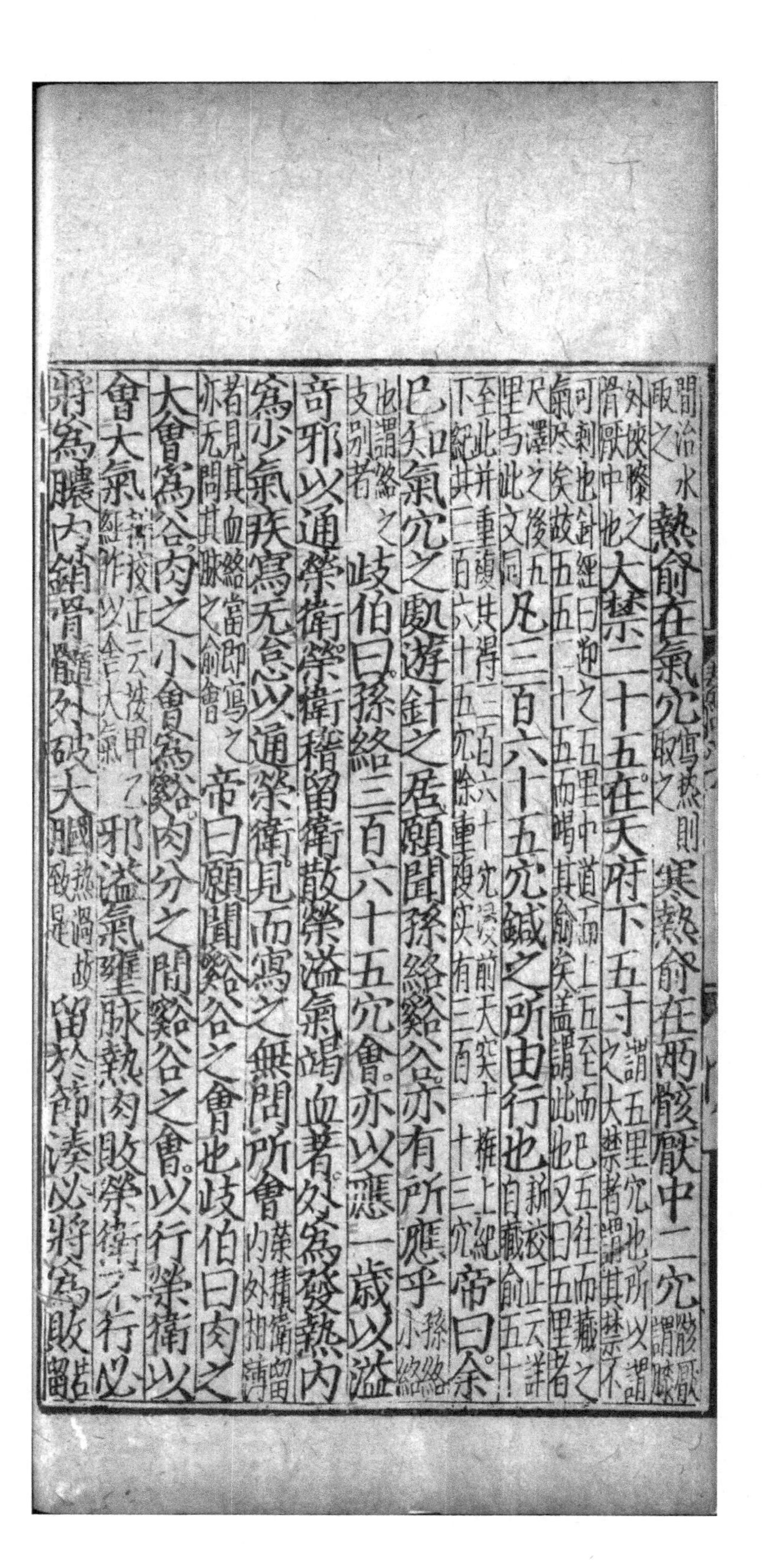
閭治水取之熱俞在氣穴寫熱則取之寒熱俞在兩骸厭中二穴骸厭謂膝外俠膝之骨厭中也大禁二十五在天府下五寸謂五里穴也所以謂之大禁者謂其禁不可刺也針經曰迎之五里中道而止五至而已五往而藏之氣盡矣故五五二十五而竭其俞矣蓋謂此也又曰五里者尺澤之後五里与此文同凡三百六十五穴鍼之所由行也新校正云詳自藏俞五十至此并重複共得三百六十穴通前天突十椎上紀下紀共三百六十五穴除重複實有三百一十三穴帝曰余已知氣穴之處游鍼之居願聞孫絡谿谷亦有所應乎孫絡小絡也謂絡之支別者岐伯曰孫絡三百六十五穴會亦以應一歲以溢奇邪以通榮衛榮衛稽留衛散榮溢氣竭血著外為發熱內為少氣疾寫无怠以通榮衛見而寫之無問所會榮積衛留內外相薄者見其血絡當即寫之亦无問其脉之俞會帝曰願聞谿谷之會也岐伯曰肉之大會為谷肉之小會為谿肉分之間谿谷之會以行榮衛以會大氣新校正云按甲乙經作以舍大氣邪溢氣壅脉熱肉敗榮衛不行必將為膿內銷骨髓外破大膕熱過故致是留於節湊必將為敗若留

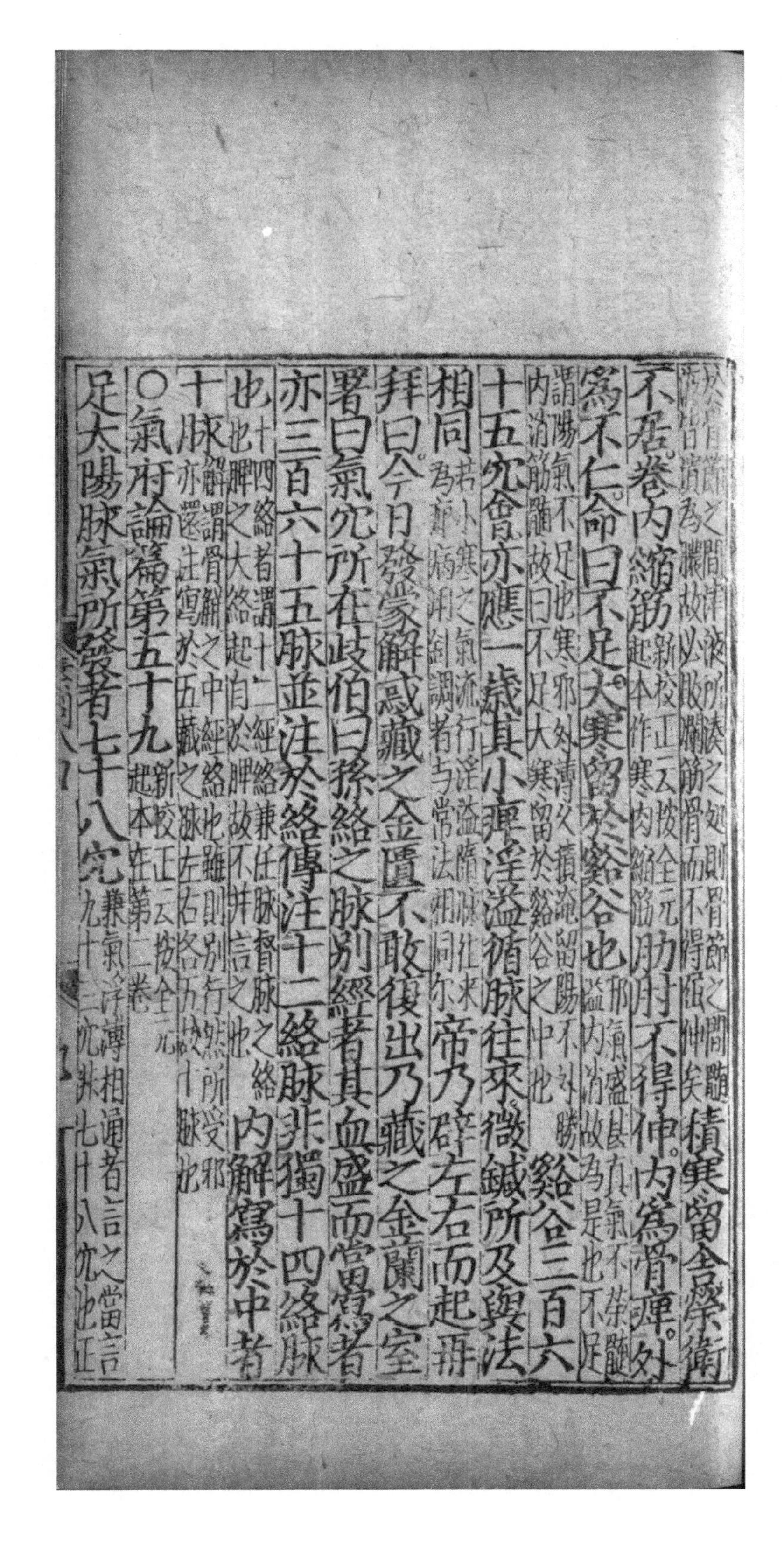
於骨節之間津液所湊之處則骨節之間髓液皆潰為膿故必敗爛筋骨而不得屈伸矣積寒留舍榮衛
不居卷內縮筋新校正云按全元起本作寒肉縮筋肋肘不得伸內為骨痺外
為不仁命曰不足大寒留於谿谷也邪氣盛甚真氣不榮髓溢內消故為是也不足
謂陽氣不足也寒邪外薄久積淹留陽不外勝內消筋髓故曰不足大寒留於谿谷之中也谿谷三百六
十五穴會亦應一歲其小痺淫溢循脉往來微鍼所及與法
相同若小寒之氣流行淫溢隨脉往來為痺病用鍼調者与常法相同尔帝乃辟左右而起再
拜曰今日發蒙解惑藏之金匱不敢復出乃藏之金蘭之室
署曰氣穴所在岐伯曰孫絡之脉別經者其血盛而當寫者
亦三百六十五脉並注於絡傳注十二絡脉非獨十四絡脉
也十四絡者謂十二經絡兼任脉督脉之絡也脾之大絡起自於脾故不并言之也內解寫於中者
十脉解謂骨解之中經絡也雖則別行然所受邪亦還注寫於五藏之脉左右各五故十脉也
○氣府論篇第五十九新校正云按全元起本在第二卷
足太陽脉氣所發者七十八穴兼氣浮薄相通者言之當言九十三穴非七十八穴也正

經脉會發者七十八穴浮薄相通者一十五穴則其數也兩眉頭各一謂攢竹穴也所在刺灸分壯与氣穴

同穴入髮至項三寸半傍五相去三寸謂大杼風門各二穴也所在刺灸分壯与氣穴

同法○新校正云按別本云入髮至項三寸又注云寸同身寸也諸寸同法与此注全別此注謂大杼風門各二穴所在

灸刺分壯与此氣穴同法今氣穴篇中无風門穴而注言与注同法此注之非可見此非王氏之誤誤在後人詳此入髮

至項三寸半傍五相去三寸蓋是說下文浮氣之在皮中五行行五之穴故王氏不解釋直云寸為同身寸也但以項誤

作項剩半字耳所以言入髮至項者自入髮顖會穴至項百會凡三寸自百會後至後頂又三寸故云入髮至頂三寸傍

五者為兼中行傍數有五行也相去三寸者盖謂自百會頂中數左右前後各三寸有五行行五共二十五穴耳後人誤

將項為頂以為大杼風門此其誤也况大杼在第一椎下兩傍風門又在第二椎下上去髮際非止三寸半也其誤甚明

顖音信其浮氣在皮中者凡五行行五五五二十五浮氣謂氣浮而通之

可以去熱者也五行謂頭上自髮際中同身寸之二寸後至頂之後者也二十五者其中行則顖會前頂百會後頂強間

五督脉氣也次俠傍兩行則五處承光通天絡却玉枕各五本經氣也又次傍兩行則臨泣目窻正營承靈腦空各五足

少陽氣也兩傍四行各五則二十穴中一五則二十五也其次灸分壯与水熱穴同法項中大筋兩傍

各一謂天柱二穴也所在刺灸分壯与氣穴同法風府兩傍各一謂風池二穴也刺灸分壯与氣

穴同法○新挍正云按甲乙經風池足少陽陽維之會非太陽之所發也經言風府兩傍乃天柱穴之分位此亦覆明上項中大筋兩傍穴也此注剌出風池二穴於九十三數外更剌前大杼幽門及此風池六穴也

俠背以下至尻尾二十一節十五間各一

十五間各一者今中誥孔穴圖經所存者十三穴左右共二十六謂附分魄戶神堂譩譆鬲關魂門陽綱意舍胃倉肓門志室胞肓秩邊十三也附分在第二椎下附項內廉兩傍各相去俠脊同身寸之三寸足太陽之會剌可入同身寸之八分若灸者可灸五壯魄戶在第三椎下兩傍上直附分足太陽脉氣所發下十一穴並同正坐取之剌可入同身寸之五分若灸者如附分法神堂在第五椎下兩傍上直魄戶剌可入同身寸之三分灸同附分法譩譆在第六椎下兩傍上直神堂○新挍正云按骨空論注云以手厭之令病人呼譩譆之言則指下動矣○剌可入同身寸之六分留七呼灸如附分法鬲關在第七椎下兩傍上直譩譆正坐開肩取之剌可入同身寸之五分若灸者可灸三壯○新挍正云按甲乙經云可灸五壯○魂門在第九椎下兩傍上直鬲關正坐取之剌灸分壯如鬲關法陽綱在第十椎下兩傍上直魂門正坐取之剌灸分壯如魂門法意舍在第十一椎下兩傍上直陽綱正坐取之剌灸分壯如陽綱法胃倉在第十二椎下兩傍上直意舍剌灸分壯如意舍法肓門在第十三椎下兩傍上直胃倉剌同胃倉可灸三十壯○新挍正云按肓門灸三十壯与甲乙經同水穴注作灸三壯○志室在第十四椎下兩傍上直肓門正坐取之剌灸分壯如魄戶法○胞肓在第十九椎下兩傍上直志室伏而取之剌灸分壯如魄戶法○新挍正云

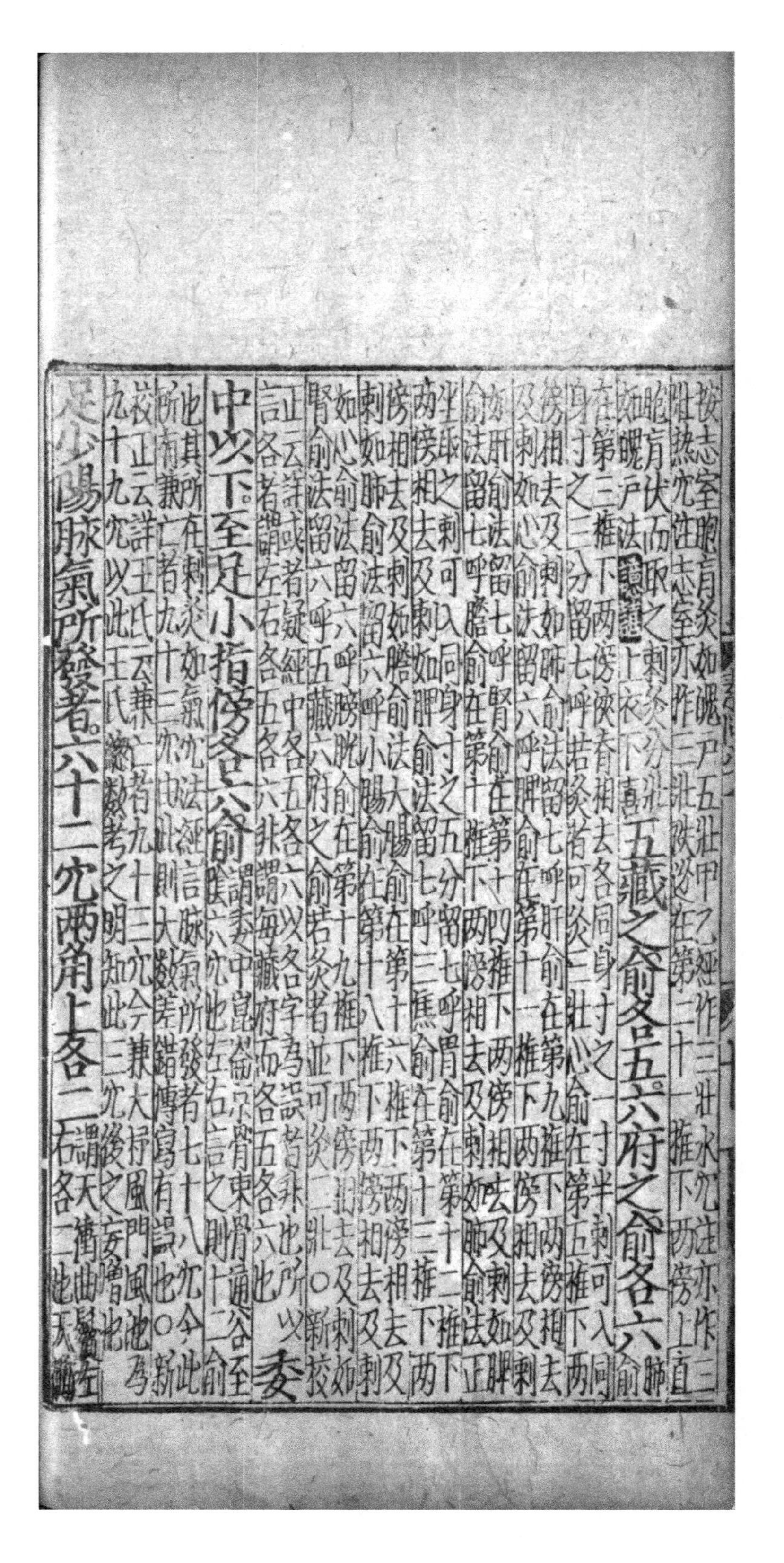

按志室脘肓灸如魄戶五壯甲乙經作三壯水穴注亦作三
陽熱穴注志室亦作三壯欲從在第二十一椎下兩傍上直
脘肓伏而取之刺灸分壯如魄戶法[illegible]上衣下喜五藏之俞各五六府之俞各六肺俞
在第三椎下兩傍俠脊相去各同身寸之一寸半刺可入同
身寸之三分留七呼若灸者可灸三壯心俞在第五椎下兩
傍相去及刺如肺俞法留七呼肝俞在第九椎下兩傍相去
及刺如心俞法留六呼脾俞在第十一椎下兩傍相去及刺
如肝俞法留七呼腎俞在第十四椎下兩傍相去及刺如脾
俞法留七呼膽俞在第十椎下兩傍相去及刺如脾俞法正
坐取之刺可入同身寸之五分留七呼胃俞在第十二椎下
兩傍相去及刺如脾俞法留七呼三焦俞在第十三椎下兩
傍相去及刺如膽俞法大腸俞在第十六椎下兩傍相去及
刺如肺俞法留六呼小腸俞在第十八椎下兩傍相去及刺
如心俞法留六呼膀胱俞在第十九椎下兩傍相去及刺如
腎俞法留六呼五藏六府之俞若灸者並可灸三壯○新校
正云詳或者疑經中各五各六以各字為誤皆非也所以
言各者謂左右各五各六非謂每藏府而各五各六也委
中以下至足小指傍各六俞謂委中崑崙京骨束骨通谷至陰六穴也左右言之則十二俞
也其所在刺灸如氣穴法經言脈氣所發者七十八穴今此
所有兼亡者九十三穴由此則大數差錯傳寫有誤也○新
校正云詳王氏云兼亡者九十三穴今兼大杼風門風池為
九十九穴以此王氏總數考之明知此三穴後之妄增也
足少陽脈氣所發者六十二穴兩角上各二謂天衝曲鬢左右各二也天衝

在耳上如前同身寸之三分，足太陽少陽二脉之會，刺可入同身寸之三分，若灸者可灸三壯。曲鬢在耳上入髮際曲隅陷者中，鼓頷有空，足太陽少陽二脉之會，刺灸分壯如天衝法。

直目上髮際內各五，謂臨泣、目窗、正營、承靈、腦空，左右是也。臨泣在直目上入髮際同身寸之五分，足太陽少陽陽維三脉之會，留七呼。目窗在臨泣後同身寸之一寸。正營在目窗後同身寸之一寸。承靈在正營後同身寸之一寸半。腦空在承靈後同身寸之一寸半，俠枕骨後枕骨上，並足少陽陽維二脉之會，刺可入同身寸之四分，餘並刺可入同身寸之三分，若灸者並可灸五壯。○新校正云：按腦空在枕骨上枕骨上，甲乙經作玉枕骨下。

耳前角上各一，謂頷厭二穴也，在曲角下顳顬之上上廉，手足少陽足陽明三脉之會，刺可入同身寸之七分，留七呼，若灸者可灸三壯，刺深令人耳無所聞。顳仁涉反顬汝車反

耳前角下各一，謂懸釐二穴也，在曲角上顳顬之下廉，手足少陽陽明四脉之交會，刺可入同身寸之三分，留七呼，若灸者可灸三壯。○新校正云：按後手少陽中云角上，此云角下，必有一誤。

鋭髮下各一，謂和髎二穴也，在耳前鋭髮下橫動脉，手足少陽二脉之會，刺可入同身寸之三分，若灸者可灸三壯。○新校正云：按甲乙經云手足少陽手太陽之會。

客主人各一，客主人穴名也，在耳前上廉起骨，開口有空，手足少陽足陽明三脉之會，刺可入同身寸之三分，留七呼，若灸者可灸三壯。○新校正云：按甲乙經及氣穴注、刺禁注並云手少陽足陽明之會，与此異。

耳後陷中各一，謂翳風二穴也，在耳後陷者中，按之引耳中，手足少陽二脉之會，刺可入同身

寸之三分若灸者可灸三壯下關各下下閔穴各也所在刺灸氣穴同法耳下牙車之後
各一謂頰車三穴也刺灸分壯氣穴同法缺盆各一缺盆穴名也在肩上橫骨陷者中足陽明脈氣所發
刺可入同身寸之二分留七呼若灸者可灸三壯大深令人逆息○新校正云按骨空注作手陽明掖下三寸。
脇下至胠八間各一掖下三寸同身寸也掖下謂淵掖輙筋天池脇下至胠則日月章門帶脈五樞
維道居髎九穴也左右共十八穴也淵掖在掖下同身寸之三寸足少陽脈氣所發舉臂得之刺可入同身寸之三分禁
不可灸輙筋在掖下同身寸之三寸復前行同身寸之一寸著脇○新校正云按甲乙經著作着下同足少陽脈氣所發
刺可入同身寸之六分若灸者可灸三壯天池在乳後同身寸之二寸○新校正云按甲乙經作一寸掖下三寸著脇直
掖擷脇間手心主足少陽二脈之會刺可入同身寸之三分○新校正云按甲乙經作七分若灸者可灸三壯日月膽募
也在第三肋端橫直心蔽骨旁各同身寸之二寸五分上直兩乳○新校正云按甲乙經云日月在期門下五分足太
陰少陽二脈之會刺可入同身寸之七分若灸者可灸五壯章門脾募也在季肋端足厥陰少陽二脈之會側臥屈上足
伸下足舉臂取之刺可入同身寸之八分留六呼若灸者可灸三壯帶脈在季肋下同身寸之一寸八分足少陽帶脈二
經之會刺可入同身寸之六分若灸者可灸五壯五樞在帶脈下同身寸之三寸足少陽帶脈二經之會刺可入同身寸
之一寸若灸者可灸五壯維道在章門下同身寸之五寸三分足少陽帶脈二經之會刺灸分壯與章門法居髎在章門

下同身寸之四寸三分髂骨上○新校正云按甲乙經作監骨上陷者中陽蹻足少陽二脉之會刺灸分壯如維道法新以謂之八間者自腋下三寸至季脅凡八脅有**髀樞中傍各一**謂環銚二穴也刺灸分壯氣穴同法○新校正云按氣穴論云兩髀厭分中王注為環銚穴又甲乙經注環銚在髀樞中今云髀樞中傍各一者蓋謂此穴在髀樞中也傍各一者謂左右各一穴也非謂環銚在髀樞中傍也**膝以下至足小指次指各六俞**謂陽陵泉陽輔丘虛臨泣俠谿竅陰六穴也左右言之則十二俞也其所在刺灸分壯氣穴同法**足陽明脉氣所發者六十八穴額顱髮際傍各三**謂懸顱陽白頭維左右共六穴也正面髮際横行數之懸顱在曲角上顳顬之中足陽明脉氣所發刺入同身寸之三分留三呼若灸者可灸三壯陽白在眉上同身寸之一寸直瞳子足陽明陰維二脉之會刺可入同身寸之三分灸三壯頭維在額角髮際俠本神兩傍各同身寸之一寸五分足少陽陽明二脉之交會刺可入同身寸之五分禁不可灸○新校正云按甲乙經陽白足少陽陽維之會今王氏注云足陽明陰維之會詳此在足陽明脉氣所發中則足陽明近是然陽明經不到此又不與陰維會疑王注非甲乙經為得矣**面鼽骨空各一**謂四白穴也在目下同身寸之一寸足陽明脉氣所發刺可入同身寸之四分不可灸○新校正云按甲乙經刺入三分灸七壯**大迎之骨空各一**大迎穴各也在曲頷前同身寸之一寸三分骨陷者中動脉足陽明脉氣所發刺可入同身寸之三分留七呼若灸者可灸三壯**人迎**

各一人迎穴名也在頸俠結喉傍大脉動應手足陽明脉氣所發刺可入同身寸之四分過深殺人禁不可灸缺盆外骨空各一謂天髎二穴也在肩缺盆中上伏骨之陬陷者中手足少陽陽維三脉之會刺可入同身寸之八分若灸者可灸三壯○新校正云按甲乙經伏骨作毖骨音祕膺中骨間各一謂膺窻等六穴也膺窻在胸兩傍俠中行各相去同身寸之四寸巨骨下同身寸之四寸八分陷者中足陽明脉氣所發仰而取之刺可入同身寸之四分若灸者可灸五壯此穴之上又有氣户庫房屋翳下又有乳中乳根氣户在巨骨下下直膺窻去膺窻上同身寸之四寸八分庫房在氣户下同身寸之一寸六分屋翳在氣户下同身寸之三寸二分下即膺窻也膺窻之下即乳中也乳中穴下同身寸之一寸六分陷者中則乳根也並足陽明脉氣所發仰而取之乳中禁不可灸刺灸刺之不幸生蝕瘡瘡中有清汁膿血者可治瘡中有瘜肉若蝕瘡者死餘五穴並刺可入同身寸之四分若灸者可灸三壯○新校正云按甲乙經灸五壯俠鳩尾之外當乳下三寸俠胃脘各五謂不容承滿梁門關門太一五穴也左右共一十穴也俠腹中行兩傍相去各同身寸之四寸○新校正云按甲乙經云各二寸疑此注剩一各字○不容在第四肋端下至太一各上下相去同身寸之一寸並足陽明脉氣所發刺可入同身寸之八分若灸者可灸五壯○新校正云按甲乙經不容刺入五分此云並入八分疑此注誤俠齊廣三寸各三廣謂去齊橫廣也廣三寸者各如太一之遠近也各三者謂滑肉門天樞外陵也滑肉門下同身寸之一寸正當於齊外陵在

天樞下同身寸之二寸並足陽明脈氣所發天樞刺可入同身寸之五分留七呼滑肉門外陵各刺可入同身寸之八分若灸者並可五壯。新校正云按甲乙經天樞在齊傍各三寸上曰滑肉門下曰外陵是三穴者去齊各三寸也今此經注云廣三寸素問甲乙經不同然甲乙經分寸与諸書同特此經為異也

下齊二寸俠之各三

下齊二寸則外陵下同身寸之一寸大巨穴也各三者謂大巨水道歸來也大巨在外陵下同身寸之一寸足陽明脈氣所發刺可入同身寸之八分若灸者可灸五壯水道在大巨下同身寸之三寸足陽明脈氣所發刺可入同身寸之二寸半若灸者可灸五壯歸來在水道下同身寸之二寸刺可入同身寸之八分若灸者可灸五壯

氣街動脈各一

氣街穴名也在歸來下鼠鼷上同身寸之一寸脉動應手足陽明脈氣所發刺可入同身寸之三分留七呼若灸者可灸三壯。新校正云詳此注与甲乙經同刺熱注及熱穴注云氣街在腹臍下橫骨兩端鼠鼷上刺禁論注在腹下俠齊兩傍相去四寸鼠鼷上骨空注云在毛際兩傍鼠鼷上諸注不同今備錄之

伏菟上各一

謂髀關二穴也在膝上伏菟後交分中刺可入同身寸之六分若灸者可灸三壯

三里以下至足中指各八俞。八分之所在穴空

謂三里上廉下廉解谿衝陽陷谷內庭厲兌八穴也左右言之則十六俞也上廉足陽明与大腸合下廉足陽明与小腸合其所在刺灸分刺与氣穴同法所謂分之所在穴空者足陽明脉自三里穴分而下行其直者循胻過跗入中指出其端則厉兌穴也其支者与直俱行至足跗上入中指次間故云八分之所在穴空也之往也言

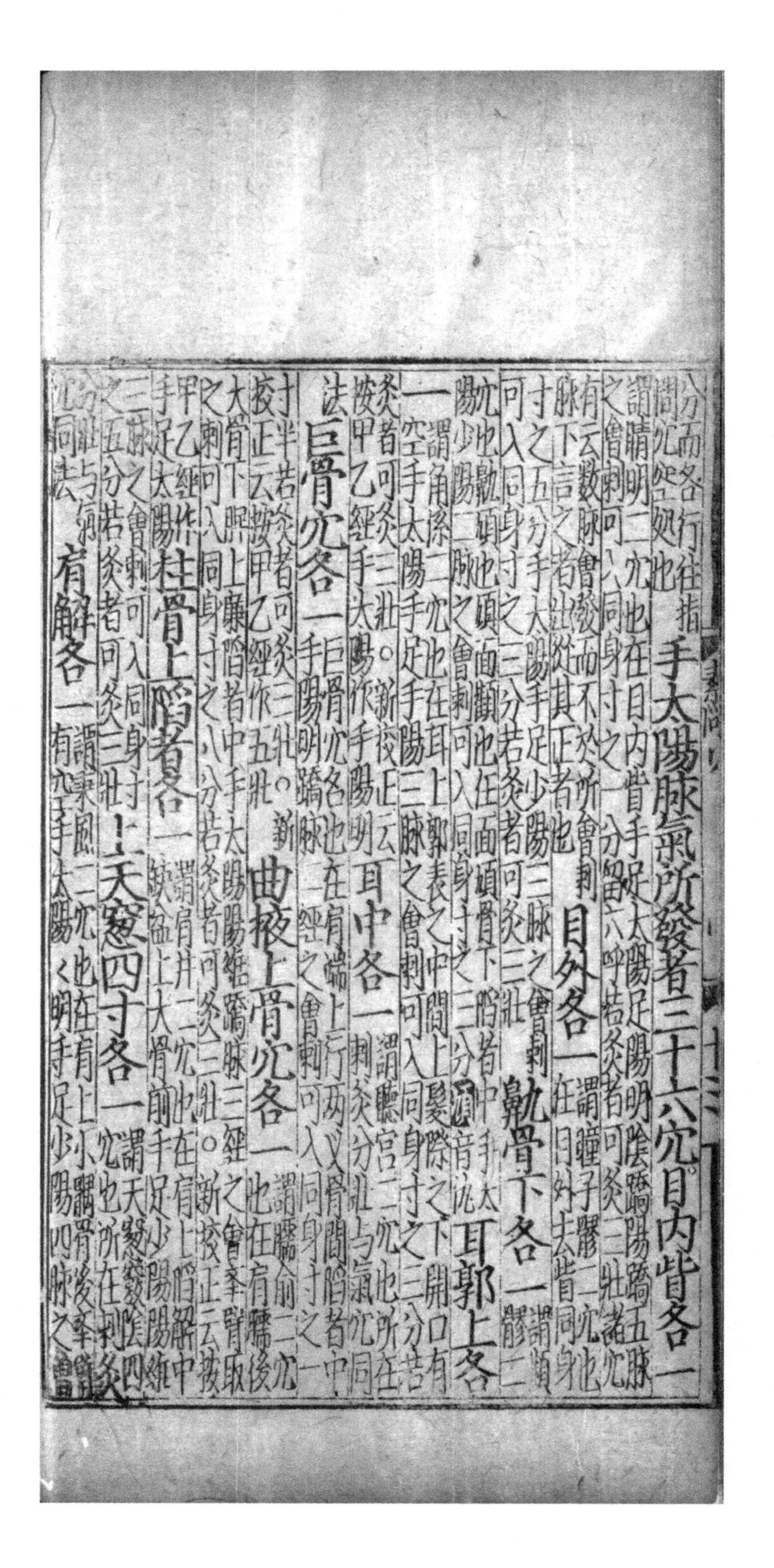
八分而各行往指間穴空處也手太陽脈氣所發者三十六穴目內眥各一謂睛明二穴也在目內眥手足太陽足陽明陰蹻陽蹻五脈之會刺可入同身寸之一分留六呼若灸者可灸三壯諸穴有云數脈會發而不灸所會刺脈下言之者皆從其正者也目外各一謂瞳子髎二穴也在目外去眥同身寸之五分手太陽手足少陽三脈之會刺可入同身寸之三分若灸者可灸三壯顴骨下各一謂顴髎二穴也鼽頄也頄面顴也任面頄骨下陷者中手太陽少陽二脈之會刺可入同身寸之三分[illegible]音訛耳郭上各一謂角孫二穴也在耳上郭表之中間上髮際之下開口有空手太陽手足少陽三脈之會刺可入同身寸之三分若灸者可灸三壯○新校正云按甲乙經手太陽作手陽明耳中各一謂聽宮二穴也所在刺灸分壯與氣穴同法巨骨穴各一巨骨穴名也在肩端上行兩叉骨間陷者中手陽明蹻脈二經之會刺可入同身寸之一寸半若灸者可灸三壯○新校正云按甲乙經作五壯曲掖上骨穴各一謂臑俞二穴也在肩臑後大骨下腋上陷者中手太陽陽維蹻脈三經之會舉臂取之刺可入同身寸之八分若灸者可灸三壯○新校正云按甲乙經作手足太陽柱骨上陷者各一謂肩井二穴也在肩上陷解中缺盆上大骨前手足少陽陽維三脈之會刺可入同身寸之五分若灸者可灸三壯上天窻四寸各一謂天窻竅陰四穴也所在刺灸分壯與氣穴同法肩解各一謂秉風二穴也在肩上小髃骨後舉臂有穴手太陽〻明手足少陽四脈之會

季脅取之，刺可入同身寸之五分，留七呼，若灸者可灸三壯。○新校正云：按《甲乙經》灸五壯。肩解下三寸各一，謂天宗二穴也。在秉風後大骨下陷者中，手太陽脉氣所發，刺可入同身寸之五分，留六呼，若灸者可灸三壯。肘以下至手小指本各六俞，六俞所起於指端，經言至小指本，則以端為本，言上之本也。下文陽明之陽同也。六俞，謂小海、陽谷、腕骨、後谿、前谷、少澤六穴也。左右言之則十二俞也。其所在刺灸分壯，氣穴同法。○新校正云：按此手太陽、陽明、少陽三經各言至手某指本，王注以端為本者，非也。詳手三陽之井穴，盡出手某指之端爪甲下際，此言本者，是逐指爪甲之本，此又安得以端為本哉。手陽明脉氣所發者二十二穴：鼻空外廉、項上各二，謂迎香、扶突各二穴也。迎香在鼻下孔旁，手足陽明二脉之會，刺可入同身寸之三分。扶突在曲頰下同身寸之一寸，人迎後，手陽明脉氣所發，仰而取之，刺可入同身寸之四分，若灸者可灸三壯。大迎骨空各一，大迎，穴名也。在曲頷前同身寸之一寸三分，骨陷者中動脉，足陽明脉氣所發，刺可入同身寸之三分，留七呼，若灸者可灸三壯。○新校正云：詳大迎穴已見前足陽明經中，今又見於此，王氏不注所以，當如顴髎穴兩出之義。柱骨之會各一，謂天鼎二穴也。在頸缺盆上，直扶突氣舍後同身寸之半寸，手陽明脉氣所發，刺可入同身寸之四分，若灸者可灸三壯。○新校正云：按《甲乙經》作一寸半。髃骨之會各一，謂肩髃二穴也。所在刺灸分壯，與氣穴同法。○新校正云：按髃骨，《氣穴》注中无，《刺熱》注、《水熱穴》注、《骨空論》注中有之。肘以下至手大指次指本各六俞謂三里陽谿合谷三間二間商陽六穴也左右言之則十二俞也所在刺灸分壯与氣穴同法。新校正云按氣穴論注有曲池而无三里曲池手陽明之合也此誤出三里而遺曲池也

手少陽脉氣所發者三十二穴鼽骨下各一謂顴髎二穴也所在刺灸分壯与手少陽脉同法此穴中手少陽太陽脉氣俱會於中等所侵者故重說於此下有者同眉後各一謂絲竹空二穴也在眉後陷者中手少陽脉氣所發刺可入同身寸之三分留六呼不可灸灸之不幸使人目小及盲。新校正云按甲乙經手少陽作足少陽留六呼作三呼角上各一謂懸釐二穴也此与足少陽脉中同以是二脉之會也。新校正云按足少陽脉中言角下此云角上疑此誤下完骨後各一謂天牖二穴也所在刺灸分壯与氣穴同項中足太陽之前各一謂風池二穴也在耳後陷者中按之引於耳中手足少陽脉之會刺可入同身寸之四分若灸者可灸三壯。新校正云按按甲乙經在顳顬後髮際足少陽〻維之會刺可入三分扶突各一謂天窓二穴也在曲頰下扶突後動脉應手陷者中手太陽脉氣所發刺可入同身寸之六分若灸者可灸三壯肩貞各一肩貞穴名也在肩曲胛下兩骨解間肩髃後陷者中手太陽脉氣所發刺可入同身寸之八分若灸者可灸三壯肩貞下三寸分間各一謂肩髎臑會消濼各二穴也其穴名在肉分間也肩髎在肩端臑上斜舉臂取之手少陽脉氣所發刺可入同身寸之七分若灸者可灸三壯臑會在臂前廉去肩

端同身寸之三寸手陽明少陽二絡氣之會刺可入同身寸之五分灸者可灸五壯消濼在肩下臂外開腋斜肘分下行間手少陽脉之會刺可入同身寸之五分若灸者可灸三壯**肘以下至手小指次指本各六俞**謂天井支溝陽池中渚液門關衝六穴也左右言之則十二俞也所在刺灸分壯與氣穴同法**督脉氣所發者二十八穴**今少一穴○新校正云按會陽二穴爲二十九穴乃剩一穴非少也少當作剩字**項中央二**是謂風府瘖門二穴也悉在項中餘二穴今亡風府在項上入髮際同身寸之一寸大筋內宛宛中督脉陽維之會刺可入同身寸之四分留三呼不可灸灸之不幸令人瘖瘖門在項髮際宛宛中去風府同身寸之一寸督脉陽維二經之會仰頭取之刺可入同身寸之四分禁不可灸灸之令人瘖○新校正云按王氏云風府瘖門悉在項中節一穴今亡者非謂二十八穴中亡一穴也王氏蓋見氣穴論大椎上兩傍各一穴所在項之穴也今亡故云爾一穴今亡也**髮際後中八**謂神庭上星顖會前頂百會後頂強間腦户八穴也其正髮際之中也神庭在髮際直鼻督脉足太陽陽明脉三經之會禁不可刺若刺之令人巔疾目失睛若灸者可灸三壯上星在顱上直鼻中央入髮際同身寸之一寸陷者中容豆顖會在上星後同身寸之一寸陷者中前頂在顖會後同身寸之一寸五分骨間陷者中百會在前頂後同身寸之一寸五分頂中央旋毛中陷容指督脉足太陽之交會後頂在百會後同身寸之一寸五分強間在後頂後同身寸之一寸五分腦户在強間後同身寸之一寸五分督脉足太陽之會不可灸此八者並督脉氣

所發也上星百會強間腦戶各刺可入同身寸之三分上星
留六呼腦戶留三呼餘並刺可入同身寸之四分若灸者可
灸五壯○新校正云按甲乙經腦
戶不可灸骨空論注云不可妄灸
面中三
謂素髎水溝齗交
三穴也素髎在鼻
柱上端督脈氣所發刺可入同身寸之三分水溝在鼻柱下
人中直脣取之督脈手陽明之會刺可入同身寸之三分留
六呼若灸者可灸三壯齗交在脣內齒上齗縫督脈任脈二
經之會可逆刺之入同身寸之三分若灸者可灸三壯此三
者正居面左
右之中也
大椎以下。至尻尾及傍十五穴
脊椎之間有大
椎陶道身柱神
道靈臺至陽筋縮中樞脊中懸樞命門陽關腰俞長強會陽
十五俞也大椎在第一椎上陷者中三陽督脈之會陶道在
項大椎節下間督脈足太陽之會俛而取之身柱在第三椎
節下間俛而取之神道在第五椎節下間俛而取之靈臺在
第六椎節下間俛而取之至陽在第七椎節下間俛而取之
筋縮在第九椎節下間俛而取之中樞在第十椎節下間俛
而取之脊中在第十一椎節下間俛而取之禁不可灸令人
僂懸樞在第十三椎節下間伏而取之命門在第十四椎節
下間伏而取之陽關在第十六椎節下間坐而取之腰俞在
第二十一椎節下間長強在脊骶端督脈別絡少陰二脈所
結會陽穴在陰尾骨兩傍凡此十五者並督脈氣所發腰俞
長強各刺可入同身寸之二分○新校正云按甲乙經作二
寸水穴論注作二分腰俞穴繆刺論注作二寸熱穴注作二
寸刺熱注作二分諸注不同難甲乙經作二寸疑大深與其
失之深不若失之淺宜作二分之說○留七呼懸樞刺可入
同身寸之三分會陽刺可入同身寸之八分餘並刺可入同

身寸之五分陶道神道各留五呼陶道身柱神道筋縮可灸五壯大椎可九壯餘並可三壯○新校正云按甲乙經无靈臺中樞陽關三陽至骶下凡二十一節。脊椎法也通項骨三節即二十四節任脉之氣所發者二十八穴今少一穴喉中央二謂廉泉天突二穴也廉泉在頷下結喉上舌本下陰維任脉之會刺可入同身寸之三分留三呼若灸者可灸三壯天突在頸結喉下同身寸之四寸中央宛宛中陰維任脉之會低鍼取之刺可入同身寸之一寸留七呼若灸者可灸三壯膺中骨陷中各一謂璇璣華蓋紫宮玉堂膻中中庭六穴也璇璣在天突下同身寸之一寸華蓋在璇璣下同身寸之一寸紫宮玉堂膻中中庭各相去同身寸之一寸六分陷者中並任脉氣所發仰而取之各刺可入同身寸之三分若灸者可灸五壯鳩尾下三寸。胃脘五寸。胃脘以下至橫骨六寸半一新校正云詳一字疑誤腹脉法也鳩尾心前穴名也其正當心蔽骨之端言其骨垂下如鳩鳥尾形故以為名也鳩尾下有鳩尾巨闕上脘中脘建里下脘水分齊中陰交脖胦丹田關元中極曲骨十四俞也鳩尾在臆前蔽骨下同身寸之五分任脉之別不可灸刺人无蔽骨者從岐骨際下行同身寸之一寸○新校正云按甲乙經云一寸半為鳩尾處也下次巨闕上脘中脘建里下脘水分遞相去同身寸之一寸上脘則足陽明手太陽之會中脘則手太陽少陽足陽明三脉所生也齊中禁不可刺若刺之使人齊中惡瘍潰矢出者死不治陰交在齊下同身寸之一寸任脉陰衝之會脖胦在齊下同身寸之一寸半丹田三焦募也在齊下同身寸之二寸關元小腸募也並齊下同身寸之三寸足三陰任脈之會也中極在關元下一寸足三陰之會也曲骨在橫骨上中極下同身寸之一寸並刺可足厥陰之會也此十四者並任脈氣所發建里丹田並刺可入同身寸之六分留七呼。新校正云按甲乙經作五分十呼。上脘陰交並刺可入同身寸之八分下脘水分並刺可入同身寸之一寸中脘臍腴並刺可入同身寸之一寸二分曲骨刺可入同身寸之一寸半留七呼餘並刺可入同身寸之一寸二分若灸者關元中脘各可灸七壯齊中中極曲骨各三壯餘並可五壯自鳩尾下至陰間並任脈主之腹脈法也。新校正云據此注云餘並刺入一寸二分關元在中与甲乙經及氣穴骨空注刺入二寸不同當從甲乙經之寸數

下陰別一謂會陰一穴也自曲骨下至陰陰之下兩陰之間則此穴也是任脈別絡俠督脈者衝脈之會故曰下陰別一也刺可入同身寸之二寸留七呼若灸者可灸三壯。新校正云按甲乙經七呼作三呼

目下各一謂承泣二穴也在目下同身寸之七分上直瞳子陽蹻任脈足陽明三經之會刺可入同身寸之三分不可灸

下脣一謂承漿穴也在頤前下脣之下足陽明脈任脈之會開口取之刺可入同身寸之二分留五呼若灸者可灸三壯。新校正云按甲乙經作六呼

齗交一齗交穴名也所在刺灸分壯与脈法同

衝脈氣所發者二十二穴俠鳩尾外各半寸至齊寸一謂幽門通谷陰都石關商曲肓俞六穴左右則十二穴也幽門俠巨闕兩傍相去各同身寸之半寸陷者中下五穴各相去同身寸之一寸並衝脈足少陰二經之

會各刺可入同身寸之一寸若灸者可灸五壯。新校正按云發此云各刺入一寸按甲乙經云幽門通谷刺入五分

齊下傍各五分至橫骨寸一。腹脈法也謂中注髓府胞門陰關下極五穴左右則十穴也中注在肓俞下同身寸之五分上直幽門下四穴各相去同身寸之一寸並衝脈足少陰二經之會各刺可入同身寸之一寸若灸者可灸五壯

足少陰舌下厥陰毛中急脈各一足少陰舌下二穴在人迎前陷中動脈前是日月本左右二也足少陰脈氣所發刺可入同身寸之四分急脈在陰髦中陰上兩傍相去同身寸之二寸半按之隱指堅然甚按則痛引上下也其左者中寒則上引少腹下引陰丸善為痛為小腹急中寒此兩脈皆厥陰之大絡通行其中故曰厥陰急脈即睪之系也可灸而不可刺病疝少腹痛即可灸。新校正云詳舌下毛中之穴甲乙經无

手少陰各一謂手少陰郄穴也在腕後同身寸之半寸手少陰郄也刺可入同身寸之三分若灸者可灸三壯左右二也

陰陽蹻各一陰蹻一謂交信穴也交信在足內踝上同身寸之二寸少陰前太陰後筋骨間陰蹻之郄刺可入同身寸之四分留五呼若灸者可灸三壯陽蹻一謂附陽穴也附陽在足外踝上同身寸之三寸太陽前少陽後筋骨間謹取之陽蹻之郄刺可入同身寸之六分留七呼若灸者可灸三壯左右四也

手足諸魚際脈氣所發者凡三百六十五穴也經之所存者多凡一十九穴此所謂氣府也然散穴俞諸經脈部分皆有之故經或不言而甲乙經經脈流注多少不同者以此

○骨空論篇第六十 新校正云按全元起本在第二卷自灸寒熱之法已下在第六卷刺齊篇末

黃帝問曰余聞風者百病之始也以鍼治之柰何 始初也 岐伯對曰風從外入令人振寒汗出頭痛身重惡寒 風中身形則腠理閉密陽氣內拒寒復外勝勝拒相薄榮衛失所故如是 治在風府 風府穴也在項上入髮際同身寸之一寸宛宛中督脈足太陽之會刺可入同身寸之四分若灸者可灸五壯○新校正云云風府注氣穴論氣府論中各已注与甲乙經同此注云督脈足太陽之會可灸五壯者乃是風門熱府穴也當云督脈陽維之會留三呼不可灸乃是 調其陰陽不足則補有餘則寫 用鍼之道必法天常盛瀉虛補此其常也 大風頸項痛刺風府風府在上椎 上椎謂大椎上入髮際同身寸之一寸 大風汗出灸譩譆譩譆在背下俠脊傍三寸所厭之令病者呼譩譆譩譆應手 譩譆穴也在肩髆內廉俠第六椎下兩傍各同身寸之三寸以手厭之令病人呼譩譆之声則指下動矣足太陽脈氣所發刺可入同身寸之六分留七呼若灸者可灸五壯譩譆者因取為名小音僖 從風憎風刺眉頭 謂攢竹穴也在眉頭陷者中脈動應手足太陽脈氣所發刺可入同身寸之三分若灸者可灸三壯 失枕在肩上橫骨間 謂缺盆穴也在肩上橫骨陷者中手陽明脈氣所發刺可入同身寸之二分留七呼若灸者可灸三壯刺

入深令人逆息。新校正云按氣府注作足陽明此云手陽明詳二經誤發於此故王注兩言之折使揄臂齊肘正灸脊中揄讀為搖搖謂搖動也然失枕非独取肩上橫骨間亦當正形灸脊中也欲而驗之則使搖動其臂屈折其肘自項之下橫齊肘端當其中間則其處也是曰陽關在第十六椎節下間督脈氣所發刺可入同身寸之五分若灸者可灸三壯。新校正云詳陽關穴甲乙經無。䏚絡季脇引少腹而痛脹刺譩譆䏚謂俠脊兩傍空軟處也少腹齊下也腰痛不可以轉搖急引陰卵。刺八髎與痛上八髎在腰尻分間八或為九驗眞骨及中喆孔穴經止有八髎无九髎也分謂腰尻筋肉分間陷下處鼠瘻寒熱還刺寒府。寒府在附膝外解營膝外骨間也屈伸之處寒氣喜中故名寒府也解謂骨解營謂深刺而必中其營也取膝上外者使之拜取足心者使之跪拜而取者使膝外空開也跪而取之者令足心宛宛處深定也任脈者起於中極之下以上毛際循腹裏上關元至咽喉。上頤循面入目新校正云按難經甲乙經无上頤循面入目六字衝脈者起於氣街並少陰之經新校正云按難經甲乙經作陽明俠齊上行至胷中而散任脈衝脈者奇經也任脈當齊中而上行衝脈俠齊兩傍而上行然中極者謂齊下同身寸之四寸也言中極之下者言中極從少腹之內上行而外出於毛際而上非謂本起於此也關元者謂齊下同身寸之三寸也氣街者穴名也在毛際兩傍鼠鼷上同身寸之一寸也言衝脈起於氣街者亦從少腹之內与任脈並行而至於是乃循腹也何以言之鍼經曰衝脈者十二經之海与少陰之絡起於腎下出於氣街又曰衝脈任脈者皆起於胞中上循脊裏為經絡之海其浮而外者循腹各行會於咽喉別而絡脣口血氣盛則皮膚熱血独盛則滲灌皮膚生毫毛由此言之則任脈衝脈從少腹之內上行至中極之下氣街之內明矣○新校正云按氣街与氣府論刺熱篇水熱穴篇刺禁論等注重文難不同処所无別備注氣府論中

任脈為病男子內結七疝女子帶下瘕聚衝脈為病逆氣裏急督脈為病脊強反折督脈亦奇經也然任脈衝脈督脈者一源而三歧也故經或謂衝脈為督脈也何以明之今甲乙及古經脈流注圖經以任脈循背者謂之督脈自少腹直上者謂之任脈亦謂之督脈是則以背腹陰陽別為名目爾以任脈自胞上過帶脈貫齊而上故男子為病內結七疝女子為病則帶下瘕聚也以衝脈使齊而上並少陰之經上至胸中故衝脈為病則逆氣裏急也以督脈上循脊裏故督脈為病則脊強反折也

督脈者起於少腹以下骨中央女子入繫廷孔起非初起亦猶任脈衝脈起於胞中也其實乃起於腎下至於少腹則下行於腰橫骨圍之中央也繫廷孔者謂窈漏近所謂前陰穴也以其陰廷繫屬於中故名之其孔溺孔之端也孔則窈漏也窈漏之中其上有溺孔焉端謂陰廷在此溺孔之上端也而督脈自骨圍中央則至於是其

絡循陰器，合篡間，繞篡後，（督脉別絡自溺孔之端分而各行下循陰器乃合篡間也所謂間者謂前陰後陰之兩間也自兩間之後已復分而行繞篡之後）別繞臀，至少陰與巨陽中絡者，合少陰上股內後廉，貫脊屬腎。（別謂別絡分而各行之於焦也足少陰之絡者自股內後廉貫脊屬腎足太陽絡之外行者循髀樞絡股陽而下其中行者下貫臀至膕中与外行絡合故言至少陰与巨陽中絡合少陰上股內後廉貫脊屬腎也○新校正云詳各行於焦焦字疑誤）與太陽起於目內眥，上額交巔上，入絡腦，還出別下項，循肩髆內，俠脊抵腰中，入循膂絡腎。（按繞臀而上行也）其男子循莖下至篡，與女子等。其少腹直上者，貫齊中央，上貫心入喉，上頤環脣，上繫兩目之下中央。（自与太陽起於目內眥下至女子等並督脉之別絡也其直行者自尻上循脊裏而至於鼻人也自其少腹直上至兩目之下中央並任脉之行而云是督脉所繫由此言之則任脉衝脉督脉名異而同一體也）此生病，從少腹上衝心而痛，不得前後，為衝疝。（尋此生病正是任脉經云為衝疝者正明督脉以別主而異目也何者若一脉一氣而无陰陽之異主則此生病當心背俱痛豈獨衝心而為疝乎）其女子不孕，癃痔遺溺嗌乾。（亦以衝脉任脉並自少腹上至於咽喉又以督脉循陰器合篡間繞篡後別繞臀故）

不孕癃痔遺溺嗌乾也所以謂之任脉者女子得之以任養也故經云此病其女子不孕也所以謂之衝脉者以其氣上衝也故經云此生病從少腹上衝心而痛也所以謂之督脉者以其督領經脉之海也由此三用故一源三岐經或通呼以相謬引故下文曰督脉生病治督脉治在骨上甚者在齊下營此亦正任脉之分也衝任督三脉異名同体亦明矣骨上謂横骨上髮際中曲骨穴也任脉足厥陰之會刺可入同身寸之一寸半若灸者可灸三壯齊下謂齊直下同身寸之一寸陰交穴任脉陰衝之會刺可入同身寸之八分若灸者可灸五壯

其上氣有音者治其喉中央在缺盆中者中謂缺盆兩間之中天突穴在頸結喉下同身寸之四寸中央宛宛中陰維任脉之會低鍼取之刺可入同身寸之一寸留七呼若灸者可灸三壯其病上衝喉者治其漸漸者上俠頤也陽明之脉漸上頤而環脣故以俠頤名為漸也是謂大迎大迎在曲頷前同身寸之一寸三分中動脉足陽明脉氣所發刺可入同身寸之三分留七呼若灸者可灸三壯

蹇膝伸不屈治其楗蹇膝謂膝痛屈伸蹇難也楗謂髀輔骨上横骨下股外之中側立揺動取之筋動應手楗音健坐而膝痛治其機髖骨兩傍相接處立而暑解治其骸關暑熱也若膝痛立而膝骨解中熱者治其骸關骸關謂膝解也一經云起而引解言膝痛起立痛引膝骨解之中也暑引二字其義則異起立二字其意頗同膝痛痛及拇指治其膕膕謂膝解之後曲脚之中委中穴背

面取之脉動應手足太陽脉之所入刺可入同身寸之五分留七呼若灸者可灸三壯坐而膝痛如物隱者治其關關在膕上當楗之後背立按之以動搖筋應手膝痛不可屈伸治其背內謂大杼穴也所在灸刺分壯與氣穴同法連䯒若折治陽明中俞髎若膝痛不可屈伸連䯒痛如折者則鍼陽明脉中俞髎也是則正取三里穴也若別治巨陽少陰滎若痛而膝如別離者則治足太陽少陰之滎也足太陽滎通谷也在足小指外側本節前陷者中刺可入同身寸之二分留五呼若灸者可灸三壯足少陰滎然谷也在足內踝前起大骨下陷者中刺可入同身寸之三分留三呼若灸者可灸三壯淫濼脛痠不能久立治少陽之維新校正云按甲乙經外踝上五寸乃是少陽之絡此云維者字之誤也在外上五寸淫濼謂似痠痛而无力也五寸一云四寸中按圖經外踝上四寸无穴五寸是光明穴也足少陽之絡刺可入同身寸之七分留十呼若灸者可灸五壯○新校正云按甲乙經云刺入六分留七呼輔骨上横骨下為楗俠髖為機膝解為骸關俠膝之骨為連骸骸下為輔輔上為膕膕上為關頭横骨為枕由是則謂膝輔骨上腰髖骨下為楗楗上為機膝外為骸關楗後為關關二下為膕膕二下為輔骨輔骨上為連骸連骸者是骸骨相連接處也頭上之横骨為枕骨水俞五十七穴者尻上五行行五伏菟上兩行行五左右

各一行行五踝上各一行。行六穴所在刺灸分壯具水熱穴論中此皆是骨空故氣穴篇内与此重言尔髓空在腦後五分。在顱際鋭骨之下是謂風府通腦中也一在齗基下當頤下骨陷中有穴容豆中誥圖經名下頤𩕄音銀一在項後中復骨下謂瘖門穴也在項髮際宛宛中入系舌本督脉陽維之會仰頭取之刺可入同身寸之四分禁不可灸一在脊骨上空在風府上上謂腦戶穴也在枕骨上大羽後同身寸之二寸五分宛宛中督脉足太陽之會此别腦之戶不可妄灸灸之不幸令人瘖刺可入同身寸之三分留三呼。新校正云按甲乙經大羽者强間之别名氣府注云若灸者可灸五壯脊骨下空在尻骨下空不應主療經闕其名。新校正云按甲乙經長強在脊骶端正在尻骨下王氏云不應主療經闕其名得非誤乎數髓空在面俠鼻謂顴髎等穴經不一或骨空在口下當兩肩謂大迎穴也所在刺灸分壯与前俠頤同法兩髆骨空在髆中之陽近肩髃穴經无名臂骨空在臂陽。去踝四寸。兩骨空之間在支溝上同身寸之一寸是謂通間。新校正云按甲乙經支溝上一寸名三陽絡通間豈其别名歟股骨上空在股陽出上膝四寸在陰市中伏菟穴下在承捷也胻骨空在輔骨之上端謂犢鼻穴也在膝髕下骭骨上俠解大筋中足陽明脉氣所發刺可入同身寸六分灸者可灸三壯股際骨空在毛中動下經闕其名尻骨空在髀骨之後相去四寸是謂尻骨上八髎穴也扁骨有滲理湊無髓孔易髓無空扁骨謂尻間扁戾骨也其骨上有滲灌文理歸湊之无別髓孔也易亦也骨有空則髓有孔骨若无孔髓亦無孔也灸寒熱之法先灸項大椎以年為壯數如患人之年數次灸橛骨以年為壯數尾窮謂之橛骨視背俞陷者灸之背胛骨際有陷處也舉臂肩上陷者灸之肩髃穴也有肩端兩骨間手陽明蹻脉之會刺可入同身寸之六分留六呼若灸者可灸三壯也兩季脇之間灸之京門穴腎募也在髂骨与腰中季脇本挾脊刺可入同身寸之三分留七呼若灸者可灸三壯外踝上絕骨之端灸之陽輔穴也在足外踝上輔骨前絕骨之端如前同身寸之三分所去丘墟七寸足少陽脉之所行也刺可入同身寸之五分留七呼若灸者可灸三壯○新校正云按甲乙經云在外踝上四寸足小指次指間灸之俠谿穴也在足小指次指岐骨間本節前陷者中足少陽脉之所流也刺可入同身寸之三分留三呼若灸者可灸三壯○新校正云按甲乙經流當作留字腨下陷脉灸之承筋穴也在腨中央陷者中足太陽脉氣所發也禁不可刺可灸三壯○新校正云按刺腰痛篇注云腨中央如外陷者中外踝後灸之崑崙穴也在足外踝後跟骨上陷者中細脉動應手足太陽脉之所行也刺可入同身寸之五分留十呼若灸者可灸三

壯缺盆骨上切之堅動如筋者灸之經闕其名當隨其所有而灸之膺中陷骨間灸之天突穴也所在灸刺分壯與前缺盆中者同法掌束骨下灸之陽池穴也在手表腕上陷者中手少陽脈之所過也刺可入同身寸之二分留六呼若灸者可灸三壯齊下關元三寸灸之正在齊下同身寸之三寸足三陰任脈之會刺可入同身寸之二寸留七呼若灸者灸七壯○新校正云按氣府注云刺可入一寸二分者非毛際動脈灸之以脈動應手為處即氣街穴也膝下三寸分間灸之三里穴也在膝下同身寸之三寸胻骨外廉兩筋肉分間足陽明脈之所入也刺可入同身寸之一寸留七呼灸者可灸三壯足陽明跗上動脈灸之衝陽穴也在足跗上同身寸之五寸骨間動脈足陽明脈之所過也刺可入同身寸之三分留十呼若灸者可灸三壯○新校正云按甲乙經及全元起本足陽明下有灸之一字并跗上動脈是二穴今王氏去灸之二字則見二穴今於注中却存灸之二字以闕疑耳巔上一灸之百會穴也在頂中央旋毛中陷容指督脈足太陽脈之交會刺可入同身寸之三分若灸者灸五壯犬所齧之處灸之三壯即以犬傷病法灸之犬傷而發寒熱者即以犬傷法三壯灸之齧舌結反凡當灸二十九處傷食灸之傷食為病亦發寒熱故灸○新校正云詳足陽明不別灸則有二十八處疑王氏去上文灸之二字者非不已者必視其經之過於陽者數刺其俞

○水熱穴論篇第六十一新校正云按全元起本在第八卷

黃帝問曰：少陰何以主腎？腎何以主水？岐伯對曰：腎者，至陰也。至陰者，盛水也。肺者，太陰也。少陰者，冬脉也。故其本在腎，其末在肺，皆積水也。陰者謂寒也。冬月至寒，腎氣合應，故云腎者至陰也。水王於冬，故云至陰者盛水也。腎少陰脉從腎上貫肝鬲入肺中，故云其本在腎，其末在肺也。腎氣上逆則水氣客於肺中，故云皆積水也。帝曰：腎何以能聚水而生病？岐伯曰：腎者，胃之關也，關門不利，故聚水而從其類也。關者所以司出入也。腎主下焦，膀胱為府，主其分注關竅二陰，故腎氣化則二陰通，二陰閟則胃填滿，故云腎者胃之關也。關閉則水積，水積則氣停，氣停則水生，水生則氣溢，氣水同類，故云關閉不利，聚水而從其類也。靈樞經曰：下焦溢為水。此之謂也。閟音秘。上下溢於皮膚，故為胕腫。胕腫者，聚水而生病也。上謂肺，下謂腎，肺腎俱溢，故聚水於腹中而生病也。帝曰：諸水皆生於腎乎？岐伯曰：腎者，牝藏也。牝，陰也。亦主陰位，故云牝藏。地氣上者屬於腎，而生水液也，故曰至陰。勇而勞甚則腎汗出，腎汗出逢於風內不得入於藏府外不得越於皮膚客於玄府行於皮裏傳於胕腫本之於腎名曰風水勇而勞甚謂力房也勞勇汗出則玄府開汗出逢風則玄府復閉玄府閉已則餘汗未出內伏皮膚傳化為水從風而水故名風水所謂玄府者汗空也汗液色玄從空而出以汗聚於裏故謂之玄府府聚也帝曰水俞五十七處者是何主也岐伯曰腎俞五十七穴積陰之所聚也水所從出入也死上五行行五者此腎俞背部之俞凡有五行當其中者督脉氣所發次兩傍四行皆是太陽脉氣也故水病下為胕腫大腹上為喘呼水下居於腎則腹至足而胕腫上入於肺則喘息賁急而大呼也不得臥者標本俱病標本者肺為標腎為本如此者是肺腎俱水為病也故肺為喘呼腎為水腫肺為逆不得臥肺為喘呼氣逆不得臥者以其主呼吸故也腎為水腫者以其主水故也分為相輸俱受者水氣之所留也分其居處以名之則是氣相輸應本其俱受病氣則皆是水所留也留力救反伏菟上各二行行五者此腎之街也街謂道也腹部正俞凡有五行俠齊兩傍則腎藏足少陰脉及衝脉氣所發次兩傍則胃府足陽明脉氣所發此四行穴則伏菟之上也菟音兔三陰之所交結於脚也踝上各一行行六

者此腎脉之下行也。名曰太衝。腎脉與衝脉並下行循足合而盛大故曰太衝凡五十七穴者，皆藏之陰絡，水之所客也。經所謂五十七者然尻上五行行五則背脊當中行督脉氣所發者脊中懸樞命門腰俞長強當其處也次俠督脉兩傍足太陽脉氣所發者有大腸俞小腸俞膀胱俞中膂內俞白環俞當其處也又次外俠兩傍足太陽脉氣所發者有胃倉肓門志室胞肓秩邊當其處也此伏菟上各二行行五者腹部正俞俠中行任脉兩傍衝脉足少陰之會者有中注四滿氣穴大赫橫骨當其處也次俠衝脉足少陰兩傍足陽明脉氣所發者有外陵大巨水道歸來氣街當其處也踝上各一行行六者足內踝之上有足少陰陰蹻脉並循踹上行足少陰脉有大鍾復溜陰谷三穴陰蹻脉有照海交信築賓三穴陰蹻既足少陰脉之別亦可通而主之兼此數之猶少一穴脊中在第十一椎節下間俛而取之刺可入同身寸之五分不可灸令人僂懸樞在第十三椎節下間伏而取之刺可入同身寸之三分若灸者可灸三壯命門在第十四椎節下間伏而取之刺可入同身寸之五分若灸者可灸三壯腰俞在第二十一椎節下間刺可入同身寸之二分○新校正云按甲乙經及繆刺論注并熱穴注俱云刺入二寸而刺熱注氣府注并此注作二分宜從二分之說○留七呼若灸者可灸三壯長強在脊骶端督脉別絡少陰所結刺可入同身寸之二分留七呼若灸者可灸三壯此五穴者並督脉氣所發也○新校正云詳王氏云少一穴按氣府論注十二椎節下有陽關一穴若通數陽關則不少矣○次俠督脉兩傍大腸俞在第十六椎下俠督脉兩傍去督脉各同身寸之

一寸半刺可入同身寸之三分留六呼若灸者可灸三壯小
腸俞在第十八椎下兩傍相去及刺灸分壯法如大腸俞傍
胱俞在第十九椎下兩傍相去及刺灸分壯法如大腸俞中
膂内俞在第二十椎下兩傍相去及刺灸分壯法如大腸俞
俠脊胂起肉留十呼白環俞在第二十一椎下兩傍相去
如大腸俞伏而取之刺可入同身寸之五分若灸者可灸三
壯○新校正云按甲乙經云刺可入八分不可灸此五穴者
並足太陽脉氣所發所謂腎俞者則此也○又次外兩傍膏
肓在第十四椎下兩傍相去各同身寸之三寸刺可入同身
寸之五分若灸者可灸三壯肓門在第十三椎下兩傍相去
及刺灸分壯法如胃倉志室在第十四椎下兩傍相去及刺
灸分壯法如胃倉正坐取之胞肓在第十九椎下兩傍相去
及刺灸分壯法如胃倉伏而取之秩邊在第二十一椎下兩
傍相去及刺灸分壯法如胃倉伏而取之此五穴者並足太
陽脉氣所發也次侠莖上兩行中注在齊下同身寸之五分
兩傍相去任脉各同身寸之五分○新校正云按甲乙經同
氣府注云侠中行方一寸文異而義同○四滿在中注下同
身寸之一寸氣穴在四滿下同身寸之一寸大赫在氣穴下同
同身寸之一寸横骨在大赫下同身寸之一寸各横相去同
身寸之一寸並衝脉足少陰之會刺可入同身寸之一寸若
灸者可灸五壯次外兩傍穴外陵在齊下同身寸之一寸○
新校正云按氣府論注云外陵在天樞下一寸與此正同○
兩傍去衝脉各同身寸之一寸半大巨在外陵下同身寸之
一寸水道在大巨下同身寸之三寸歸來在水道下同身寸
之三寸氣衝在歸來下○新校正云按氣府注刺熱注熱穴
云在腹齊下横骨兩端鼠鼷上一寸刺禁注云在腹下俠

脊兩傍相去四寸鼠僕上一寸動脈應手骨空注云在足外踝上兩傍鼠蹊上諸注不同今備錄之○鼠蹊上同身寸之一寸各橫相去同身寸之二寸此五穴者並足陽明脈氣所發水道刺可入同身寸之二寸半若灸者可灸五壯氣街刺可入同身寸之三分留七呼若灸者可灸三壯餘二穴並刺可入同身寸之八分若灸者並可五壯所謂腎之街者則此也踝上各一行行六者大鍾在足內踝後街中○按校正云按甲乙經云跟後衝中刺瘧注刺腰痛注作跟後街中動脈此云內踝後此注非○足少陰絡別走太陽者刺可入同身寸之二分留三呼若灸者可灸三壯復溜在內踝上同身寸之二寸陷者中足少陰脈之所行也刺可入同身寸之三分留三呼若灸者可灸五壯照海在內踝下刺可入同身寸之四分留六呼若灸者可灸三壯交信在內踝上同身寸之二寸少陰前太陰後筋骨間陰蹻之郄刺可入同身寸之四分留五呼若灸者可灸三壯築賓在內踝上腨分中陰維之郄刺可入同身寸之三分若灸者可灸五壯陰谷在膝下內輔骨之後大筋之下小筋之上按之應手屈膝而得之足少陰脈之所入也刺可入同身寸之四分若灸者可灸三壯所謂腎經之下行各曰太衝者則此也

帝曰：春取絡脈分肉，何也？岐伯曰：春者木始治，肝氣始生，肝氣急，其風疾，經脈常深，其氣少，不能深入，故取絡脈分肉間。帝曰：夏取盛經分湊，何也？岐伯曰：夏者火始治，心氣始長，脈瘦氣弱，陽氣留溢，新校正云按別本留一作流熱熏分腠，内至於經，故取盛經分腠，絕膚而病去者，邪居淺也。（絕謂絕破，令病得出也）所謂盛經者，陽脉也。帝曰：秋取經俞，何也？岐伯曰：秋者金始治，肺將收殺，（三陰巳成，故漸將收殺）金將勝火，陽氣在合，（金王火衰，故云金將勝火）陰氣初勝，濕氣及體，（以漸於下，濕雰霧露，故云濕氣及体）陰氣未盛，未能深入，故取俞以寫陰邪，取合以虛陽邪，陽氣始衰，故取於合。（新校正云：按皇甫士安云是謂治秋之治变）帝曰：冬〻取井滎，何也？岐伯曰：冬〻者水始治，腎方閉，陽氣衰少，陰氣堅盛，巨陽伏沈，陽脉乃去，（去謂下去）故取井以下陰逆，取滎以實陽氣。（新校正云：按全元起本实作遺，甲乙經、千金方作通）故曰冬〻取井滎，春不鼽衄。（新校正云：按皇甫士安云是謂末冬之治变）此之謂也。（新校正云：按此与四時刺逆從論及診要經終論義頗不同，与九卷之義相通）帝曰：夫子言治熱病五十九俞，余論其意，未能領別其處，願聞其處，因聞其意。岐伯曰：頭上五行行五者，以越諸陽之熱逆也。（頭上五行者，當中行謂上星、顖會、前頂、百會、後頂，次兩傍謂五處、承光、通天、絡却、玉枕，又次兩傍謂臨泣、目窗、正營、承灵、腦空也。上星在顱上直鼻中央入髮際同身寸之一寸陷者中容豆刺可入同身寸之三分顖會在上星後同身寸之一寸陷者中刺可入同身寸之四分頂在顖會後同身寸之一寸五分骨間陷者中刺如顖會法百會在前頂後同身寸之一寸五分頂中央旋毛中陷容指督脈足太陽脈之交會刺如上星法後頂在百會後同身寸之一寸五分枕骨上刺如顖會法然是五者皆督脈氣所發也上星留六呼若灸者並可灸五壯次兩傍穴五處在上星兩傍同身寸之一寸五分承光在五處後同身寸之一寸通天在承光後同身寸之一寸五分絡却在通天後同身寸之一寸五分玉枕在絡却後同身寸之七分然是五者並足太陽脉氣所發刺可入同身寸之三分五處通天各留七呼絡却留五呼玉枕留三呼若灸者可灸三壯○新校正云按甲乙經承光不灸玉枕刺入二分又刺兩傍臨泣在頭直目上入髮際同身寸之五分足太陽少陽陽維三脉之會目窗正營遞相去同身寸之一寸承靈腦空遞相去同身寸之一寸五分然是五者並足少陽陽維二脉之會腦空一穴刺可入同身寸之四分餘並可刺入同身寸之三分臨泣留七呼若灸者可灸五壯

大杼膺俞缺盆背俞此八者以寫胷中之熱也大杼在項第一椎下兩傍相去各同身寸之一寸半陷者中督脉別絡手足太陽三脉氣之會刺可入同身寸之三分留七呼若灸者可灸五壯○新校正云按甲乙經并氣穴注作七壯刺瘧注刺熱注作五壯○膺俞者膺中之俞也正名中府在胷中行兩傍相去同身寸之六寸雲門下一寸乳上三肋間動脉應手陷者中仰而取之手足太陰脉之會刺可入同身寸之三分留五呼若灸者可灸五壯缺盆在肩上橫骨陷

者中手陽明脈氣所發刺可入同身寸之一分留七呼若灸
者可灸三壯背俞即風門熱府俞也在第二椎下兩傍各同
身寸之一寸五分督脈足太陽之會刺可入同身寸之五分
留七呼若灸者可灸五壯今中誥孔穴圖經雖不名之既曰
風門熱府即治熱之背俞也○新校正云按王氏注刺熱論
云背俞未詳何處注此指名風門熱府注氣穴論以大杼爲
背俞三注不同者蓋亦疑之者也**氣街三里巨虛上下廉此八者以寫胃中**
之熱也氣街在腹齊下橫骨兩端鼠鼷上同身寸之一寸動脈應手足陽明脈氣所發刺可入同身寸之三分留
七呼若灸者可灸三壯○新校正云按氣街諸注不同具前
氷穴注中三里在膝下同身寸之三寸䯒外廉兩筋肉分間
足陽明脈之所入也刺可入同身寸之一寸留七呼若灸者
可灸三壯巨虛上廉足陽明與太陽合在三里下同身寸之
三寸足陽明脈氣所發■可入同身寸之八分若灸者可灸
三壯巨虛下廉足陽明與少陽合在上廉下同身寸之三寸
足陽明脈氣所發刺可入同身寸之三分若灸者可灸三壯也**雲門髃骨委中髓空此八者**
以寫四支之熱也雲門在巨骨下胷中行兩傍相去同身寸之六寸動脈應手足太陰脈氣所發也○
新校正云按甲乙經同氣穴注作手太陰刺熱注亦作手太
陰○脊背腧之刺可入同身寸之七分若灸者可灸五壯髃
今中誥孔穴圖經无髃骨穴有肩髃穴在肩端兩骨間手陽
明蹻脈之會刺可入同身寸之六分留六呼若灸者可灸三
壯委中在足膝後屈處膕中央約文中動脈足太陽脈之所
入也刺可入同身寸之五分留七呼若灸者可灸三壯按今

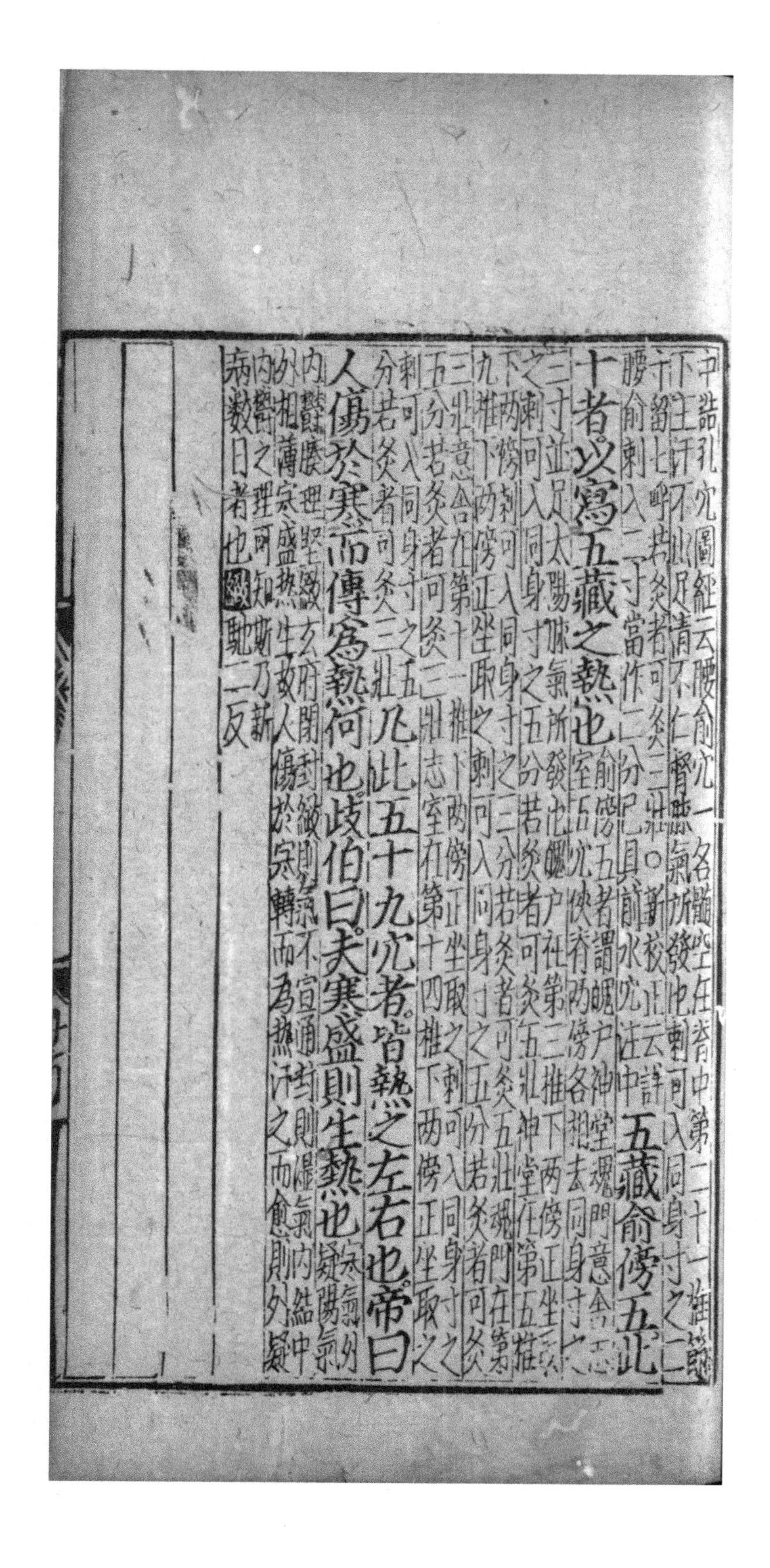

中誥孔穴圖經云腰俞穴一名髓空在脊中第二十一椎節下間主汗不出足清不仁督脉氣所發也刺可入同身寸之二寸留七呼若灸者可灸三壯○新校正云詳腰俞刺入二寸當作二分已具前水穴注中五藏俞傍五此十者以寫五藏之熱也俞傍五者謂魄戶神堂魂門意舍志室五穴俠脊兩傍各相去同身寸之三寸並足太陽脉氣所發也魄戶在第三椎下兩傍正坐取之刺可入同身寸之五分若灸者可灸五壯神堂在第五椎下兩傍刺可入同身寸之三分若灸者可灸五壯魂門在第九椎下兩傍正坐取之刺可入同身寸之五分若灸者可灸三壯意舍在第十一椎下兩傍正坐取之刺可入同身寸之五分若灸者可灸三壯志室在第十四椎下兩傍正坐取之刺可入同身寸之五分若灸者可灸三壯凡此五十九穴者皆熱之左右也帝曰人傷於寒而傳為熱何也岐伯曰夫寒盛則生熱也寒氣外凝陽氣內鬱腠理堅緻玄府閉封緻則氣不宣通封則濕氣內結中外相薄寒盛熱生故人傷於寒轉而為熱汗之而愈則外凝內鬱之理可知斯乃新病數日者也緻馳二反

補註釋文黄帝内經素問卷之八

新刊補註釋文黃帝內經素問卷之九

○調經論篇第六十二新校正云按全元起本在第一卷

黃帝問曰：余聞刺法言有餘寫之，不足補之，何謂有餘？何謂不足？岐伯對曰：有餘有五，不足亦有五，帝欲何問？帝曰：願盡聞之。岐伯曰：神有餘有不足，氣有餘有不足，血有餘有不足，形有餘有不足，志有餘有不足，凡此十者，其氣不等也。神屬心，氣屬肺，血屬肝，形屬脾，志屬腎，以各有所宗，故不等也。帝曰：人有精氣津液，四支九竅，五藏十六部，三百六十五節，乃生百病，百病之生，皆有虛實。今夫子乃言有餘有五，不足亦有五，何以生之乎？鍼經曰：兩神相薄，合而成形，常先身生，是謂精。上焦開發，宣五穀味，熏膚充身澤毛，若霧露之溉，是謂氣。腠理發泄，汗出腠理，是謂津。津之滲於空竅，留而不行者，為液也。十六部者，謂手足二，九竅九，五藏五，合為十六部也。三百六十五節者，非謂骨節，是神氣出入之處也。鍼經曰：所謂節之交，三百六十五會，皆神氣出入遊行之所，非骨節也。言人身所有則多，所舉則少，病生之數何以論之岐伯曰皆生於五藏也謂五神藏也夫心藏神肺藏氣肝藏血脾藏肉腎藏志而此成形言所以病皆生於五藏者何哉以内藏五神而成形也志意通内連骨髓而成形五藏志意者通言五神之大凡也骨髓者通言表裏之成化也言五神通泰骨髓化成身形既立乃五藏互相爲有矣○新校正云按甲乙經无五藏二字五藏之道皆出於經隧以行血氣血氣不和百病乃變化而生是故守經隧焉隧潛道也經脈伏行而不見故謂之經隧焉血氣者人之神邪侵之則血氣不正血氣不正故變化而百病乃生矣然經脈者所以決死生處百病調虛實故守經隧焉○新校正云按甲乙經經隧作經渠義各通隧音遂帝曰神有餘不足何如岐伯曰神有餘則笑不休神不足則悲心之藏也針經曰心藏脈脈舍神心氣虛則悲實則笑不休也悲一爲憂誤也○新校正云詳王注云悲一爲憂誤也按甲乙經及太素并全元起注本並作憂皇甫士安云心虛則悲悲則憂心實則笑笑則喜夫心之與肺脾之與心互相成也故喜發於心而成於肺思發於脾而成於心一過其節則二藏俱傷楊上善云心之憂在心變動也肺之憂在肺之志是則肺主秋憂爲正也心主於夏變而生憂也血氣未并五藏安定邪客於形洒淅起於毫毛未入於經絡也故命曰神之微并謂并合也未與邪合故曰未并也洒淅寒皃也始

起於毫毛，尚在於小絡，神之微病，故命曰神之微也。○新校正云：按甲乙經「洒淅」作「悽厥」，太素作「洫泝」。楊上善云：洫，毛孔也。水逆流曰泝，謂邪氣入於腠理，如水逆流於洫。帝曰：補寫奈何？岐伯曰：神有餘，則寫其小絡之血，出血勿之深斥，無中其大經，神氣乃平。邪入小絡，故可寫其小絡之脉，出其血，勿深推針，針深則傷肉，以邪居小絡，故不欲令針中大經也。絡血既出，神氣自平。斥，推也。小絡，孫絡也。針經曰：經脉為裏，支而橫者為絡，絡之別者為孫絡。平，謂調也。○新校正云：詳此注引鍼經曰，與三部九候論注兩引之，在彼云靈樞，而此曰鍼經，則王氏之意指靈樞為鍼經也。按今素問注中引鍼經者多靈樞之文，但以靈樞今不全，故未得盡知也。神不足者，視其虛絡，按而致之，刺而利之，無出其血，無泄其氣，以通其經，神氣乃平。但通經脉，令其和利，抑按虛絡，令其氣致，以神不足，故不欲出血及泄氣也。○新校正云：按甲乙經「按」作「切」，「利」作「和」。帝曰：刺微奈何？覆前初起於毫毛未入於經絡者。岐伯曰：按摩勿釋，著鍼勿斥，移氣於不足，神氣乃得復。按摩其病處，手不釋散，著鍼於病處，亦不推之，使其人神氣內朝於鍼，移其人神氣令自充足，則微病自去，神氣乃得復常。○新校正云：按甲乙經及太素云「移氣於足」，无「不」字。楊上善云：按摩使氣至於踵也。帝曰：善。氣有餘不足奈何？岐伯曰：氣有餘則喘欬上氣，不足則息利少氣。

肺之藏也肺藏氣息不利則喘針經曰肺氣虛則鼻息利少氣实則喘喝胷憑仰息也血氣未并五藏安定皮膚微病命曰白氣微泄肺合皮其色白故皮膚微病命曰白氣微泄帝曰補寫奈何岐伯曰氣有餘則寫其經隧無傷其經無出其血無泄其氣不足則補其經隧無出其氣氣謂榮氣也針寫若傷其經則血出而榮氣泄脉故不欲出血泄氣但寫其衛氣而已針補則又宜謹閉穴俞然其衛氣亦不欲泄之○新校正云按楊上善云經隧者手太陰之別從手太陰走手陽明乃是手太陰向手陽明之道欲道藏府陰陽故補寫皆從正經別走之絡寫其陰經別走之路不得傷其正經也帝曰刺微奈何謂前白氣微泄者岐伯曰按摩勿釋出鍼視之曰我將深之適人必革精氣自伏邪氣散亂無所休息氣泄腠理真氣乃相得亦謂按摩其病処也革皮也我將深之適人必革者謂其深而淺刺之也如是臨從則人懷懼色故精氣潛伏以其調適於皮精氣潛伏邪无所據故亂散而无休息發泄於腠理也邪氣既泄真氣乃与皮腠相得矣○新校正云按楊上善云革改也夫人聞樂至則身心忻悅聞痛及体情必改異忻悅則百体俱縱改革則情志必拒拒則邪氣消伏帝曰善血有餘不足奈何岐伯曰血有餘則怒不足則恐肝之藏也針經曰肝藏血肝氣虛則恐实則怒○新校正云按全元起本恐作

（恐甲乙經及太素同）血氣未并五藏安定孫絡水溢則經有留血（絡有邪盛則入於經故云孫絡外溢則經有留血）帝曰補寫奈何岐伯曰血有餘則寫其盛經出其血不足則視其虛經內鍼其脈中久留而視（新校正云按甲乙經云久留之血至太素同）脈大疾出其鍼無令血泄（脈盛滿則血有餘故出之經氣虛則血不足故無令血泄也久留疾出是謂補之鍼解論曰徐而疾則實義與此同）帝曰刺留血奈何岐伯曰視其血絡刺出其血無令惡血得入於經以成其疾（血絡滿者刺按出之則惡色之血不得入於經脈）帝曰善形有餘不足奈何岐伯曰形有餘則腹脹涇溲不利不足則四支不用（脾之藏也鍼經曰脾氣虛則四支不用五藏不安實則腹脹涇溲不利涇大便溲小便也○新校正云按楊上善云涇作經女人月經也）血氣未并五藏安定肌肉蠕動命曰微風（邪薄肉分衛氣不通陽氣內鼓故肉蠕動○新校正云按全元起本及甲乙經蠕作溢大素作濡）帝曰補寫奈何岐伯曰形有餘則寫其陽經不足則補其陽絡（並胃之經絡）帝曰刺微奈何岐伯曰取分肉間無中其經無傷其絡衛氣得復邪氣乃索（衛氣者所以溫分肉

而充皮膚肥腠理而司開闔故肉蠕動即取分肉間但開肉分以出其邪故无中其經无傷其絡衛氣復舊而邪氣尽索散尽也

帝曰善志有餘不足奈何岐伯曰志有餘則腹脹飧泄不足則厥腎之藏也鍼經曰腎藏精精舍志腎氣虛則厥実則脹脹謂脹起厥謂逆行上衝也足少陰脉下行今氣不足故隨衝脉逆行而上衝也飧音孫

血氣未并五藏安定骨節有動腎合骨故骨有邪薄則骨節段動或骨節之中如有物鼓動之也

帝曰補寫奈何岐伯曰志有餘則寫然筋血者新校正云按甲乙經及大素云寫然筋血者出其血楊上善云然筋當是然谷下筋再詳諸處引然谷者多云然骨之前血者疑少骨之二字前字誤作筋字不足則補其復溜然謂然谷足少陰榮也在內踝之前大骨之下陷者中血絡盛則泄之其刺可入同身寸之三分留三呼若灸者可灸三壯復溜足少陰經也在內踝上同身寸之二寸陷者中刺可入同身寸之三分留三呼若灸者可灸五壯

帝曰刺未并奈何岐伯曰即取之無中其經邪所乃能立虛不求穴俞而直取居邪之処故云即取之。新校正云按甲乙經邪所作以去其邪

帝曰善余已聞虛實之形不知其何以生岐伯曰氣血以并陰陽相傾氣亂於衛血逆於經血氣離居。一實一虛衛行脉外故氣亂於衛血行經內故血逆於經血氣不和故一虛一实血并

於陰，氣并於陽，故爲驚狂。（氣并於陽則陽氣外盛，故爲驚狂）血并於陽，氣并於陰，乃爲炅中。（氣并於陰則陽氣內盛，故爲熱中。炅，熱也）血并於上，氣并於下，心煩惋善怒。血并於下，氣并於上，亂而喜忘。（上謂鬲上，下謂鬲下）帝曰：血并於陰，氣并於陽，如是血氣離居，何者爲實，何者爲虛？岐伯曰：血氣者，喜溫而惡寒，寒則泣不能流，溫則消而去之。（泣謂如雪在水中，凝住而不行去也）是故氣之所并爲血虛，血之所并爲氣虛。（氣并於血則血少，故血虛；血并於氣則氣少，故氣虛）帝曰：人之所有者，血與氣耳。今夫子乃言血并爲虛，氣并爲虛，是無實乎？岐伯曰：有者爲實，無者爲虛，（氣并於血則血无，血并於氣則氣无）故氣并則無血，血并則無氣，今血與氣相失，故爲虛焉。（氣并於血則血失其氣，血并於氣則氣失其血，故曰血與氣相失）絡之與孫脉俱輸於經，血與氣并，則爲實焉。血之與氣并走於上，則爲大厥，厥則暴死，氣復反則生，不反則死。帝曰：實者何道從來？虛者何道從去？虛實之要，願聞其故。岐伯曰：夫陰與陽皆有俞會陽注於陰陰滿之外陰陽勻平以充其形九候若一命曰平人（平人謂平和之人）夫邪之生也或生於陰或生於陽其生於陽者得之風雨寒暑其生於陰者得之飲食居處陰陽喜怒帝曰風雨之傷人柰何岐伯曰風雨之傷人也先客於皮膚傳入於孫脉孫脉滿則傳入於絡脉絡脉滿則輸於大經脉血氣與邪并客於分腠之間其脉堅大故曰實實者外堅充滿不可按之按之則痛帝曰寒濕之傷人柰何岐伯曰寒濕之中人也皮膚不收（新校正云按全元起云不收不仁也甲乙經及太素云皮膚收無不字）肌肉堅緊榮血泣衛氣去故曰虛虛者聶辟氣不足按之則氣足以溫之故快然而不痛（聶謂聶皺辟謂辟疊也○新校正云按甲乙經作攝辟太素作攝辟）帝曰善陰之生實柰何（實謂邪氣盛也）岐伯曰喜怒不節則陰氣上逆上逆則下虛下虛則陽氣走之故曰實矣（新校正云按經云喜怒不節則陰氣上逆疑剩喜字）帝曰陰之生虛柰何（虛謂精氣奪也）岐伯曰喜則氣下悲則

氣消消則脉虚空因寒飲食寒氣熏滿【新校正云按甲乙經作動藏】則血泣氣去故曰虚矣帝曰經言陽虚則外寒陰虚則內熱陽盛則外熱陰盛則內寒余已聞之矣不知其所由然也【經言謂上古經言也】岐伯曰陽受氣於上焦以溫皮膚分肉之間令寒氣在外則上焦不通上焦不通則寒氣獨留於外故寒慄【慄謂振慄也】帝曰陰虚生內熱柰何岐伯曰有所勞倦形氣衰少穀氣不盛上焦不行下脘不通【新校正云按甲乙經作下焦不通】胃氣熱熱氣熏胸中故內熱【甚用其力致勞倦也貪役不食故穀氣不盛也】帝曰陽盛生外熱柰何岐伯曰上焦不通利則皮膚緻密腠理閉塞玄府不通【新校正云按甲乙經及太素無玄府二字】衛氣不得泄越故外熱【外傷寒毒內薄諸陽寒外盛則皮膚收皮膚收則腠理密故衛氣稸聚無所流行矣寒氣外薄陽氣內爭積火內燔故生外熱也燔音煩】帝曰陰盛生內寒柰何岐伯曰厥氣上逆寒氣積於胸中而不寫不寫則溫氣去寒獨留則血凝泣凝則脉不通【新校正云按甲乙經作腠理不通】其脉盛

大以濇故中寒（溫氣謂陽氣也陰逆內瀉則陽氣去於皮外也）帝曰陰與陽并血氣以并病形以成刺之柰何岐伯曰刺此者取之經隧取血於營取氣於衛用形哉因四時多少高下（營主血陰氣也衛主氣陽氣也夫行針之道必先知形之長短骨之廣狹循三備法通計身形以施分寸故曰用形也四時多少高下具在下篇）帝曰血氣以并病形以成陰陽相傾補寫柰何岐伯曰寫實者氣盛乃內鍼鍼與氣俱內以開其門如利其戶鍼與氣俱出精氣不傷邪氣乃下外門不閉以出其疾搖大其道如利其路是謂大寫必切而出大氣乃屈（言欲開其穴而泄其氣也切謂急也言急出其鍼也鍼經論曰疾而徐則虛者疾出鍼而徐按之也天氣謂大邪氣也屈謂退屈也）帝曰補虛柰何岐伯曰持鍼勿置以定其意候呼內鍼氣出內鍼入鍼空四塞精無從去方實而疾出鍼氣入鍼出熱不得還閉塞其門邪氣布散精氣乃得存動氣候時（新校正云按甲乙經作動无後時）近氣不失遠氣乃來是謂追之（言但密閉穴俞勿令其氣散泄也近氣謂已至之氣遠氣謂未至之氣也欲動經氣而為補補者皆

以微水刻氣之所在而刺之是謂得時而調之追言補也針經曰追而濟之安得无实則此謂也帝曰夫子言虛實者有十生於五藏五藏五脉耳夫十二經脉皆生其病新校正云按甲乙經云皆生百病太素同今夫子獨言五藏夫十二經脉者皆絡三百六十五節節有病必被經脉經脉之病皆有虛實何以合之岐伯曰五藏者故得六府與爲表裏經絡支節各生虛實其病所居隨而調之從其左右經氣支節而調之病在脉調之血脉者血之府脉实血实脉虛血虛由此脉病而調之血也新校正云按全元起本及甲乙經云病在血調之也病在血調之絡血病則絡脉易故調之於絡也病在氣調之衛衛主氣故氣病而調之衛也病在肉調之分肉候宗坒而取之病在筋調之筋適緩急而刺熨之病在骨調之骨察輕重而調之燔鍼刼刺其下及與急者調筋法也筋急則燒針而刼刺之病在骨焠鍼藥熨調骨法也焠針火針也病不知所痛兩蹻爲上兩蹻謂陰陽蹻脉陰蹻之脉出於照海陽蹻之脉出於申脉申脉在足外踝下陷者中容爪甲。新校正云按刺腰痛注云在踝下五分刺可入同身寸之三分留六呼若灸者可灸三壯照海在足內踝下刺可入同身寸之四分留六呼若灸者可灸二壯身形有痛九候莫病則繆刺之莫病謂无病也繆刺者刺絡脉左痛刺左右痛刺左在於左而右脉病者巨刺之巨刺者刺經脉左痛刺右右痛刺左必謹察其九候鍼道備矣

○繆刺論篇第六十三新校正云按全元起本在第二卷

黄帝問曰余聞繆刺未得其意何謂繆刺繆刺言所刺之穴應用如紀繆綱紀也岐伯對曰夫邪之客於形也必先舍於皮毛留而不去入舍於孫脉留而不去入舍於絡脉留而不去入舍於經脉內連五藏散於腸胃陰陽俱感五藏乃傷此邪之從皮毛而入極於五藏之次也如此則治其經焉今邪客於皮毛入舍於孫絡留而不去閉塞不通不得入於經流溢於大絡而生奇病也病在血絡是謂奇邪。新校正云按全元起云大絡十五絡也夫邪客大絡者左注右右注左上下左右與經相干而布於四末其氣無常處不入於經俞命曰繆刺四末謂四支也帝曰願聞繆刺以左取右以右取

左奈何其與巨刺何以別之岐伯曰邪客於經左盛則右病
右盛則左病亦有移易者新校正云按甲乙經作病易且移左痛未已而右
脈先病如此者必巨刺之必中其經非絡脈也先病者謂彼痛未止而此
脈先病以承之故絡病者其痛與經脈繆處故命曰繆刺繆刺之傍支非朱謂正經
正發也亦非公孫飛陽等之別絡也新校正云按王氏云非正別也安本論邪客足太陰絡令人腰痛引從髀合陽
明上絡嗌貫舌中乃太陰之正也亦提謙脈之正安得謂之作正別也帝曰願聞繆刺奈何取
之何如岐伯曰邪客於足少陰之絡令人卒心痛暴脹胷脇
支滿以其絡支別者並正經從腎上貫肝鬲走於心包故邪客之則病如是無積者刺然骨之
前出血如食頃而已然骨之前然谷穴也在足內踝前起大骨下陷者中足少陰滎也刺可入同身
寸之三分留三呼若灸者可灸三壯刺此多見血令人立飢欲食不已左取右右取左痛在左
取之右痛在右取之左餘如此例病新發者取五日已素有此病而新發者刺之五日乃盡已
邪客於手少陽之絡令人喉痹舌卷口乾心煩臂外廉痛手
不及頭以其脈循手表出臂外上肩入缺盆布膻中散絡心包其支者從膻中上出缺盆上項又心主其舌故病

如刺手中指次指爪甲上去端如韭葉各一痏

謂關衝穴少陽之井也刺可入同身寸之一分留三呼若灸者可灸三壯左右手皆刺之故言各一痏痏謂瘡也○新校正云按甲乙經關衝穴出手小指次指之端今言中指者誤也

壯者立已老者有頃已左取右右取左此新病數日已邪客於足厥陰之絡令人卒疝暴痛

以其絡去內踝上同身寸之五寸別走少陽其支別者循脛上睪結於莖故令人卒疝暴痛睪陰丸也

刺足大指爪甲上與肉交者各一痏

謂大敦穴足大指之端去爪甲角如韭葉厥陰之井也刺可入同身寸之三分留十呼若灸者可灸三壯

男子立已女子有頃已左取右右取左邪客於足太陽之絡令人頭項肩痛

以其經之正者從腦出別下項支別者從膊內左右別下又其絡自從足上行循背上頭故頭項肩痛也○新校正云按甲乙經云其支者從巔入絡腦還出別下項王氏云經之正者正當作支

刺足小指爪甲上與肉交者各一痏立已

謂至陰穴太陽之井也刺可入同身寸之一分留五呼若灸者可灸三壯○新校正云按甲乙經云在足小指外側去爪甲角如韭葉

不已刺外踝下三痏左取右右取左如食頃已

謂金門穴足太陽郄也在外踝下刺可入同身寸之三分留七呼若灸者可灸三壯

邪客於手陽明之絡令人氣滿胷中喘息也

支胠胸中熱以其經自肩端入缺盆絡肺其支別者從缺盆中直而上頸故病如是刺手大指次指爪甲上去端如韭葉各一痏左取右右取左如食頃已謂商陽穴手陽明之井也刺可入同身寸之一分留一呼若灸者可灸一壯○新校正按甲乙經云商陽在手大指次指內側去爪甲角如韭葉邪客於臂掌之間不可得屈刺其踝後新校正云按全元起本云足人手之本節踝也先以指按之痛乃刺之以月死生為數月生一日一痏二日二痏十五日十五痏十六日十四痏隨日數也月半已前謂之生月半以後謂之死虧滿而異也邪客於足陽蹻之脈令人目痛從內眥始以其脈起於足上行至頭而屬目內眥故病令人目痛從內眥始也何以明之八十一難經曰陽蹻脈者起於跟中循外踝上行入風池鍼經曰陰蹻脈入鼽屬目內眥合於太陽陽蹻而上行尋此則至於目內眥也刺外踝之下半寸所各二痏謂申脈穴陽蹻之所生也在外踝下陷者中容爪甲刺可入同身寸之三分留六呼若灸者可灸三壯○新校正云按刺腰痛注云外踝下五分左刺右右刺左如行十里頃而已人有所墮墜惡血留內腹中滿脹不得前後先飲利藥此上傷厥陰之脈下傷少陰之絡刺足內踝之下然骨之

前血脉出血此少陰之絡也。新校正云詳血脉出血脉字疑是絡字刺足跗上動脉謂衝陽穴胃之原也刺可入同身寸之三分留十呼若灸者可灸三壯主腹大不嗜食以腹脹滿故取之不已刺三毛上各一痏見血立已左刺右右刺左謂大敦穴厥陰之井也善悲驚不樂刺如右方善悲驚不樂亦如上法刺之邪客於手陽明之絡令人耳聾時不聞音以其經支者從缺盆上頸貫頰又其絡支別者入耳會於宗脉故病令人耳聾時不聞声者刺手大指次指爪甲上去端如韭葉各一痏立聞亦同前商陽穴不已刺中指爪甲上與肉交者立聞謂中衝穴手心主之井也在手中指之端去爪甲如韭葉陷者中刺可入一分留三呼灸可三壯古經脫簡无絡可尋恐是刺小指爪甲与肉交者也何以言之下文云手少陰絡會於耳中也若小指之端是謂少衝手少陰之井刺可入一分留一呼灸者可一壯。新校正云按王氏云恐是刺小指爪甲上少衝穴按甲乙經手心主之正上循喉嚨出耳後少陽完骨之下如是則安得不刺中衝而疑爲少衝也其不時聞者不可刺也不時聞者絡氣已絕故不可刺耳中生風者亦刺之如此數左刺右右刺左凡痹往來行無常處者在分肉間痛而刺之以月死生爲數用針者隨氣盛衰以爲痏數針過其日

數則脫氣，不及日數則氣不寫。左刺右，右刺左，病已止，不已，
復刺之如法。言所以約月死生爲數者，何以隨氣之盛衰也。月生一日一痏，二日二
痏，漸多之；十五日十五痏，十六日十四痏，漸少之。如是刺之，則無過數
無不及也。邪客於足陽明之經，令人鼽衄上齒寒。以其脈起於鼻，交頞中，下循鼻
外，入上齒中，還出俠口環脣，下交承漿，却循頤後下廉，出大
迎，循頰車，上耳前，故病令人鼽衄上齒寒也。復以其脈左右
交於面部，故舉經脈之病，以明繆處之類，故下文云。新
校正云：按全元起本與甲乙經，陽明之經作陽明之絡。刺
足中指次指爪甲上與肉交者各一痏，左刺右，右刺左。中當爲大
亦傳寫中大之誤也。據靈樞經、孔穴圖經，中指次指爪甲上
無穴，當言刺大指次指爪甲上，乃厲兌穴，陽明之井，不當更
有次指二字也。厲兌者，刺可入同身寸之一分，留一呼，若灸
者可灸一壯。○新校正云：按甲乙經云：刺足中指爪甲上，無
次指二字，蓋以大指次指爲中指，義與王注同。下文云：足陽
明中指爪甲上，亦謂此穴也。厲兌在足大指次指之端，去爪
甲角如韭葉。邪客於足少陽之絡，令人脇痛不得息，欬而汗出。以其
脈支別者，從目銳眥下大迎，合手少陽於頗，下加頰車，下頸
合缺盆，以下胸中，貫膈絡肝膽，循脇，故令人脇痛欬而汗出。
[illegible]之六反。刺足小指次指爪甲上與肉交者各一痏。謂竅陰穴，少
陽之井也。刺

可入同身寸之一分留一呼若灸者可灸三壯。新校正云按甲乙經厥陰在足小指次指之端去爪甲角如韭葉不得息立已汗出立止欬者温衣飲食一日已左刺右右刺左病立已不已復刺如法邪客於足少陰之絡令人嗌痛不可内食無故善怒氣上走賁上以其經支別者從肺出絡心注胷中又其正經從腎上貫肝鬲入肺中循喉嚨俠舌本故病令人嗌乾痛不可内食无故善怒氣上走賁上也賁謂氣奔也。新校正云詳王注以賁上爲氣奔者非按難經胃爲賁門楊操云賁鬲也是氣上走鬲上也經既云氣上走賁上安得更以賁爲奔上之解刺足下中央之脉各三痏凡六刺立已左刺右右刺左謂涌泉穴少陰之井也在足心陷者中屈足踡指宛宛中刺可入同身寸之三分留三呼若灸者可灸三壯嗌中腫不能内唾時不能出唾者刺然骨之前出血立已左刺右右刺左亦足少陰之絡也以其絡並大經循喉嚨故尔刺之此二十九字本錯簡在邪客手足少陰大陰足陽明之絡前今遷於此。新校正云詳王注以其絡並大經循喉嚨差互按甲乙經足少陰之絡並經上走心包少陰之經循喉嚨今王氏之注經言絡交互當以甲乙經爲正也邪客於足太陰之絡令人腰痛引少腹控䏚不可以仰息足太陰之絡從髀合陽明上貫尻骨中與厥陰少陽結於下髎而循尻骨内入腹上絡嗌貫舌中故腰痛則引少腹控於胗中也胗謂季脇下之空軟處也受邪氣則絡拘急故不可以仰伸而喘息也刺腰痛篇中无息字。新校正云詳王注云足太陰之絡按甲乙經乃太陰之正非絡也王氏謂之絡者未詳其旨刺腰尻之解兩胂之上是腰俞以月死生為痏數發鍼立已左刺右右刺左腰尻骨間曰解當中有腰俞刺可入同身寸之二寸。新校正云按氣府論注作二分刺熱論注作二分水穴論注作二分熱穴篇注作二寸甲乙經作二寸留七呼注与經同中誥孔穴經云左取右右取左穴當中不應尔也次腰下俠尻有骨空各四皆主腰痛下髎注与經同是足太陰厥陰少陽所結刺可入同身寸之二寸留十呼若灸者可灸三壯胂謂兩髁胂也腰俞髁胂皆當取之也。新校正云按此邪客足太陰之絡并刺法一項已見刺腰痛篇中彼注甚詳此特多是腰俞二字耳別按全元起本舊无此三字王氏頗知腰俞无左右取之理而注之而不知全元起本舊无邪客於足太陽之絡令人拘攣背急引脇而痛以其經從髆內左右別下貫胂合脇中故病令人拘攣背急引脇而痛。新校正云按全元起本及甲乙經引脇而痛下更云內引心而痛刺之從項始數脊椎俠脊疾按之應手如痛刺之傍三痏立已從項始數脊椎者謂從大椎數之至第二椎兩傍各同身寸之一寸五分內循脊兩傍按之有痛應手則邪客之處也隨痛應手深淺即而刺之邪客在脊骨兩傍故言刺之傍也邪客於足少陽之絡令人留於樞中

痛髀不可舉以其經出氣街繞髦際橫入髀厭中故痛令人留於髀樞後痛髀不可舉樞謂髀樞刺樞

中以毫鍼寒則久留鍼以月死生為數立已髀樞之後則環銚穴也正在髀樞後故言刺髀樞後也環銚者足少陽脉氣所發刺可入同身寸之一寸留二呼若灸者可灸三壯毫鍼者第七鍼也○新校正云按甲乙經環銚在髀樞中氣穴論云在兩髀厭分中此經云刺樞中而王氏以謂髀樞之後者誤也治諸

經刺之所過者不病則繆刺之正言也經不病則邪在絡故繆刺之若經所過有病是則經病不當繆刺矣耳聾刺手陽明不已刺其通脉出耳前者手陽明謂前手大指次指去端如韭葉者也是謂商陽樣中絡孔穴圖經手陽明脉中商陽合谷陽谿徧歷四穴並主耳聾今經所指謂前商陽不謂此合谷等穴也耳前通脉手陽明脉正當聽會之分可入同身寸之四分若灸者可灸三壯齒齲刺

手陽明不已刺其脉入齒中者立已按甲乙經注圖經手陽明脉中商陽二間三間合谷陽谿徧歷溫留七穴並主齒痛手陽明脉貫頰入下齒中足陽明脉循鼻外入上齒中也齲丘禹反邪客於

五藏之間其病也脉引而痛時來時止視其病繆刺之於手

足爪甲上各刺其井左取右右取左視其脉出其血間日一刺一刺不已

五刺已有血脉者則刺之如此數繆傳引上齒齒唇寒痛視其手背脉血

者去之 若病繆傳而引上齒齒唇寒痛者刺手背陽明絡也 足陽明中指爪甲上一痏

手大指次指爪甲上各一痏立已左取右右取左 謂第二指厲兌穴也

手大指次指謂商陽穴手陽明井也鍼經曰齒痛不惡清飲取足陽明惡清飲取手陽明○新校正云詳前文邪客足陽

明刺中指次指爪甲上是誤剩次指二字當如此只言中指爪甲上乃是 邪客於手足少陰太陰

足陽明之絡此五絡皆會於耳中上絡左角 手少陰真心脈足少陰腎脈手

太陰肺脈足太陰脾脈足陽明胃脈此五絡皆會於耳中而出絡左額角也 五絡俱竭令人身脈

皆動而形無知也其狀若尸或曰尸厥 言其卒冒悶而如死尸身脈猶如常人而

動也然陰氣盛於上則下氣重上而邪氣逆逆則陽氣亂陽氣亂則五絡閉結而不通故其狀若尸也以是從厥而

生故或曰尸厥 刺其足大指內側爪甲上去端如韭葉 謂隱白穴足太陰之井也

刺可入同身寸之一分留三呼若灸者可灸三壯 後刺足心 謂涌泉穴足少陰之井也刺同前取涌泉穴法

後刺足中指爪甲上各一痏 謂第二指足陽明之井也刺同前取厲兌穴法 後刺手

大指內側去端如韭葉 謂少商穴手太陰之井也刺可入同身寸之一分留三呼若灸者可灸三

壯 後刺手心主 謂中衝穴手心主之井也刺可入同身寸之一分留三呼若灸者可灸一壯○新校正云

按甲乙經不刺手心主詳此五絡之數亦不及手心主而此刺之是有六絡未會王氷祖述注之不爲明辨之旨也少陰鋭骨之端各一痏立已謂神門穴在掌後鋭骨之端陷者中手少陰之俞也刺可入同身寸之三分留七呼若灸者可灸三壯不已以竹管吹其兩耳言使氣入耳中內助五絡令氣復通也當內管入耳以手密擫之勿令氣泄而極吹之氣蹙然後絡脉通也○新校正云按陶隱居云吹其左耳極三度復吹其右耳三度也鬄其左角之髮方一寸燔治飲以美酒一杯不能飲者灌之立已左角之髮是五絡血之餘故鬄之燔治飲之以美酒也酒者所以行藥勢又炎上而內走於心心主脉故以美酒服之鬄音易凡刺之數先視其經脉切而從之審其虛實而調之不調者經刺之有痛而經不病者繆刺之因視其皮部有血絡者盡取之此繆刺之數也

○四時刺逆從論第六十四新校正云按厥陰有餘至筋急目痛全元起本在第六卷春氣在經脉至篇末全元起本在第一卷

厥陰有餘病陰痹痹謂痛也陰謂寒也有餘謂厥陰氣盛滿故陰發於外而爲寒痹○新校正云詳王氏以痹爲痛未通不足病生熱痹陰不足則陽有餘故爲熱痹滑則病狐疝風濇

則病少腹積氣厥陰脈循股陰入髦中環陰器抵少腹又其絡支別者循脛上睾結於莖故為狐疝少腹積氣也○新校正云按楊上善云狐夜不得尿日出方得人之所病與狐同故曰狐疝一曰狐疝謂三焦孤府為疝故曰孤疝。少陰有餘，病皮痺隱軫，不足病肺痺腎水逆連於肺母故也足少陰脈從腎上貫肝鬲入肺中故有餘病皮痺隱軫不足病肺痺也滑則病肺風疝，濇則病積溲血以其正經入肺貫腎絡膀胱故為肺疝及積溲血也太陰有餘，病肉痺寒中，不足病脾病太陰之脈入腹屬脾絡胃其支脾主肉故如是滑則病脾風疝，濇則病積心腹時滿別者復從胃別上鬲注心中故為脾疝心腹時滿也陽明有餘，病脈痺身時熱，不足病心痺胃有餘則上歸於心不足則心下痺故為是滑則病心風疝，濇則病積時善驚心主之脈起於胸中出屬心包下鬲歷絡三焦故為心疝時善驚太陽有餘，病骨痺身重，不足病腎痺太陽與少陰為表裏故有餘不足皆病歸於腎也滑則病腎風疝，濇則病積善時巔疾太陽之脈交於巔上入絡腦下循膂絡腎故為腎風及巔病也少陽有餘，病筋痺脇滿，不足病肝痺少陽與厥陰為表裏故病歸於肝滑則病肝風疝，濇則病積時筋急目痛肝主筋故時筋急厥陰之脈上出額與督脈會於巔其支別者從目系下頰裏

（故曰痛）是故春氣在經脉，夏氣在孫絡，長夏氣在肌肉，秋氣在皮膚，冬氣在骨髓中。帝曰：余願聞其故。岐伯曰：春者天氣始開，地氣始泄，凍解冰釋，水行經通，故人氣在脉。夏者經滿氣溢，入孫絡受血，皮膚充實。長夏者經絡皆盛，内溢肌中。秋者天氣始收，腠理閉塞，皮膚引急。（引謂牽引，以縮急也。）冬者蓋藏，血氣在中，内著骨髓，通於五藏。是故邪氣者，常隨四時之氣血而入客也，至其變化，不可爲度，然必從其經氣，辟除其邪，除其邪則亂氣不生。（得氣而調，故不亂。）帝曰：逆四時而生亂氣奈何？岐伯曰：春刺絡脉，血氣外溢，令人少氣。（血氣溢於外則中不足，故少氣。○新校正云：按自春刺絡脉至令人目不明，与診要經終論義同文異，彼注甚詳於此。彼分四時，此分五時，然此有長夏刺肌肉之分，而逐時各闕刺秋分之事，疑此肌肉之分即彼秋皮膚之分也。）春刺肌肉，血氣環逆，令人上氣。（血逆氣上，故上氣。○新校正云：按經闕春刺秋分。）春刺筋骨，血氣内著，令人腹脹。（内著不散，故脹。）夏刺經脉，血氣乃竭，令人解㑊。（血氣竭少，故解㑊然不可名之也。解㑊謂寒不寒熱

不熱壯不壯弱不弱故不可名之也夏刺肌肉。血氣內却。令人善恐。却閉也血氣內閉則
陽氣不通故善恐夏刺筋骨。血氣上逆。令人善怒。血氣上逆則怒氣相應故善怒。新
校正云按經闕夏刺秋分秋刺經脉。血氣上逆。令人善忘。血氣上逆滿於肺中故善忘
秋刺絡脉。氣不外行。新校正一云按別本作血氣不行全元起本作氣不衛外大素同令人臥
不欲動。以虛甚故。新校正云按經闕秋刺長夏分秋刺筋骨。血氣內散。令人寒
慄。血氣內散則中氣虛故寒慄冬刺經脉。血氣皆脫。令人目不明。以血氣无所營
故也冬刺絡脉。內氣外泄。留為大痺。冬刺肌肉。陽氣竭絕。令人
善忘。陽氣不壯至春而竭故善忘。新校正云按經闕冬刺秋分凡此四時刺者。大逆之
病。新校正云按全元起本作六經之痾不可不從也。反之則生亂氣相淫病焉
淫不次也不次而行如浸淫相染而生病也故刺不知四時之經。病之所生。以從
為逆。正氣內亂。與精相薄。必審九候。正氣不亂。精氣不轉。不轉
謂不逆轉也帝曰。善。刺五藏。中心一日死。其動為噫。診要經終論曰中心者環
死刺禁論曰一日死其動為噫中肝五日死。其動為語。診要經終論闕而不論刺禁論曰中肝五

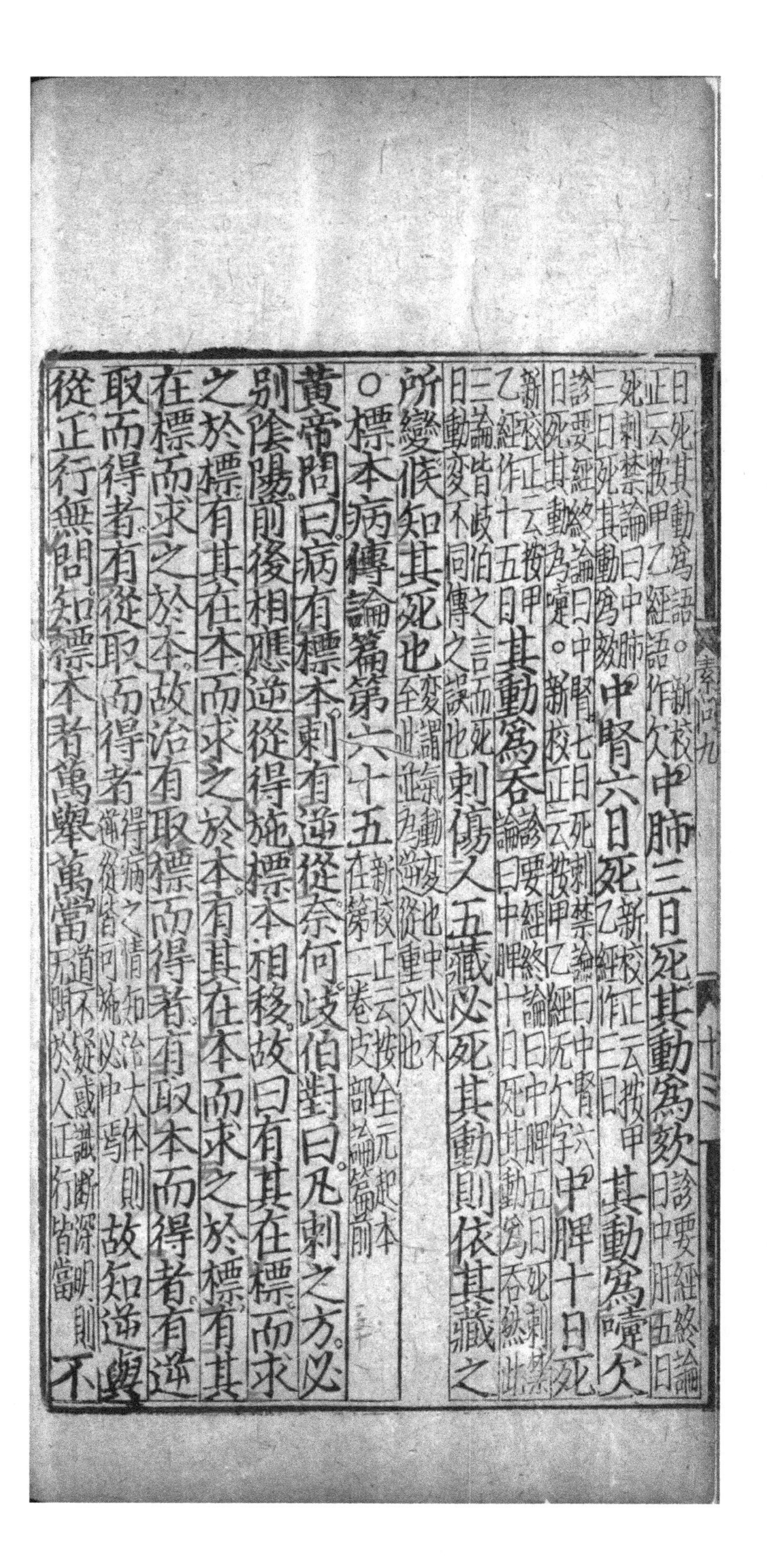

日死，其動為語。新校正云：按甲乙經語作欠。中肺三日死，其動為欬。診要經終論曰中肺五日死，刺禁論曰中肺三日死，其動為欬。中腎六日死，新校正云：按甲乙經作三日。其動為嚏欠。診要經終論曰中腎七日死，刺禁論曰中腎六日死，其動為嚏。新校正云：按甲乙經无欠字。中脾十日死，新校正云：按甲乙經作十五日。其動為吞。診要經終論曰中脾五日死，刺禁論曰中脾十日死，其動為吞欬也。三論皆岐伯之言而死日動變不同，傳之誤也。刺傷人五藏必死，其動則依其藏之所變候知其死也。變謂氣動變也。中心不至此並為逆從重文也。

○標本病傳論篇第六十五　新校正云：按全元起本在第二卷皮部論篇前。

黃帝問曰：病有標本，刺有逆從，奈何？岐伯對曰：凡刺之方，必別陰陽，前後相應，逆從得施，標本相移。故曰有其在標而求之於標，有其在本而求之於本，有其在本而求之於標，有其在標而求之於本。故治有取標而得者，有取本而得者，有逆取而得者，有從取而得者。得病之情，知治大體，則逆從皆可施必中焉。故知逆與從，正行無問，知標本者，萬舉萬當，道不疑惑，識斷深明，則無問於人，正行皆當。不知標本，是謂妄行。識猶褊淺，道未高深，舉且見違，故行多妄。夫陰陽逆從標本之爲道也，小而大，言一而知百病之害。著之至也。言別陰陽，知逆順，法明著，見精微，觀其所舉則小，尋其所利則大，以斯明著，故言一而知百病之害。少而多，淺而博，可以言一而知百也。言少可以貫多，舉淺可以料大者，何法之明，故非聖人之道，孰能至於是邪？故舉之者，猶可以言一而知百病也。博大也。以淺而知深，察近而知遠，言標與本，易而勿及。雖事極深玄，人非咫尺，略以淺近而悉貫之。然標本之道，雖易可為言，而世人識見無能及者。治反爲逆，治得爲從。先病而後逆者治其本，先逆而後病者治其本。先寒而後生病者治其本，先病而後生寒者治其本，先熱而後生病者治其本。先熱而後生中滿者治其標。先病而後泄者治其本。先泄而後生他病者治其本，必且調之，乃治其他病。先病而後生中滿者治其標，先中滿而後煩心者治其本。人有客氣有同氣。新校正云：按全元起本同作固。小大不利治其標，小大利治其本。本先病，標後病，必謹察之。病發而有餘，本而標之，先治其本，後治其標。病發而不足，標而本之，先治其標，後治其本。本而標之，謂有先病復有後病也，以其有餘，故先治其本，後治其標也。標而本之，謂先發輕微緩者，後發重大急者，以其不足，故先治其標，後治其本也。謹察間甚，以意調之，間謂多也，甚謂少也。多謂多形證而輕易，少謂少形證而重難也。以意調之，謂審量標本不足有餘，非謂捨法而以意妄爲調之也。間者并行，甚者獨行。先小大不利而後生病者，治其本。并謂他脉共受邪氣而合病也，獨爲一經受病而无異氣相參也。并甚則相傳，傳急則亦死。

夫病傳者，心病先心痛，藏真通於心，故心先痛。一日而欬，心火勝金，傳於肺也。肺在變動爲欬，故尒。三日脇支痛，肺金勝木，傳於肝也，以其脉循脇肋，故如是也。五日閉塞不通，身痛體重，肝木勝土，傳於脾也。脾性安鎮，木氣乘之，故閉塞不通，身痛体重。三日不已，死。以勝相伐，唯弱是從，五藏四傷，豈其能久，故爲即死。冬夜半，夏日中。謂正子午之時也。或言冬夏有異，非也。晝夜之半，事甚昭然。○新校正云：按《靈樞經》：大氣入藏，病先發於心，一日而之肺，三日而之肝，五日而之脾，三日不已，死。冬夜半，夏日中。《甲乙經》曰：病先發於心，心痛，一日之肺而欬，三日之肝，脇支痛，五日之脾，閉塞不通，身痛体重，三日不已，死。冬夜半，夏日中。詳《素問》言其病，《靈樞》言其藏，《甲乙經》及并《素問》《靈樞》二經之文，而病与藏兼举之。

肺病喘欬，藏真高於肺而主息，故喘欬。三日而脇支痛，肺傳於肝。一日身重體痛

別本二作三

別本閒作脾

於脾五日而脹自傳於府十日不巳死。冬日入夏日出孟冬之中日入於申之八刻二分仲冬之中日入於申之七刻三分季冬之中入於申与孟月等孟夏之中日出於寅之八刻一分仲夏之中日出於寅之七刻三分季夏之中日出於寅与孟月等也肝病頭目眩。脇支滿藏真散於肝脉內連目眩故如是三日體重身痛肝傳於間五日而脹自傳於府三日腰脊少腹痛脛痠謂胃傳於腎以其脉起於足循腨內出膕內廉上股內後廉貫脊屬腎絡膀胱故如是也腰為腎之府故腰痛三日不巳死冬日入新校正云按甲乙經作日中夏早食日入早晏如冬法也早食謂早於食時則卯正之時也脾病身痛體重藏真濡於脾而主肌肉故爾一日而脹自傳於府二日少腹腰脊痛脛痠胃傳於腎三日背䏢筋痛。小便閉自傳於府及之䏢也呂音呂十日不巳死。冬人定夏晏食人定謂申後二十五刻晏食謂寅後二十五刻腎病少腹腰脊痛胻痠藏真下於腎故如是三日背䏢筋痛小便閉自傳於府。新校正云按靈樞經云之䏢膀胱是自傳於府及之䏢也三日腹脹膀胱傳小腸。新校正云按甲乙經三日上之心心脹三日兩脇支痛府傳於藏。新校正云按灵樞經云三日之小腸三日上之心今云兩脇支痛是小腸府傳心藏而發痛也二日不巳死。冬大晨。夏晏晡大晨謂寅後九刻大明之時也晏晡謂申後九刻向昏之時也胃病脹滿以其脈循腹故如是五日少腹腰脊痛䯒痠胃傳於腎三日背䏝筋痛小便閉自傳於府及之䏝也五日身體重膀胱水府傳於脾也。新校正云按灵樞經及甲乙經各云五日上之心是膀胱傳心爲相勝而身体重今王氏言傳脾者誤也六日不已死冬夜半後夏日昳夜半後謂子後八刻丑正時也日昳謂午後八刻未正時也昳延結反膀胱病小便閉以其爲津液之府故尓五日少腹脹腰脊痛䯒痠自歸於藏一日腹脹腎復傳於小腸一日身體痛小腸傳於脾。新校正云按灵樞經云一日上之心是府傳於藏也甲乙經作之脾与王注同二日不已死冬鷄鳴夏下晡雞鳴謂早雞鳴丑正之分也下晡謂日下於晡時申之後五刻也諸病以次是相傳如是者皆有死期不可刺五藏相移皆如此有緩傳者有急傳者緩者或一歲二歲三歲而死其次或三月若六月而死急者一日二日三日四日或五六日而死則此類也尋此病傳之法皆五行之氣考其日數理不相應夫以五行爲紀以不勝之數傳於所勝者謂火傳於金當云一日金傳於木當云二日木傳於土當云四日土傳於水當云三日水傳於火當云五日也若以已勝之數傳於不勝者則木三日傳於土土五日傳於水水一日傳於火火二日傳於金金四日傳於木經之傳日似法三陰三陽之氣玉機眞藏論曰五藏相通移皆有次不治三月若六月若三日若六日傳而

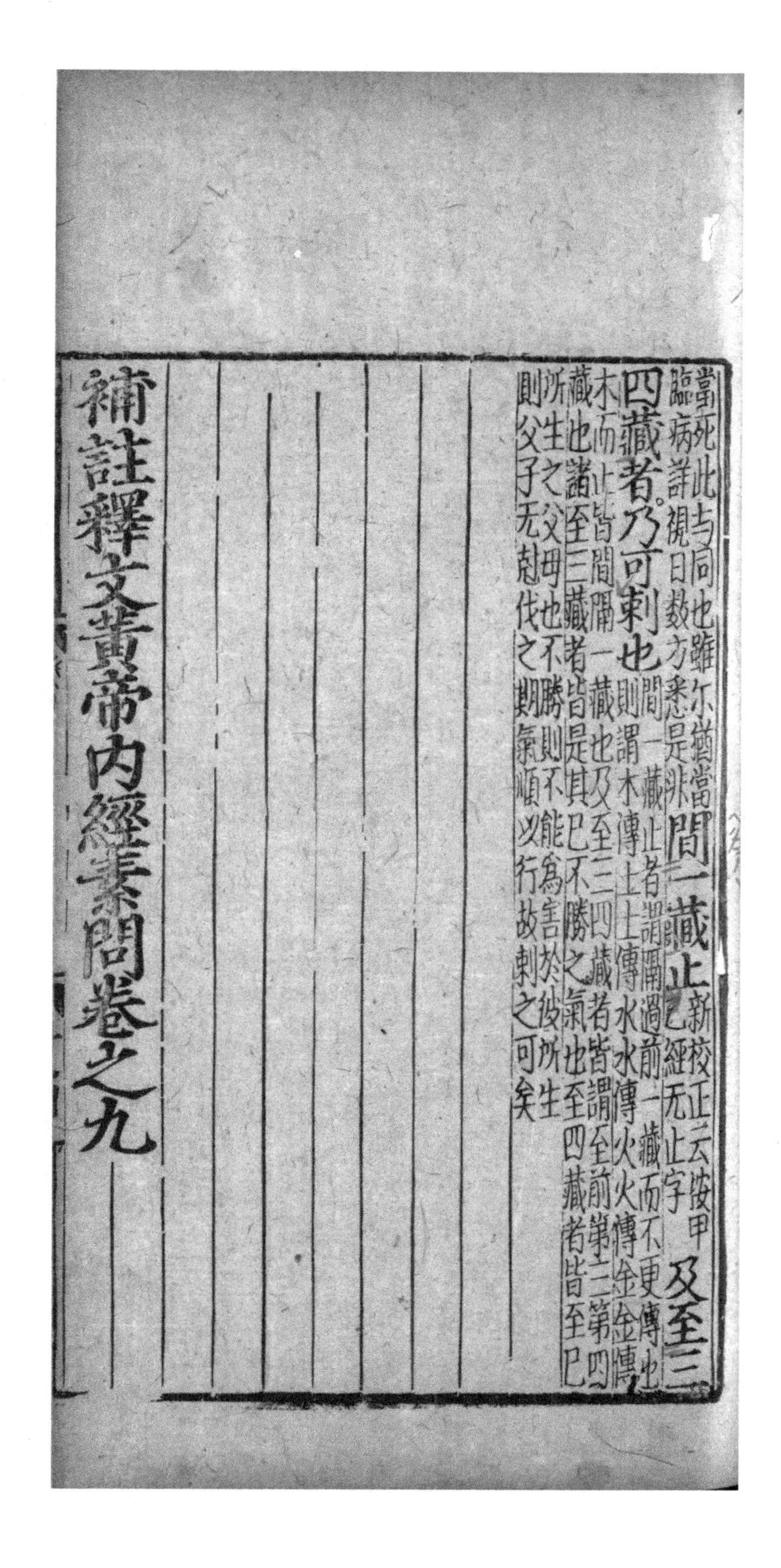

當死此与同也雖尔猶當臨病詳視日數方悉是非間一藏止新校正云按甲乙經无止字及至三四藏者乃可刺也間一藏止者謂隔過前一藏而不更傳也則謂木傳土土傳水水傳火火傳金金傳木而止皆間隔一藏也及至三四藏者皆謂至前第二第四藏也諸至三藏者皆是其已不勝之氣也至四藏者皆至已所生之父母也不勝則不能為害於彼所生則父子无剋伐之期氣順以行故刺之可矣

補註釋文黄帝内經素問卷之九

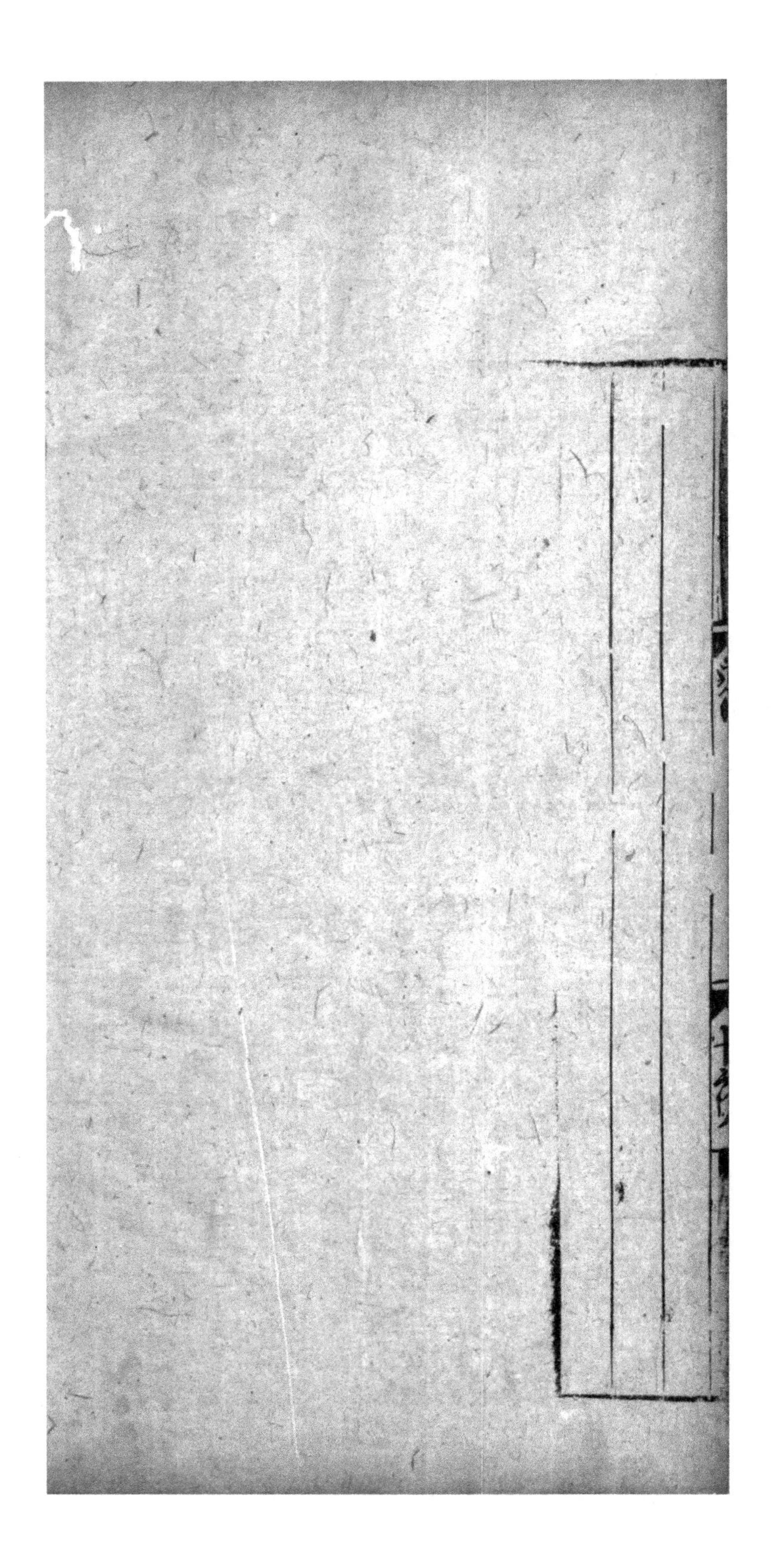

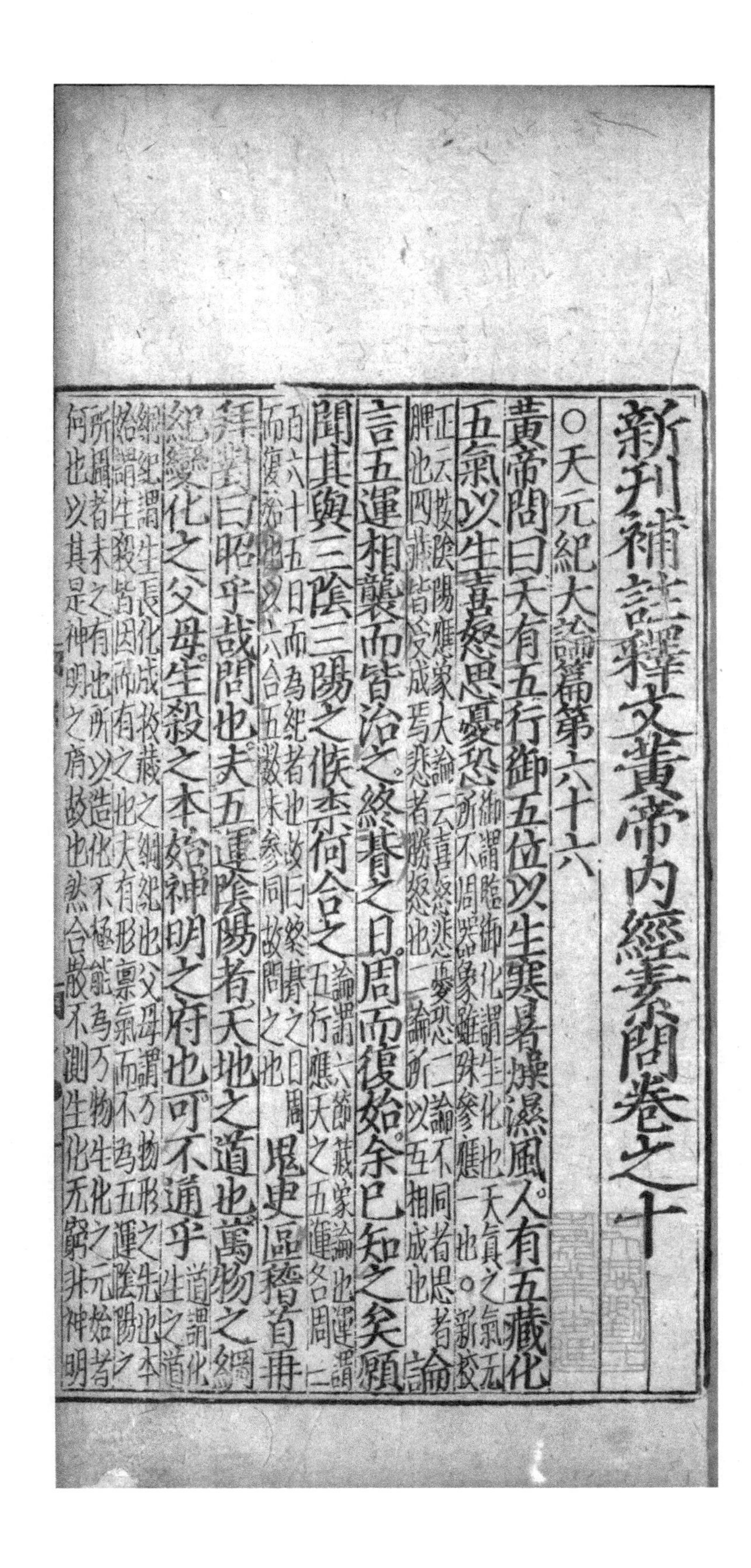

新刊補註釋文黃帝內經素問卷之十

○天元紀大論篇第六十六

黃帝問曰天有五行御五位以生寒暑燥濕風人有五藏化五氣以生喜怒思憂恐御謂臨御化謂生化也天眞之氣无所不周器象雖殊參應一也○新校正云按陰陽應象大論云喜怒悲憂恐二論不同者思者論脾也四藏皆受成焉悲者勝怒也二論所以互相成也宮言五運相襲而皆治之終朞之日周而復始余已知之矣願聞其與三陰三陽之候奈何合之論謂六節藏象論也運謂五行應天之五運各周三百六十五日而為紀者也故曰終朞之日周而復始也以六合五數未參同故問之也鬼臾區稽首再拜對曰昭乎哉問也夫五運陰陽者天地之道也萬物之綱紀變化之父母生殺之本始神明之府也可不通乎道謂化生之道綱紀謂生長化成收藏之綱紀也父母謂万物形之先也本始謂生殺皆因而有之也夫有形稟氣而不為五運陰陽之所攝者未之有也所以造化不極能為万物生化之元始者何也以其是神明之府故也然合散不測生化无窮非神明

運爲无能尔也。新校正云詳陰陽者至神明之府也与陰陽應象大論同而兩論之註頗異耳故物生謂
之化物極謂之變陰陽不測謂之神神用無方謂之聖所謂化變
聖神之道也化施化也變散易也神无期也聖无思也氣之施化故曰生氣之散易故曰極无期禀候故曰神无思測量
故曰聖由化与變故万物无能逃五運陰陽由聖与神故衆妙无能出幽玄之理深乎妙用不可得而稱之。新校正云
按六微旨大論云物之生從於化物之極由乎變變化之相薄成敗之所由也又五常政大論云氣始而生化氣散而有
形氣布而蕃育氣終而象變其致一也夫變化之爲用也應乃化之用也在天爲玄玄遠
也天道玄遠變化无窮傳曰天道遠人道迩在人爲道道謂妙用之道也經術政化非道不成在地
爲化化謂生化也生万物者也非土氣孕育則形質不成化生五味金石草木根葉華實酸苦甘淡辛鹹
皆化氣所生隨時而有道生智智通妙用唯道所生玄生神玄遠幽深故生神也神之爲用觸遇玄通
契物化成无不應也神在天爲風風者教之始天之使也天之號令也在地爲木東方之化在
天爲熱應火爲用在地爲火南方之化在天爲濕應土爲用在地爲土中央之化
在天爲燥應金爲用在地爲金西方之化在天爲寒應水爲用在地爲水北方
之化神之爲用如上五化木爲風所生火爲熱所熾金爲燥所發水爲寒所資土爲濕所全蓋初因而成立也雖初因之

以化成卒因之以敗散尒豈五行之獨有是哉凡因所因而成立者悉因所因而散落尒。新校正云詳在天爲玄至此与陰陽應象大論及五運行大論文重注頗異故在天爲氣在地成形氣謂風熱溼燥寒形謂木火土金水形氣相感而化生萬物矣此造化生成之大紀然天地者萬物之上下也天覆地載上下相臨万物化生无遺畧也由是故万物自生自長自化自成自盈自虛自復自變也夫變者何謂生之氣極本而更始化也孔子曰曲成万物而不遺左右者陰陽之道路也天有六氣御下地有五行奉上當歲者爲上主司天承歲者爲下主司地不當歲者二氣居右北行轉之二氣居左南行轉之金木水火運北面正之常左爲右右爲左則左者南行右者北行而反也。新校正云詳上下左右之説義具五運行大論中水火者陰陽之徵兆也徵信也驗也兆先也以水火之寒熱彰信陰陽之先兆也金木者生成之終始也木主發生應春春爲生化之始金主收斂應秋秋爲成實之終終始不息其化常行故万物生長化成收藏自久。新校正云詳陰陽應象大論曰天地者万物之上下也陰陽者血氣之男女左右者陰陽之道路水火者陰陽之徵兆陰陽者万物之能始也與此論相出入也氣有多少形有盛衰上下相召而損益彰矣氣有多少謂天之陰陽三等多少不同秩也形有盛衰謂五運之氣有大過不及也由是少多盛衰天地相召而陰陽損益昭然彰著可見也。新校正云詳陰陽三等之義具下文注中帝曰願

聞五運之主時也何如時四時也鬼臾區曰五氣運行各終期日
非獨主時也一運之日終三百六十五日四分度之一乃易之非主一時當其王相囚死而為變法也氣交
之內迢然而別有之也帝曰請聞其所謂也鬼臾區曰臣積考太始天
元冊文曰天元冊所以記天真元氣運行之紀也自神農之世鬼臾區十世祖始誦而行之此大古占候靈文
洎乎伏羲之時已鐫諸玉版命曰冊文大古靈文故命曰大始天元冊也○新校正云詳今世有天元玉冊或者以謂即
此大始天元冊文非是鐫子泉切大虛寥廓肇基化元大虛謂空玄之境真氣之所充神明之宮
府也真氣精微無遠不至故能為生化之本始運氣之真元矣肇始也基本也萬物資始五運終天
五運謂木火土金水運也終天謂一歲三百六十五日四分度之一也終始更代周而復始也言五運更統於大虛四時
隨部而遷復六氣分居而異主万物因之以化生非曰自然其誰能始故曰万物資始易曰大哉乾元万物資始乃統天
雲行雨施品物流形孔子曰天何言哉四時行焉百物生焉此其義也布氣真靈總統坤元大虛
真氣無所不至也氣齊生有故稟氣含靈者抱真氣以生焉總統坤元言天元氣常司地氣化生之道也易曰至哉坤元
万物資生乃順承天也九星懸朗七曜周旋九星上古之時也上古世質人淳歸真返樸九星懸
朗五運齊宣中古道德稍衰標星藏曜故計星之見者七焉九星謂天蓬天內天衝天輔天禽天心天任天柱天英此蓋

從標而為始，遁甲式法，今猶用焉。七曜謂日月五星，今外蕃該以此曆為舉動吉凶之信也。周謂周天之度，旋謂左循天度而行，五星之行，猶各有進退高下小大矣。**曰陰曰陽，曰柔曰剛。**陰陽天道也，柔剛地道也。天以陽生陰長，地以柔化剛成。易曰：立天之道曰陰与陽，立地之道曰柔与剛，此之謂也。**幽顯既位，寒暑弛張。**幽顯既位，言人神各得其序。寒暑弛張，言陰陽不失其宜也。人神各守所居，无相干犯，陰陽不失其序，物得其宜。天地之道且然，人神之理亦猶也。○新校正云：按至真要大論云：幽明何如？歧伯曰：兩陰交盡故曰幽，兩陽合明故曰明。幽明之配，寒暑之異也。**生生化化，品物咸章。**上生謂生之有情有識之類也，下生謂生之无情无識之類也。上化謂形容彰顯者也，下化謂藏匿形容者也。有情有識，彰顯形容，天氣主之；无情无識，藏匿形質，地氣主之。禀元靈氣之所化育尒。易曰：天地絪縕，万物化醇，斯之謂欤。**臣斯十世，此之謂也。**傳書斯文，至鬼臾區十世于茲，不敢失墜。**帝曰：善。何謂氣有多少，形有盛衰？鬼臾區曰：陰陽之氣各有多少，故曰三陰三陽也。**由氣有多少，故隨其升降分為三別也。○新校正云：按至真要大論云：陰陽之三也何謂？歧伯曰：氣有多少異用。王冰云：太陰為正陰，太陽為正陽，次少者為少陰，次少者為少陽，又次為陽明，又次為厥陰。**形有盛衰，謂五行之治，各有太過不及也。**大過，有餘也。不及，不足也。氣至不足，太過迎之；氣至太過，不足隨之。天地之氣，虧盈如此，故云形有盛衰也。**故其始**

也有餘而往不足隨之不足而往有餘從之知迎知隨氣可與期

言虧盈无常互有勝負故始謂甲子歲也六微旨大論曰天氣始於甲地氣始於子子甲相合命曰歲立謹之謂也則始甲子之歲三百六十五日所禀之氣當不足也炎而推之終六甲也故有餘已則不足不足已則有餘亦有歲運非有餘非不足者蓋以同天地之化也若餘已復餘少已復少則天地之道變常而災害作苛疾生矣○新校正云按六微旨大論云木運臨卯火運臨午土運臨四季金運臨酉水運臨子所謂歲會氣之平也又按五常政大論云委和之紀上角与正角同上商与正商同上宮与正宮同伏明之紀上商与正商同卑監之紀上宮与正宮同上角与正角同從革之紀上商与正商同上角与正角同涸流之紀上宮与正宮同赫曦之紀上羽与正徵同堅成之紀上徵与正商同又六元正紀大論云不及而加同歲會已前諸歲並為正歲氣之平也今王注以同天之化為非有餘不足者非也

應天為天符承歲為歲直三合為治

應天謂木運之歲上見厥陰火運之歲上見少陽少陰土運之歲上見太陰金運之歲上見陽明水運之歲上見太陽此五者天氣下降如合符運故曰應天為天符也承歲謂木運之歲歲當亥卯火運之歲歲當寅午土運之歲歲當辰戌丑未金運之歲歲當巳酉水運之歲歲當申子此五者歲之所直故曰承歲為歲直也三合謂火運之歲上見少陰年辰臨午土運之歲上見太陰年辰臨丑未金運之歲上見陽明年辰臨酉此三者天氣運氣与年辰俱會故云三合為治也歲直亦曰歲位三合亦為天符六微旨大論曰天符[illegible]

會曰太一天符。謂天運與歲俱會也。○新校正云：按天符歲會之詳，具六微旨大論中。又詳火運上少陰年辰臨午，即戊午歲也。土運上太陰年辰臨丑未，即己丑己未歲也。金運上陽明年辰臨酉，即乙酉歲也。帝曰：上下相召柰何？鬼臾區曰：寒暑燥濕風火，天之陰陽也，三陰三陽上奉之。太陽爲寒，少陽爲暑，陽明爲燥，太陰爲濕，厥陰爲風，少陰爲火，皆其元在天，故曰天之陰陽也。木火土金水火，地之陰陽也，生長化收藏下應之。木，初氣也。火，二氣也。相火，三氣也。土，四氣也。金，五氣也。水，終氣也。以其在地應天，故云下應也。氣在地，故曰地之陰陽也。○新校正云：按六微旨大論曰：地理之應六節氣位何如？岐伯曰：顯明之右，君火之位，退行一步，相火治之；復行一步，土氣治之；復行一步，金氣治之；復行一步，水氣治之；復行一步，木氣治之。此即木火土金水火地之陰陽之義也。天以陽生陰長，地以陽殺陰藏。生長者天之道，藏殺者地之道。天陽主生，故以陽生陰長；地陰主殺，故以陽殺陰藏。天地雖高下不同，而各有陰陽之運用也。○新校正云：詳此經與陰陽應象大論文重，注頗異。天有陰陽，地亦有陰陽。天有陰，故能下降。地有陽，故能上騰。是以各有陰陽也。陰陽交泰，故化變由之成也。木火土金水火，地之陰陽也，生長化收藏。故陽中有陰，陰中有陽。陰陽之氣，極則過亢，故各兼之。陰陽應象大論曰：寒極生熱，熱極生寒。又曰：重陰必陽，重陽必陰。言氣極則變也。故陽中兼陰，陰中兼陽。易之卦，離中虛，坎中

（滿此其義象也）所以欲知天地之陰陽者。應天之氣。動而不息。故五歲而右遷。應地之氣。靜而守位。故六朞而環會。（天有六氣。地有五位。天以六氣臨地。地以五位承天。蓋以天氣不加君火故也。以六加五。則五歲而餘一氣。故迁一位。若以五承六。則常六歲乃滿。盡天元之氣。故六年而環會。所謂周而復始也。地氣左行。往而不返。天氣東轉。常自火運數五歲已。其次氣正當君火之上。法不加臨。則右迁君火氣上。以臨相火之上。故曰五歲而右迁。地由斯動靜。上下相臨。而天地萬物之情變化之機可見矣）動靜相召。上下相臨。陰陽相錯。而變由生也。（天地之道變化之微。其由是矣。孔子曰。天地設位。而易行乎其中。此之謂也。新校正云。按五運行大論云。上下相遘。寒暑相臨。氣相得則和。不相得則病。又云。上者右行。下者左行。左右周天。餘而復會）帝曰。上下周紀。其有數乎。鬼臾區曰。天以六為節。地以五為制。周天氣者。六朞為一備。終地紀者。五歲為一周。（六節謂六氣之分。五制謂五位之分。位應一歲。氣統一年。故五歲為一周。六年為一備。備謂備歷天氣。周謂周行地位。所以地位六而言五者。天氣不臨君火故也）君火以明。相火以位。（君火在相火之右。但立名於君位。不立歲氣。故天之以氣不偶其氣。以行君火之正。守位而奉天之命。以宣行火令爾。以名奉天。故曰君火以名。守位稟命。故云相火以位）五六相合。而七百二十氣為一紀凡三十歲，千四百四十氣，凡六十歲，而為一周，不及大過，斯皆見矣。歷法一氣十五日，因而乘之，積七百二十氣，即三十年，積千四百四十氣，即六十年也。經云：有餘而往，不足隨之；不足而往，有餘從之。故六十年中，不及大過，斯皆見矣。○新校正云：詳六節藏象論云：五日謂之候，三候謂之氣，六氣謂之時，四時謂之歲，而各從其主治焉。五運相襲而皆治之，終朞之日，周而復始，時立氣布，如環无端，候亦同法。故曰：不知年之所加，氣之盛衰，虛實之所起，不可以為工矣。帝曰：夫子之言，上終天氣，下畢地紀，可謂悉矣。余願聞而藏之，上以治民，下以治身，使百姓昭著，上下和親，德澤下流，子孫無憂，傳之後世，無有終時，可得聞乎？安不忘危，存不忘亡，大聖之至教也。求民之瘼，恤民之隱，大聖之深仁也。鬼臾區曰：至數之機，迫迮以微，其來可見，其往可追。敬之者昌，慢之者亡。無道行私，必得天殃。謂傳非其人，授於情狎及寄求名利者也。謹奉天道，請言真要。申誓戒於君主，乃明言天道至真之要旨也。帝曰：善言始者，必會於終；善言近者，必知其遠。數術明著，應用不差，故遠近於言，始終无謬。是則至數極而道不惑，所謂明矣。願夫子推而次之，令有條理，簡而不匱，久而不絕，易

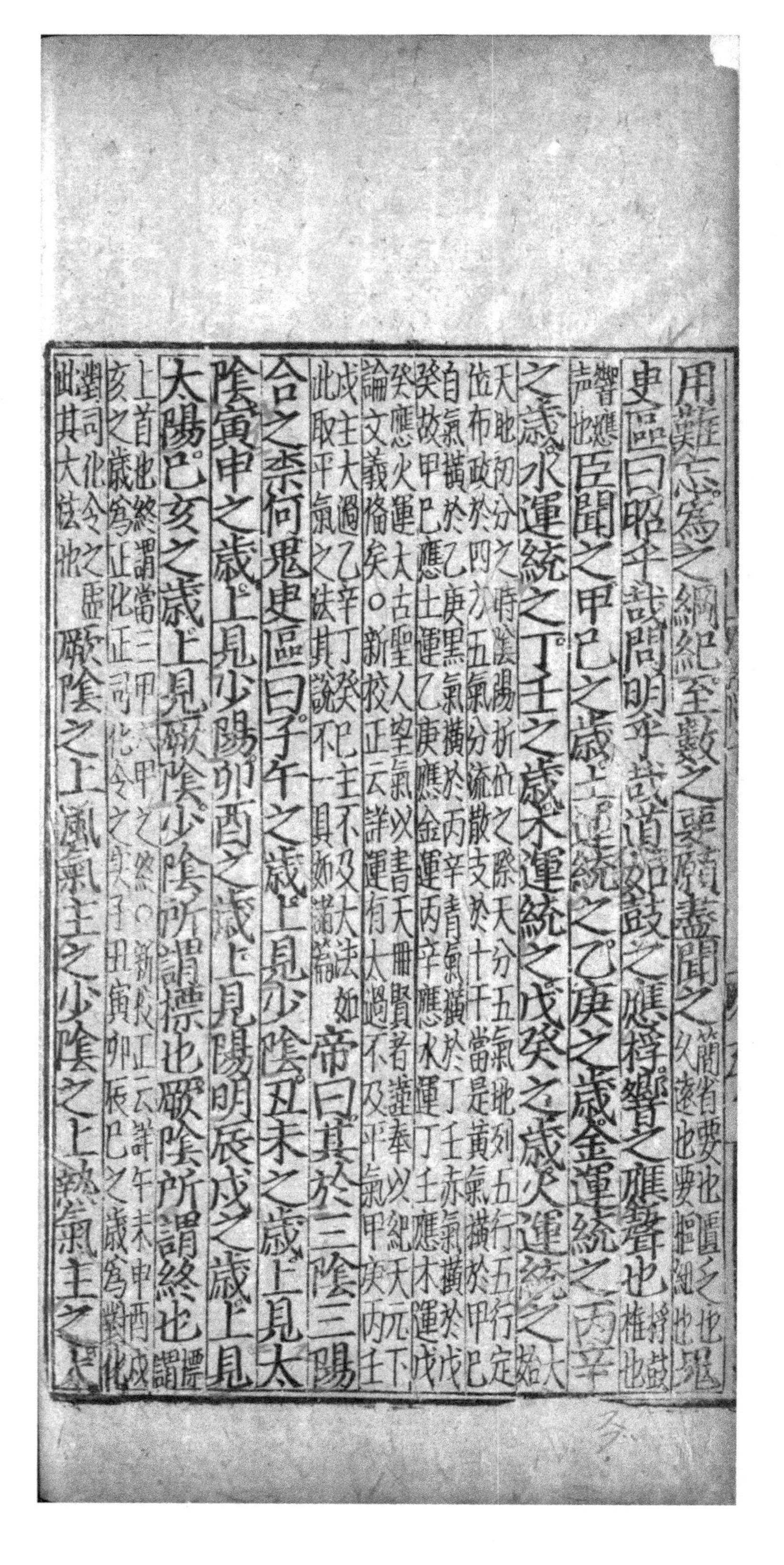

用難忘爲之綱紀至數之要願盡聞之簡省要也匱乏也久遠也要樞紐也
鬼臾區曰昭乎哉問明乎哉道如鼓之應桴響之應聲也桴鼓椎也響應
聲也臣聞之甲己之歲土運統之乙庚之歲金運統之丙辛
之歲水運統之丁壬之歲木運統之戊癸之歲火運統之大始
天地初分之時陰陽析位之際天分五氣地列五行五行定
位布政於四方五氣分流散支於十干當是黄氣橫於甲己
白氣橫於乙庚黑氣橫於丙辛青氣橫於丁壬赤氣橫於戊
癸故甲己應土運乙庚應金運丙辛應水運丁壬應木運戊
癸應火運大古聖人望氣以書天冊賢者謹奉以紀天元下
論文義備矣○新校正云詳運有太過不及平氣甲庚丙壬
戊主太過乙辛丁癸己主不及大法如
此取平氣之法其說不一具如諸篇帝曰其於三陰三陽
合之奈何鬼臾區曰子午之歲上見少陰丑未之歲上見太
陰寅申之歲上見少陽卯酉之歲上見陽明辰戌之歲上見
太陽巳亥之歲上見厥陰少陰所謂標也厥陰所謂終也標謂
上首也終謂當三甲六甲之終○新校正云詳午未申酉戌
亥之歲爲正化正司化令之實子丑寅卯辰巳之歲爲對化
對司化令之虛此其大法也厥陰之上風氣主之少陰之上熱氣主之太

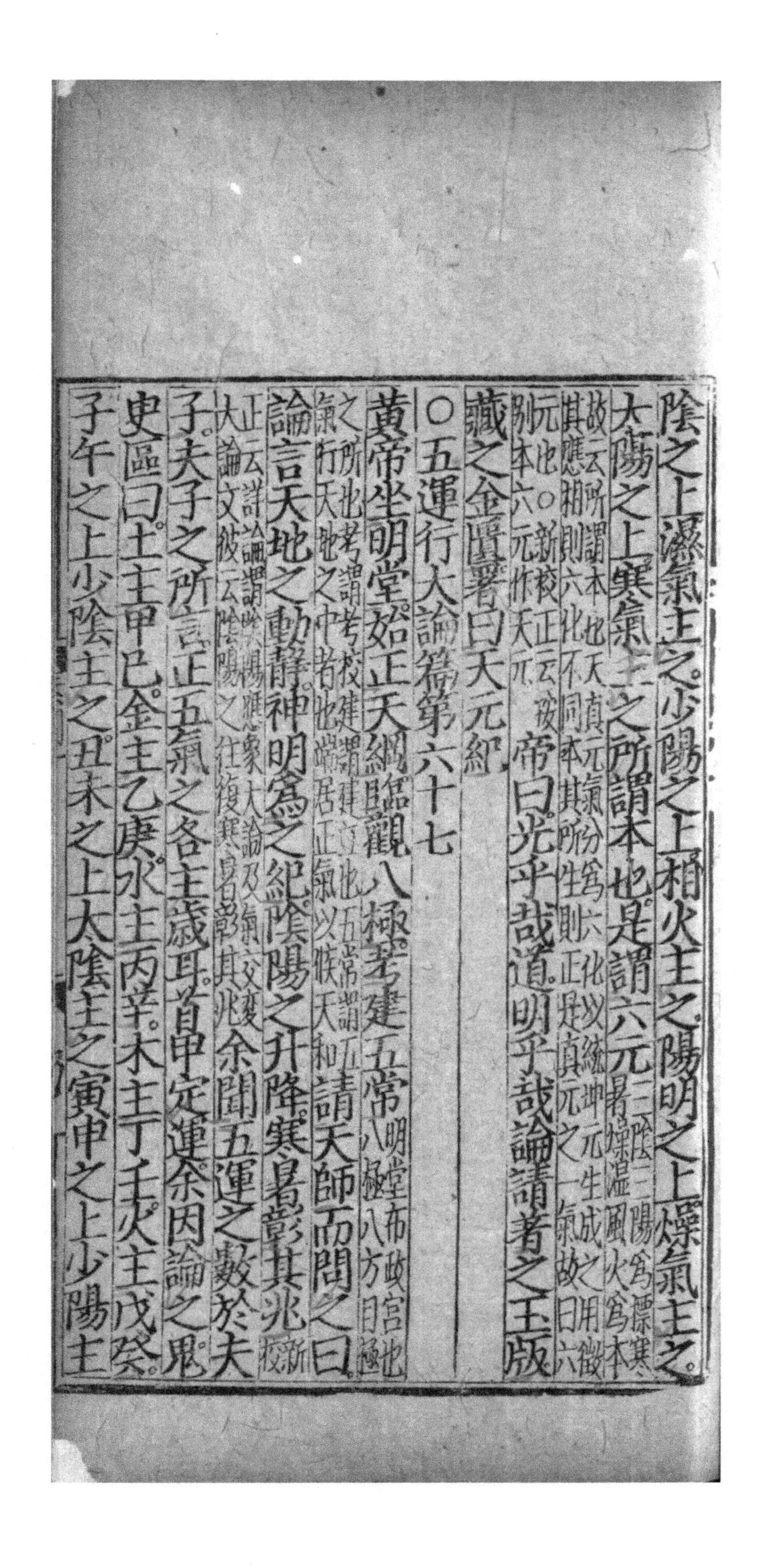

陰之上濕氣主之少陽之上相火主之陽明之上燥氣主之太陽之上寒氣主之所謂本也是謂六元（三陰三陽爲標寒暑燥濕風火爲本故云所謂本也天真元氣分爲六化以統坤元生成之用徵其應用則六化不同本其所生則正是真元之一氣故曰六元也○新校正云按別本六元作天元）帝曰光乎哉道明乎哉論請著之玉版藏之金匱署曰天元紀

○五運行大論篇第六十七

黃帝坐明堂始正天綱臨觀八極考建五常（明堂布政之宮也八極八方目極之所也考謂考校建謂建立也五常謂五氣行天地之中者也端居正氣以候天和）請天師而問之曰論言天地之動靜神明爲之紀陰陽之升降寒暑彰其兆（新校正云詳論謂陰陽應象大論及氣交變大論文彼云陰陽之往復寒暑彰其兆）余聞五運之數於夫子夫子之所言正五氣之各主歲耳首甲定運余因論之鬼臾區曰土主甲己金主乙庚水主丙辛木主丁壬火主戊癸子午之上少陰主之丑未之上太陰主之寅申之上少陽主

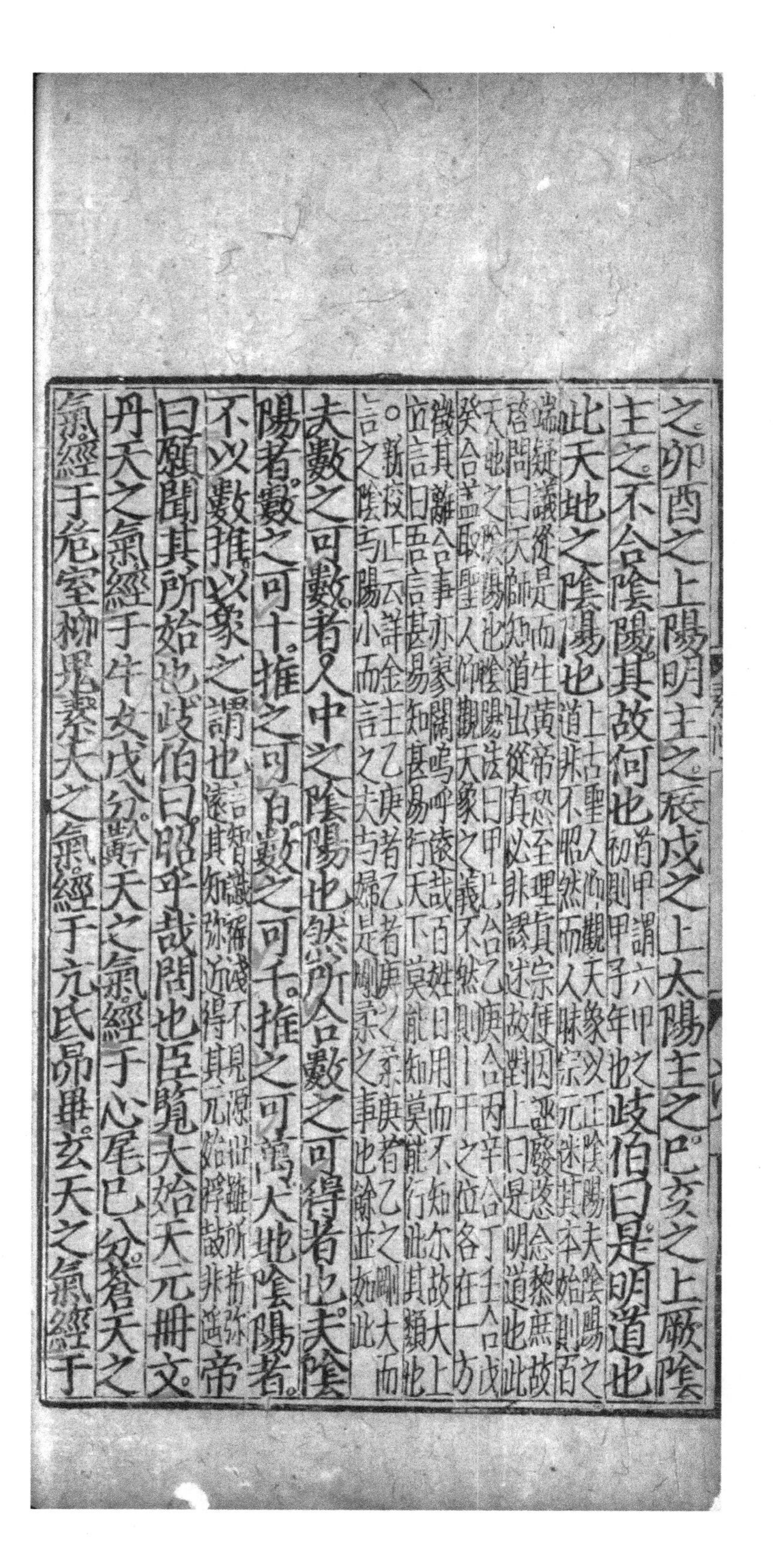

之卯酉之上陽明主之辰戌之上太陽主之巳亥之上厥陰主之不合陰陽其故何也首甲謂六甲之初則甲子年也岐伯曰是明道也此天地之陰陽也上古聖人仰觀天象以正陰陽夫陰陽之道非不昭然而人昧宗元迷其本始則百端疑議從是而生黃帝恐至理真宗便因誣廢愍念黎庶故啓問曰天師知道出從真必非謬述故對上曰是明道也此天地之陰陽也陰陽法曰甲己合乙庚合丙辛合丁壬合戊癸合蓋取聖人仰觀天象之義不然則十干之位各在一方徵其離合事亦寥闊嗚呼遠哉百姓日用而不知尔故大上立言曰吾言甚易知甚易行天下莫能知莫能行此其類也○新校正云詳金主乙庚者乙者庚之柔庚者乙之剛大而言之陰與陽小而言之夫與婦是剛柔之事也餘並如此

夫數之可數者人中之陰陽也然所合數之可得者也夫陰陽者數之可十推之可百數之可千推之可萬天地陰陽者不以數推以象之謂也言智識褊淺不見源流雖所指彌遠其知彌近得其元始桴鼓非遙帝曰願聞其所始也岐伯曰昭乎哉問也臣覽太始天元冊文丹天之氣經于牛女戊分黅天之氣經于心尾己分蒼天之氣經于危室柳鬼素天之氣經于亢氐昴畢玄天之氣經于

張翼婁胃所謂戊己分者奎壁角軫則天地之門戶也戊土屬乾
己土屬巽遁甲經曰六戊為天門六己為地戶晨暮占雨以西北東南義取此雨為土用濕氣生之故此古占為夫候
之所始道之所生不可不通也帝曰善論言天地者萬物之
上下左右者陰陽之道路未知其所謂也論謂天元紀及陰陽應象論也岐
伯曰所謂上下者歲上下見陰陽之所在也左右者諸上見
厥陰左少陰右大陽見少陰左大陰右厥陰見大陰左少陽
右少陰見少陽左陽明右大陰見陽明左大陽右少陽見大
陽左厥陰右陽明所謂面北而命其位言其見也面向北而言之也上
南也下北也左西也右東也帝曰何謂下岐伯曰厥陰在上則少陽在下
左陽明右大陰少陰在上則陽明在下左大陽右少陽大陰
在上則大陽在下左厥陰右陽明少陰在上則厥陰在下左
少陰右大陽陽明在上則少陰在下左大陰右厥陰大陽在
上則大陰在下左少陽右少陰所謂面南而命其位言其見

也主歲者位在南故面北而言其左右在下者位在北故面南面而言其左右也上天位也下地位也面南左東也右西也上下異而左右殊也上下相遘寒暑相臨氣相得則和不相得則病木火相臨金水相臨水木相臨火土相臨土金相臨為相得也木土相臨土水相臨水火相臨火金相臨金木相臨為不相得也上臨下為順下臨上為逆亦鬱抑而病生土臨相火君火之類者也帝曰氣相得而病者何也岐伯曰以下臨上不當位也六位相臨假令土臨火火臨木木臨水水臨金金臨土皆為以下臨上不當位也父子之義子為下父為上以子臨父不亦逆乎帝曰動靜何如言天地之行左右也岐伯曰上者右行下者左行左右周天餘而復會也上天也下地也周天謂天周地五行之位也天垂六氣地布五行天順地而左回地承天而一轉木運之後天氣常餘餘氣不加於君火卻退一步加臨相火之上是以每五歲已退一位而右遷故曰左右周天餘而復會會遇也合也言天地之道常五歲畢則以餘氣遷加復與五行座位再相會合而為歲法也周天謂天周地位非周天之六氣也帝曰余聞鬼臾區曰應地者靜今夫子乃言下者左行不知其所謂也願聞何以生之乎詰異也○新校正云按鬼臾區言應地者靜見天元紀大論中岐伯曰天地動靜五行遷復雖鬼臾區其上候而已猶不能徧明不通

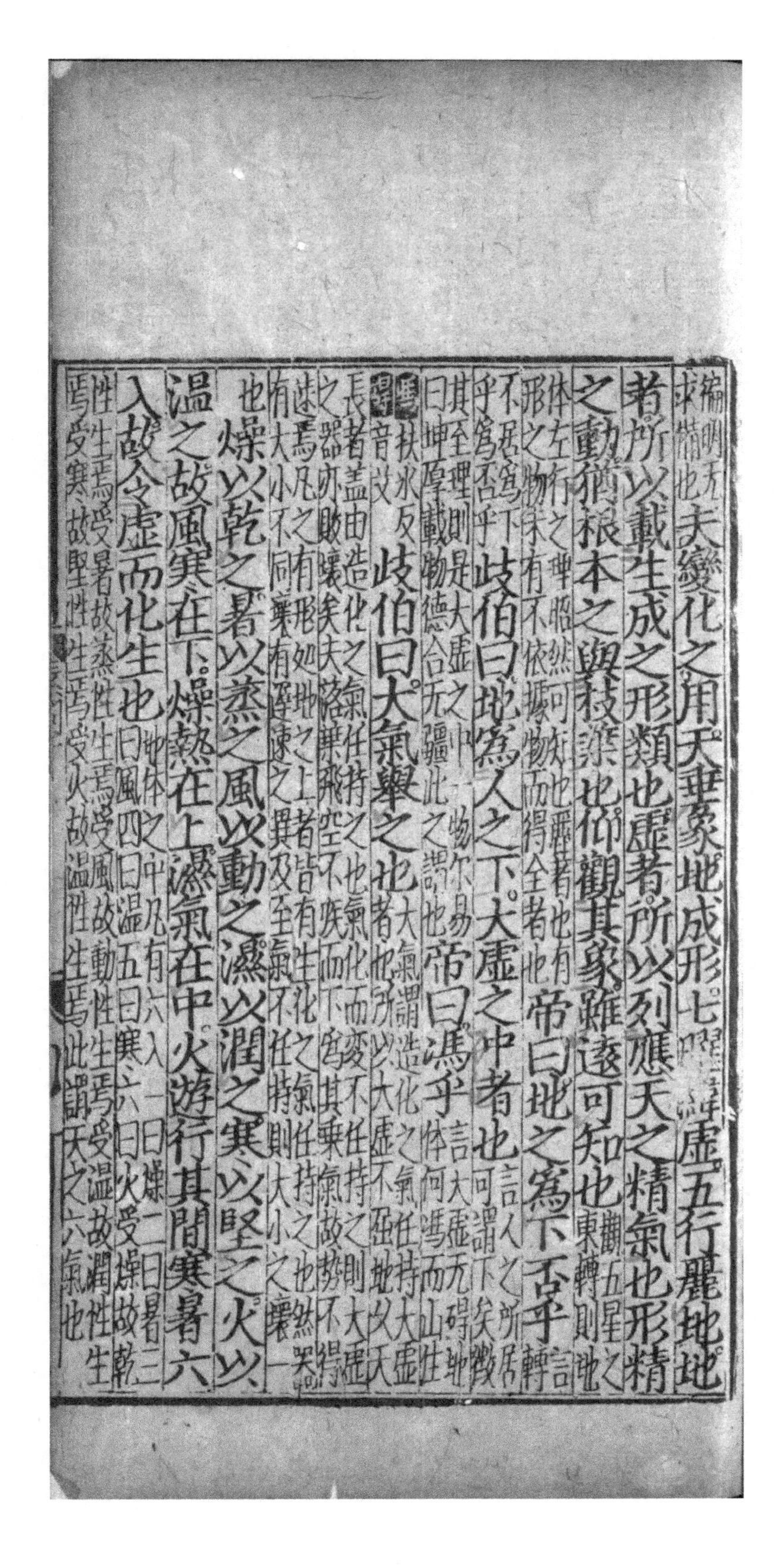

徧明无求精也。夫變化之用，天垂象，地成形，七曜緯虛，五行麗地。地者所以載生成之形類也，虛者所以列應天之精氣也，形精之動，猶根本之與枝葉也，仰觀其象，雖遠可知也。觀五星之東轉，則地体左行之理昭然可知也。麗，著也。有形之物，未有不依據物而得全者也。帝曰：地之為下否乎？言轉不居，為下乎？為否乎？岐伯曰：地為人之下，太虛之中者也。言人之所居，可謂下矣。徵其至理，則是太虛之中一物爾。易曰：坤厚載物，德合无疆。此之謂也。帝曰：馮乎？言大虛无礙，地体何馮而止住？馮，扶氷反。否，音彼。岐伯曰：大氣舉之也。大氣謂造化之氣任持大虛者也。所以大虛不屈，地久天長者，蓋由造化之氣任持之也。氣化而變，不任持之，則大虛之器亦敗壞矣。夫落葉飛空，不疾而下，為其乘氣，故勢不得速焉。凡之有形，如地之上者，皆有生化之氣任持之也。然其有大小不同，堅有遲速之異，及至氣不任持，則大小之壞一也。燥以乾之，暑以蒸之，風以動之，濕以潤之，寒以堅之，火以溫之，故風寒在下，燥熱在上，濕氣在中，火遊行其間，寒暑六入，故令虛而化生也。地体之中凡有六入：一曰燥，二曰暑，三曰風，四曰溫，五曰寒，六曰火。受燥故乾性生焉，受暑故蒸性生焉，受風故動性生焉，受溫故潤性生焉，受寒故堅性生焉，受火故溫性生焉，此謂天之六氣也。

故燥勝則地乾，暑勝則地熱，風勝則地動，濕勝則地泥，寒勝則地裂，火勝則地固矣。六氣之用。帝曰：天地之氣，何以候之？岐伯曰：天地之氣，勝復之作，不形於診也。言平氣及勝復，皆以形證觀察，不以診知也。脉法曰：天地之變，無以脉診，此之謂也。天地以氣不以位，故不當以脉知之。帝曰：間氣何如？岐伯曰：隨氣所在，期於左右。於左右尺寸四部，分位承之，以知應與不應，過與不過也。帝曰：期之奈何？岐伯曰：從其氣則和，違其氣則病，謂當沈不沈，當浮不浮，當濇不濇，當鈎不鈎，當弦不弦，當大不大之類也。○新校正云：按至真要大論云：厥陰之至其脉弦，少陰之至其脉鈎，太陰之至其脉沈，少陽之至大而浮，陽明之至短而濇，太陽之至大而長。至而和則平，至而甚則病，至而反則病，至而不至者病，未至而至者病，陰陽易者危。不當其位者病，見於他位也。迭移其位者病，謂左見右脉，右見左脉，氣差錯故爾。失守其位者危，已見於他鄉，本宮見賊殺之氣，故病危。尺寸反者死，子午卯酉四歲有之。反謂歲當陰在寸脉而反見於尺，歲當陽在尺而脉反見於寸，尺寸俱乃謂反也。若尺獨然，或十獨然，是不應氣，非反也。陰陽交者死。寅申巳亥丑未辰戌八年有之。交謂歲當陰在右脉反見左，歲當陽在左脉反見右，左右交見，是謂交。若左獨然，或右獨然，是不應氣，非交也。先立其年，

拆齒隻反

以知其氣左右應見，然後乃可以言死生之逆順。（紀言歲氣備矣。新校正云：詳此備六元正紀大論中。）帝曰：寒暑燥濕風火，在人合之奈何？其於萬物何以生化？（合謂中外相應，生謂承化而生，化謂成立衆象也。）岐伯曰：東方生風，（東者日之初，風者教之始，天之使也，所以發號施令，故生自東方也。景霧昇山，皆蒼埃際合，崖谷若一，巖岫之風也。黃白昏埃暝空，如堵獨見，天垂川澤之風出也。加以黃黑白埃承下，山澤之猛風也。）風生木，（陽升風鼓，草木敷榮，故曰風生木也。此和氣之生化也。若風氣施化則飄揚敷拆，其為變極則木拔草除也。運乘丁卯、丁丑、丁亥、丁酉、丁未、丁巳之歲，則風化不足；若乘壬申、壬午、壬辰、壬寅、壬子、壬戌之歲，則風化有餘於万物也。○新校正云：詳王注以丁壬分運之歲有餘不足，或者以丁卯、丁亥、丁巳、壬申、壬寅五歲為天符、同天符、正歲會，非有餘不足，為平木運，以王注為非，是不知大綱也。此欲細分，除此五歲亦未為盡，下文火土金水運等並同此。）木生酸，（万物味酸者，皆始自木氣之生化也。）酸生肝，（酸味入胃，生養於肝藏。）肝生筋，（酸味入肝，自肝藏布化，生成於筋膜也。）筋生心，（酸氣榮養筋膜畢已，自筋流化，乃入於心。）其在天為玄，（玄謂玄冥也。丑之終，東方白；寅之初，天色反黑，大虛皆闇，在天為玄象可見。○新校正云：詳在天為玄至化生氣七句，通言六氣五行生化之大法，非東方獨有之也。而王注玄謂丑之終、寅之初天色黑，則專言在東方，不兼諸方，此注未通。）在人為道，（正理之道，生養之政化也。）在地為

倮力果切去聲

繻汝俱切又力思俱切

化化生化也有生化而後有万物万物无非化氣以生成者化生五味金玉土石草木菜果根莖枝葉花穀
实核无識之類皆地化生也道生智智正知也慮遠也知正則不疑於事慮遠則不涉於危以道処之理符於
智霊樞經曰因慮而処物謂之智玄生神神用无方深微莫測迹見形隱物鮮能期由是則玄冥之中神明棲
據隱而不見玄生神明也化生氣飛走蚑行鱗介毛倮羽五類變化內屬神機雖爲五味所該然其生稟則異故
又曰化生氣也此上七句通言六氣五行生化之大法非獨東方有之也○新校正云按陰陽應象大論及天元紀大論
无化生氣二句倮音書神在天爲風鳴紊啓拆風之化也振拉摧拔風之用也歲屬厥陰在上則風化於
天歲厥陰在下則風行於地在地爲木長短曲直木之躰也幹舉挺發木之用也在體爲筋維結束絡
筋之体也縮緩卷舒筋之用也在氣爲柔木化宣發風化所行則物躰柔耎在藏爲肝肝有二布
葉一小葉如木甲拆之象也各有支絡脉遊中以宣發陽和之氣魂之宮也爲將軍之官謀慮出焉乗丁歲則肝藏及經
絡見受邪而爲病也膽府同其性爲暄暄温也肝木之性也其德爲和敷布和氣於万物木之德
也○新校正云按氣交變大論云其德敷和其用爲動風揺而動无風則万類皆静○新校正云按木之用
爲動火太過之政亦爲動蓋木火之主暴速故俱爲動其色爲蒼有形之類乗木之化則外色皆見薄青之
色今東方之地草木之上色皆蒼遇丁歲則蒼物兼白及黃色不純也其化爲榮榮美色也四時之中物見

從音揔

華葉韻色鮮麗者皆木化之所生也。新校正云按氣交變大論云其化生榮其蟲毛万物發生如毛在皮其
政為散發散生氣於万物。新校正云按氣交變大論云其政舒啓詳木之政散平木之政發散木大過之政散
土不及之氣散金之用散落木之災散落所以為散之異有六而散之義惟二一謂發散之散是木之氣也二謂散落之
散是金之氣所為也其令宣發陽和之氣舒而散也其變摧拉摧拔成者也。新校正云按氣交變
大論云其變振發其眚為隕隕墜也大風暴起草泯木墜。新校正云按氣交變大論云其災散落青所景
反其味為酸夫物之化之變而有酸味者皆木氣之所成敗也今東方之野生味多酸其志為怒
怒直声也怒所以威物怒傷肝凡物之用極皆自傷也怒發於肝而反傷肝藏悲勝怒悲發而怒止勝
之信也。新校正云詳五志悲當為憂蓋憂傷意悲傷魂故云悲傷怒也風傷肝亦猶風之折木也風生於木而
反殺之用極而衰。新校正云按陰陽應象大論云風傷筋燥勝風風自木生燥為金化風餘則制之以燥肝
盛則治之以涼清所行金之氣也酸傷筋酸寫肝氣寫甚則傷其氣靈樞經曰酸走筋筋病無多食酸以此尔
走筋謂宣行其氣速疾也氣血肉骨同。新校正云詳註云靈樞經云乃是素問宣明五氣篇文按甲乙經云以此為
素問王注云靈樞經者誤辛勝酸辛金味故勝木之酸酸餘故勝之以辛也南方生熱陽盛所生相火
君火之政也太虛昏翳其若輕塵山川悉然熱之氣也大明不彰其色如丹鬱熱之氣也若彤雲暴升嵸然葉積乍盈乍

縮崖谷之熱也**熱生火**熱甚之氣火運盛明故曰熱生火火者盛陽之生化也熱氣施化則炎暑鬱燠其為變極
則燔灼消融運乘癸酉癸未癸巳癸卯癸丑癸亥歲則熱化不足若乘戊辰戊寅戊子戊戌戊申戊午歲則熱化有餘
有君火相火故曰熱生火又云火也**火生苦**物之味苦者皆始自火之生化也甘物遇火躰焦則苦苦從火化其
可徵也**苦生心**苦物入胃化入於心故諸癸歲則苦化少諸戊歲則苦化多**心生血**苦味自心化巳
則布化生血脈**血生脾**苦味營血巳自血流化生養脾也**其在天為熱**亦神化氣也暄暑鬱蒸熱
之化也炎爇沸騰熱之用也歲屬少陰少陽在上則熱化於天在下則熱行於地也**在地為火**光顯炳明火之
躰也燔燎焦然火之用也**在體為脈**流行血氣脈之体也壅泄虛實脈之用也絡脈同**在氣為息**
息長也**在藏為心**心形如未敷蓮花中有九空以導引天真之氣神之宇也為君主之官神明出焉乘癸歲
則心与經絡受邪而為病小腸府亦然**其性為暑**暑者熱也心之氣性也**其德為顯**明顯見象定而
可取火之德也○新校正云按氣交變大論云其德彰顯**其用為躁**火性躁動不專定也**其色為赤**
生化之物乘火化者悉表備赭丹之色今南方之地草木之上皆兼赤色乘癸歲則赤色之物兼黑及白也**其化**
為茂茂蕃盛也○新校正云按氣交變大論云其化蕃茂**其蟲羽**參差長短象火之形**其政為明**
明曜彰見无所藏匿火之政也○新校正云按氣交變大論云其政明曜又按火之政明水之氣明水火異而明同者火

之明明于外水之明明于內明雖同而實異也**其令鬱蒸**鬱盛也蒸熱也言盛熱氣如蒸也○新校正云詳注謂鬱爲盛其義未安按王冰注五常政大論云鬱謂鬱燠不舒暢也當如此解也**其變炎爍**熱甚炎赫爍石流金火之極變也○新校正云按氣交變大論云其變銷爍**其眚燔焫**燔焫山川旋及屋宇火之災也○新校正云按氣交變大論云其災燔焫眚所景反**其味爲苦**物之化之變而有苦味者皆火氣之所合散也今南方之野生物多苦**其志爲喜**喜悅樂也悅以和志**喜傷心**言其過也喜發於心而反傷心亦由風之折木也過則氣竭故見傷也**恐勝喜**恐至則喜樂皆泯勝喜之理目擊道存恐則水之氣也**熱傷氣**天熱則氣伏不見人熱則氣促喘急熱之傷氣理亦可徵此皆謂大熱也小熱之氣猶生諸氣也陰陽應象大論云壯火散氣少火生氣此其義也**寒勝熱**寒勝則熱退陰盛則陽衰制熱以寒是求勝也**苦傷氣**大凡如此尔苦之傷氣以其燥也若加以熱則傷尤甚也何以明之飲酒氣促多則喘急此其信也苦寒之物偏服歲久益火滋甚亦傷氣也暫以方治乃同少火反生氣也○新校正云詳此論所傷之旨有三東方曰風傷肝酸傷筋中央曰濕傷肉甘傷脾西方曰辛傷皮毛是自傷者也南方曰熱傷氣苦傷氣北方曰寒傷血鹹傷血是傷己所勝也西方曰熱傷皮毛是被勝傷己也凡此五方所傷之例有三若大素則俱云自傷焉**鹹勝苦**酒得鹽而解物理昭然火苦之勝制以水鹹

中央生濕中央土也高山土濕泉出地中水源山隈雲生岩谷則其象也夫性內蘊動而爲用則雨降雲騰中

溽如屬切溼暑

史生溼不遠信矣故歷候記土潤溽暑於六月謂是也溽音辱濕生土溼氣內蘊土体乃全溼則土生乾則土死死則庶類凋喪生則万物滋榮此溼氣之化尓溼氣施化則土宅而雲騰雨降其為変極則驟注土崩也運乘己巳己卯己丑己亥己酉己未之歲則溼化不足乘甲子甲戌甲申甲午甲辰甲寅之歲則溼化有餘也土生甘物之味甘者皆始自土之生化也甘生脾甘物入胃先入於脾故諸己歲則甘少化諸甲歲甘多化脾生肉甘味入脾自脾藏布化長生脂肉肉生肺甘氣營肉已自肉流化乃生養肺藏也其在天為濕言神化也柔潤重澤溼之化也拔鬱雲雨溼之用也歲屬太陰在上則溼化於天太陰在下則溼化於地在地為土敦靜安鎮聚散復形群品以生土之体也含垢居穢靜而下民為變化母土之德也○新校正云詳注云靜而下民為上之德下民之義恐字誤也在體為肉覆裹筋骨氣發其間肉之用也疏密不時中外否閉肉之動也在氣為充土氣施化則万象盈在藏為脾形象馬蹄內包胃脘象土形也經絡之氣交歸於中以營運真靈之氣意之舍也為倉廩之官化物出焉乘己歲則脾及經絡受邪而為病○新校正云詳肝心肺腎四藏注各言府同獨此注不言胃府同者闕文也其性靜兼兼謂兼寒熱暄涼之氣也白虎通曰脾之為言并也謂四氣并之也其德為濡津溫潤澤土之德也○新校正云按氣交變大論云其德溽蒸其用為化化謂兼諸四化并己為五化所謂風化熱化燥化寒化周万物而為生長化成收藏也其色為黃物乘土化則表見黅黃之色今

中央之地草木之上皆兼黃色乘已歲則黃色之物兼倉及黑黅音今其化爲盈盈滿也土化所及則万物盈滿○新校正云按氣交變大論云其化豐備其蟲倮倮露皮革无毛介也其政爲謐謐靜也土性安靜○新校正云按氣交變大論云其政安靜詳土之政謐水大過其政謐者蓋水大過而土下承之故其政亦謐其令雲雨濕氣布化之所成其變動注動反靜也地之動則土失性風搖不安注雨久下也久則垣岸復爲土矣○新校正云按氣交變大論云其變驟注其眚淫潰淫久雨也潰土崩潰也○新校正云按氣交變大論云其災霖潰其味爲甘物之化之變而有甘味者皆土化之所終始也今中原之地故物味多甘淡其志爲思思以成霧○新校正云按靈樞經曰因志而存變謂之思思傷脾思勞於智過則傷脾怒勝思怒則不思忿而忘禍則勝可知矣思甚不解以怒制之調性之道也濕傷肉濕甚爲水水盈則腫水下去已形肉已消傷肉之驗近可知矣風勝濕風木氣故勝土濕濕甚則制之以風甘傷脾過節也○新校正云按陰陽應象大論云甘傷肉酸勝甘甘餘則制之以酸所以救脾氣也西方生燥陽氣已降陰氣復升氣爽風勁故生燥也夫岳谷青埃川原蒼翠煙浮草褐遠望氤氳此金氣所生燥之化也夜起白曚輕如微霧遐邇一色星月皎如此万物陰成亦金氣所生白露之氣也大虛埃昏氣鬱黃黑視不見遠无風自行從陰之陽如雲如霧此殺氣也亦金氣所生霜之氣也山谷川澤濁昏如霧氣鬱蓬勃慘然戚然咫尺不分此殺氣將用亦金气所生運之

氣也大雨大霧和气西起雲卷陽曜大虛廓清燥生西方義可觀也若西風大起木偃雲騰是爲燥與溫爭氣不勝也故當復雨然西方雨晴天之常氣假有東風雨止以有西風復雨因雨而返自晴觀是之爲則氣有往復動有燥溫變化之象不同其用矣由此則天地之氣以和爲𡿨暴發奔驟氣所不勝則多爲復也**燥生金**氣勁風切金鳴声遠燥生之信視听可知此則燥化能令万物堅定也燥之施化於物如是其爲變極則天地慘肅殺氣行人悉畏之草木凋落運秉乙丑乙卯乙巳乙未乙酉乙亥之歲則燥化不足秉庚子庚寅庚辰庚午庚申庚戌歲則燥化有餘歲氣不同生化異也**金生辛**物之有辛味者皆始自金化之所成**辛生肺**辛物入胃先入於肺故諸乙歲則辛少化諸庚歲則辛多化**肺生皮毛**辛味入肺自肺藏布化生養皮毛也**皮毛生腎**辛氣自入皮毛乃流化生氣入腎藏也**其在天爲燥**神化也霧露清勁燥之化也肅殺凋零燥之用也歲屬陽明在上則燥化於天陽明在下則燥行於地**在地爲金**從革堅剛金之体也鋒刃銛利金之用也○新校正云按別本銛作括**在體爲皮毛**柔韌包裹皮毛之体也滲泄津液皮毛之用也**在氣爲成**物秉金化則堅成**在藏爲肺**肺之形似人肩二布葉數小葉中有二十四空行列以分布諸藏清濁之氣主藏魄也爲相傅之官治節出焉秉乙歲則肺與經絡受邪而爲病也大腸府亦然**其性爲涼**涼清也肺之性也**其德爲清**金以清涼爲德化○新校正云按氣交變大論云其德清潔**其用爲固**固堅定也**其色爲白**[illegible]

金化則表彰淵素之色今西方之野草木之上色皆兼白秉乙歲則白色之物兼赤及蒼也其化為斂斂收

也金化流行則物体堅斂○新校正云按氣交變大論云其化緊斂詳金之化為斂而木不及之氣亦斂者蓋木不及而

金勝之故斂也其蟲介介甲也外被介甲金堅之象也其政為勁勁前銳也○新校正云按氣交變大

論云其政勁切其令霧露涼氣化生其變肅殺天地慘悽人所不喜則其氣也其眚蒼落

青乾而凋落▼其味為辛夫物之化之變而有辛味者皆金氣之所離合也今西方之野草木多辛其志

為憂憂慮也思也○新校正云詳王注以憂為思有害於義按本論思為脾之志憂為肺之志是憂非思明矣又靈

樞經曰愁憂則閉塞而不行又云愁憂而不解則傷意若是則憂者愁也非思也憂傷肺愁憂則氣閉塞而不

行肺藏氣故憂傷肺喜勝憂神悅則喜故喜勝憂熱傷皮毛火有二別故此再举熱傷之形證也火氣

薄爍則物焦乾故熱氣盛則皮毛傷寒勝熱以陰消陽故寒勝熱○新校正云按大素作燥傷皮毛熱勝燥辛

傷皮毛過節也辛熱又甚焉苦勝辛苦火味故勝金之辛北方生寒陽氣伏陰氣升政布而大

行故寒生也大虛澄淨黑氣浮空天色黯然高空之寒氣也若氣似散麻本末皆黑微見川澤之寒氣也大虛清白空尤

雪映遐迩一色山谷之寒氣也大虛白昏火明不翳如霧雨氣遐迩肅然北望色玄凝雰夜落此水氣所生寒之化也大

虛凝陰白埃昏翳天地一色遠視不分此寒濕凝結雪之將至也地裂水冰河渠乾涸枯澤浮鹹木斂土堅是土勝水水

不得自清水所生寒之用也寒生水寒資陰化水所由生此寒氣之生化尔寒氣施化則水冰雪霜其爲變極則水涸冰堅運秉丙寅丙子丙戌丙申丙午丙辰之歲則寒氣大行秉辛未辛巳辛卯辛丑辛亥辛酉之歲則寒化少

水生鹹物之有鹹味者皆始自水化之所成結也水澤枯涸鹵鹹乃蕃滄海味鹹鹽從水化則鹹因水產其事炳然煎水味鹹近而可見鹹生腎鹹物入胃先歸於腎故諸丙歲鹹物多化諸辛歲鹹物少化腎生骨髓鹹味入腎自腎藏布化生養骨髓髓生肝鹹氣自生骨髓乃流化生氣入肝藏也其在天爲寒神化也凝慘冰雪寒之化也凜冽霜雹寒之用也歲屬大陽在上則寒化於天大陽在下則寒行於地也在地爲水陰氣布化流於地中則爲水泉澄徹流衍水之體也漂蕩沒溺水之用也在體爲骨強幹堅勁骨之体也包裹髓腦骨之用也在氣爲堅柔耎之物遇寒則堅寒之化也在藏爲腎腎藏有二形如紅豆相並而曲附於膂筋外有脂裹裏白表黑主藏精也爲作強之官伎巧出焉秉辛歲則腎藏及經絡受邪而爲病腰脽痛同其性爲凜凜寒也腎之性也其德爲寒水以寒爲德化○新校正云按氣交變大論云其德悽滄其用爲本闕其色爲黑物稟水成則表被玄黑之色今北方之野草木之上色皆兼黑秉辛歲則黑色之物兼黃及赤其化爲肅肅靜也○新校正云按氣交變大論云其化清謐詳水之化爲肅而金之政大涼者爲肅平金之政勁肅金之變肅殺者何也蓋水之化肅者靜也金之政肅者肅殺也文雖同而事異其蟲鱗

大字作
別本大字十入

鱗謂魚蛇之族類其政為靜水性澄澈而清淨。新校正云按氣交變大論其政凝肅詳水之政為靜而平
土之政安靜土大過之政亦為靜土不及之政亦為靜定水土異而靜同者非同也水之靜清淨也土之靜安靜也其
令本闕其變凝冽寒甚故致是。新校正云按氣交變大論云其變凓冽其眚冰雹非時而有
及暴過也。新校正云按氣交變大論云其災冰雪霜雹其味為鹹夫物之化之變而有鹹味者皆水化之所
凝散也今北方川澤地多鹹鹵其志為恐恐以遠禍恐傷腎恐甚動中則傷腎靈樞經曰恐懼而不解
則傷精腎藏精故精傷而傷及於腎思勝恐思見禍機故无憂恐思一作憂非也寒傷血腎勝心也寒甚
血凝故傷血也燥勝寒寒化則水積燥用則物堅燥与寒兼故相勝也天地之化物理之常也鹹傷血
味過於鹹則咽乾引飲傷血之義斷可知乎甘勝鹹渴飲甘泉咽乾自已甘為土味故勝水鹹。新校正云詳
自上岐伯曰至此与陰陽應象大論同小有增損而注頗異五氣更立各有所先當其歲時氣乃
先也非其位則邪。當其位則正。先立運然後知非位与當位者也帝曰病之生
變何如。岐伯曰氣相得則微。不相得則甚。木居火位火居土位土居金位金居
水位水居木位木居君位如是者為相得又木居水位水居金位金居土位土居火位火居木位如是者雖為相得終以
子僭居父母之位下陵上尤為小逆也木居金土位火居金水位土居水木位金居火木位水居火土位如是者為不相

瀅與瑩同

得故病甚也皆先立運氣及司天之氣則氣之所在相得與不相得可知矣帝曰主歲何如岐伯曰氣有餘則制己所勝而侮所不勝其不及則己所不勝侮而乘之己所勝輕而侮之木餘則制土輕忽於金以金氣不爭故木恃其餘而欺侮也又木少金勝土反侮木以木不及故土妄凌之也四氣卒同侮謂侮而凌忽之侮反受邪或以己強盛或遇彼衰微不度卑弱妄行凌忽雖侮而求勝故終以受邪侮而受邪寡於畏也受邪各謂受己所不勝之邪也然捨己宮觀適他鄉邦外強中乾邪勝真弱寡於敬畏由是納邪故曰寡於畏也○新校正云按六節藏象論云未至而至此謂大過則薄所不勝而乘所勝命曰氣淫至而不至此謂不及則所勝妄行而所生受病所不勝而薄之命曰氣迫即此之義也帝曰善

○六微旨大論篇第六十八

黃帝問曰嗚呼遠哉天之道也如迎浮雲若視深淵視深淵尚可測迎浮雲莫知其極深淵淨瑩而澄澈故視之可則其深淺浮雲飄泊而合散故迎之莫詣其邊涯言蒼天之象如淵可視乎鱗介運化之道尤雲莫測其去留六氣深微其於運化當如是喻矣○新校正云詳此文與疏五過論重夫子數言謹奉天道余聞而藏之心私異之不知

其所謂也。願夫子溢志盡言其事。令終不滅。久而不絶。天之道可得聞乎。運化生成之道也 岐伯稽首再拜對曰。明乎哉問。天之道也。此因天之序。盛衰之時也。帝曰。願聞天道六六之節盛衰何也。六六之節經已啓問天師未敷其旨故重問之 岐伯曰。上下有位。左右有紀。上下謂司天地之氣二也餘左右四氣在歲之左右也 故少陽之右。陽明治之。陽明之右。太陽治之。太陽之右。厥陰治之。厥陰之右。少陰治之。少陰之右。太陰治之。太陰之右。少陽治之。此所謂氣之標。蓋南面而待之也。標末也聖人南面而立以閲氣之至也 故曰。因天之序。盛衰之時。移光定位。正立而待之。此之謂也。移光謂日移光定位謂面南觀氣正立觀歲數氣之至則氣可待之也 少陽之上。火氣治之。中見厥陰。少陽南方火故上見火氣治之与厥陰合故中見厥陰也 陽明之上。燥氣治之。中見太陰。陽明西方金故上燥氣治之与太陰合故燥氣之下中見太陰也 太陽之上。寒氣治之。中見少陰。太陽北方水故上寒氣治之与少陰合故寒氣之下中見少陰也。新校正云按六元正紀大論云太陽所至爲寒生中爲温与此義同 厥陰之上風氣治之，中見少陽。厥陰東方木，故上風氣治之，与少陽合，故風氣之下中見少陽也。少陰之上，熱氣治之，中見大陽。少陰東南方君火，故上熱氣治之，与大陽合，故熱氣之下中見大陽也。○新校正云：按《六元正紀大論》云：少陰所至為熱生，中為寒。与此義同。大陰之上，濕氣治之，中見陽明。大陰西南方土，故上濕氣治之，与陽明合，故濕氣之下中見陽明也。所謂本也。本之下，中之見也。見之下，氣之標也。本謂元氣也。氣別為王，則文言著矣。○新校正云：詳注云文言著矣，疑誤。本標不同，氣應異象。本者應之元，標者病之始，病生形用求之標，方施其用求之本，標本不同，求之中見，法万全。○新校正云：按《至真要大論》云：六氣標本不同，氣有從本者，有從標本者，有不從標本者。少陽、大陰從本，少陰、大陽從本從標，陽明、厥陰不從標本，從乎中。故從本者化生於本，從標本者有標本之化，從中者以中氣為化。帝曰：其有至而至，有至而不至，有至而太過，何也？皆謂天之六氣也。初之氣起於立春前十五日，餘二三四五終氣次至而分治六十日餘八十七刻半。岐伯曰：至而至者和，至而不至，來氣不及也；未至而至，來氣有餘也。時至而至，和平之應，此為平歲也。假令甲子歲氣有餘，於癸亥歲未當至之期先期而至也；乙丑歲氣不足，於甲子歲當至之期後時而至也。故曰來氣不及、來氣有餘也。言初氣之至期如此，歲氣有餘，六氣之至皆先期；歲氣不及，六氣之至皆後時。

礙音艾

先時後至後時先至各差十三日而應也◎新校正云按金匱要略云有未至而至有至而不至有至而不去有至而太過冬至之後得甲子夜半少陽起少陰之時陽始生天得溫和以未得甲子天因溫和此為未至而至也以得甲子而天未溫和此為至而不至以得甲子而天大寒不解此為至而不去以得甲子而天溫如盛夏時此為至而大過此亦論氣應之一端也

帝曰至而不至未至而至何如言大過不及歲當至晚至早之時應也

岐伯曰應則順否則逆逆則變生變生則病當期為應愆時為否天地之氣生化不息无止礙也不應有而有應有而不有是造化之氣失常失常則氣變變常則氣血紛撓而為病也天地變而失常則万物皆病

帝曰善請言其應岐伯曰物生其應也氣脉其應也物之生榮有常時脉之至有常期有餘歲早不及歲晚皆依時至也

帝曰善願聞地理之應六節氣位何如岐伯曰顯明之右君火之位也君火之右退行一步相火治之日出謂之顯明則卯地氣分春也自春分後六十日有奇斗建卯正至于巳正君火位也自斗建巳正未之中三之氣分相火治之所謂少陽也君火之位所謂少陰熱之分也天度至此暄淑大行居熱之分不行炎暑君之德也少陽居之為僭逆大熱早行疫癘廼生陽明居之為溫涼不時太陽居之為寒雨間熱厥陰居之為風濕雨生羽蟲少陰居之為天下疵疫以其得位君令宣行故也太陰居之為時雨火有二位故以君火為六氣之始也相

火則夏至日前後各三十日也少陽之分火之位矣天度至此炎熱大行少陽居之爲熱暴至草萎河乾炎亢濕化晚布陽明居之爲涼氣間發大陽居之爲寒氣間至熱爭冰雹厥陰居之爲風熱大行雨生羽蟲少陰居之爲大暑炎亢大陰居之爲雲雨雷電退謂南面視之在位之右也一步凡六十日又八十七刻半餘氣同法復行一步。土氣治之雨之分也即秋分前六十日而有奇斗建未正至酉之中四之氣也天度至此雲雨大行濕蒸乃作少陽居之爲炎熱沸騰雲雨雷電陽明居之爲清雨霧露大陽居之爲寒雨害物厥陰居之爲暴風雨摧拉雨生倮蟲少陰居之爲寒熱氣反用山澤浮雲暴雨溽蒸大陰居之爲大雨霪霪霪音淫復行一步。金氣治之燥之分也即秋分後六十日而有奇自斗建酉正至亥之中五之氣也天度至此萬物皆燥少陽居之爲溫清更正萬物乃榮陽明居之爲大涼燥疾大陽居之爲早寒厥陰居之爲涼風大行雨生介蟲少陰居之爲秋濕熱病時行大陰居之爲時雨沉陰復行一步。水氣治之寒之分也即冬至日前後各三十日自斗建亥至丑之中六之氣也天度至此寒氣大行少陽居之爲冬溫蟄蟲不藏流水不冰陽明居之爲燥寒勁切大陽居之爲大寒凝冽厥陰居之爲寒風飄揚雨生鱗蟲少陰居之爲蟄蟲出見流水不冰大陰居之爲凝陰寒雪地氣濕也復行一步。木氣治之風之分也即春分前六十日而有奇也自斗建丑正至卯之中初之氣也天度至此風氣乃行天地神明號令之始也天之使也少陽居之爲溫疫至陽明居之爲清風霧露朦昧大陽居之爲寒風切冽霜雪水冰厥陰居之爲大風發榮

別本三作積

雨生毛虫，少陰居之為熱風傷人，時氣流行；大陰居之為風雨凝陰不散。**復行一步，君火治之。**熱盛之分也。復春分始也，自斗建卯正至巳之中，二之氣也。凡此六位，終統一年，六六三百六十日，六八四百八十刻，六七四十二刻，其餘半刻，分而為三，二約終三百六十五度也，餘奇細分率之可也。

相火之下，水氣承之。熱盛水承，條蔓柔弱，湊潤衍溢，水象可見。○新校正云：按六元正紀大論云：少陽所至為火生，終為蒸溽，則水承之義可見。又云：少陽所至為摽風燔燎，霜凝，亦下承之水氣也。

水位之下，土氣承之。寒甚物堅，水冰流涸，土象斯見，承下明矣。○新校正云：按六元正紀大論注云：大陽所至為寒雪冰雹白埃，則土氣承之之義也。

土位之下，風氣承之。○疾風之後，時雨乃零，是則濕為風吹，化而為雨。○新校正云：按六元正紀大論云：大陰所至為濕生，終為注雨，則上位之下，風氣承之而為雨也。又云：大陰所至為雷霆驟注烈風，則風承之義也。

風位之下，金氣承之。風動氣清，萬物皆燥，金承木下，其象昭然。○新校正云：按六元正紀大論云：厥陰所至為風生，終為肅，則金承之義可見。又云：厥陰所至為飄怒大凉，亦金承之義。

金位之下，火氣承之。鑠金生熱，則火流金，乘火之上，理無妄也。○新校正云：按六元正紀大論云：陽明所至為散落溫，則火乘之義也。

君火之下，陰精承之。君火之位，大熱不行，蓋為陰精制承其下也。諸以所勝之氣乘於下者，皆折其標盛，此天地造化之大体尔。○新校正云：按六元正紀大論云：少陰所至為熱生，中為寒，則陰承之義可知。又云：少陰所至為大暄寒，亦其義也又按六元正紀云水發而雹雪土發而飄驟木發而毀折金發而清明火發而曛昧何氣使然曰氣有多少發有微甚微者當其氣甚者兼其下徵其下氣而見可知也所謂徵其下者即此六承氣也）帝曰何也岐伯曰亢則害承迺制制生則化外列盛衰害則敗亂生化大病（亢過極也物惡其極）帝曰盛衰何如岐伯曰乖其位則邪當其位則正邪則變甚正則微帝曰何謂當位岐伯曰木運臨卯火運臨午土運臨四季金運臨酉水運臨子所謂歲會氣之平也（非大過非不及是謂平運主歲也平歲之氣物生脉應皆必合期无先後也○新校正云詳木運臨卯丁卯歲也火運臨午戊午歲也土運臨四季甲辰甲戌己丑己未歲也金運臨酉乙酉歲也水運臨子丙子歲也內戊午己丑己未乙酉又為太一天符）帝曰乖位何如岐伯曰歲不與會也（不与本辰相逢會也）帝曰土運之歲上見太陰火運之歲上見少陽少陰（少陰少陽皆火氣）金運之歲上見陽明木運之歲上見厥陰水運之歲上見太陽奈何岐伯曰天之與會也（天氣与運氣相逢會也○新校正云詳土運之歲上見太陰己丑己未也火運之歲上見少陽戊寅戊申也上見少陰戊子戊午也金運之歲上見陽明乙卯乙酉也木運之歲上見厥陰丁巳丁亥也

水運之歲上見大陽丙辰丙戌此内己酉己未戊午乙酉又為大一天符按六元正紀大論云大過而同天化者三不及而同天化者亦三戊子戊午大徵上臨少陰戊寅戊申大徵上臨少陽丙辰丙戌大羽上臨大陽如是者三丁巳丁亥少角上臨厥陰乙卯乙酉少商上臨陽明己丑己未少宮上臨大陰如是者三臨者大過不及皆曰天符也故天元冊曰天符。天符歲會何如。岐伯曰：大一天符之會也。是謂三合一者天會一者歲會二者運會也天元紀大論曰三合為治此之謂也○新校正云按大一天符之詳具天元紀大論注中

帝曰：其貴賤何如。岐伯曰：天符為執法，歲位為行令，大一天符為貴人。執法猶相輔行令猶方伯貴人猶君主帝曰：邪之中也柰何。岐伯曰：中執法者，其病速而危；執法官人之繩准自為邪僻故病速而危中行令者，其病徐而持；方伯无執法之權故无速害病但執持而已中貴人者，其病暴而死。義无凌犯故病則暴而死帝曰：位之易也何如。岐伯曰：君位臣則順，臣位君則逆，逆則其病近，其害速；順則其病遠，其害微，所謂二火也。相火居君火是臣位居君位故逆也君火居相火是君位居臣位君臨臣位故順也遠謂里遠近謂里近也帝曰：善。

願聞其步何如。岐伯曰：所謂步者，六十度而有奇。奇謂八十七刻又十

分刻之五也故二十四步積盈百刻而成日也此言天度之餘也夫言周天之度者三百六十五度四分度之一也二十四步正四歲也四分度之一二十五刻也四歲氣成積已盈百刻故成一日度一日也帝曰六氣應五行之變何如岐伯曰位有終始氣有初中上下不同求之亦異也位地位也氣天氣也氣与位互有差移故氣之初天用事氣之中地主之地主則氣流于地天用則氣騰于天初与中皆分天步而率刻尔初中各三十日餘四十三刻四分刻之三也帝曰求之柰何岐伯曰天氣始於甲地氣始於子子甲相合命曰歲立謹候其時氣可與期子甲相合命曰歲立則甲子歲也謹候水刻早晏則六氣悉可与期尔帝曰願聞其歲六氣始終早晏何如岐伯曰明乎哉問也甲子之歲初之氣天數始於水下一刻常起於平明寅初一刻艮中之南也。新校正云按戊辰壬申丙子庚辰甲申戊子壬辰丙申庚子甲辰戊申壬子丙辰庚申歲同此所謂辰申子歲氣會同陰陽法以是為三合終於八十七刻半子正之中夜之半也外十二刻半入二氣之初諸餘刻同入也二之氣始於八十七刻六分子中之左也終於七十五刻戌之後四刻也外二十五刻入次三氣之初率三之氣始於七十六刻亥初之一刻終於六十二刻

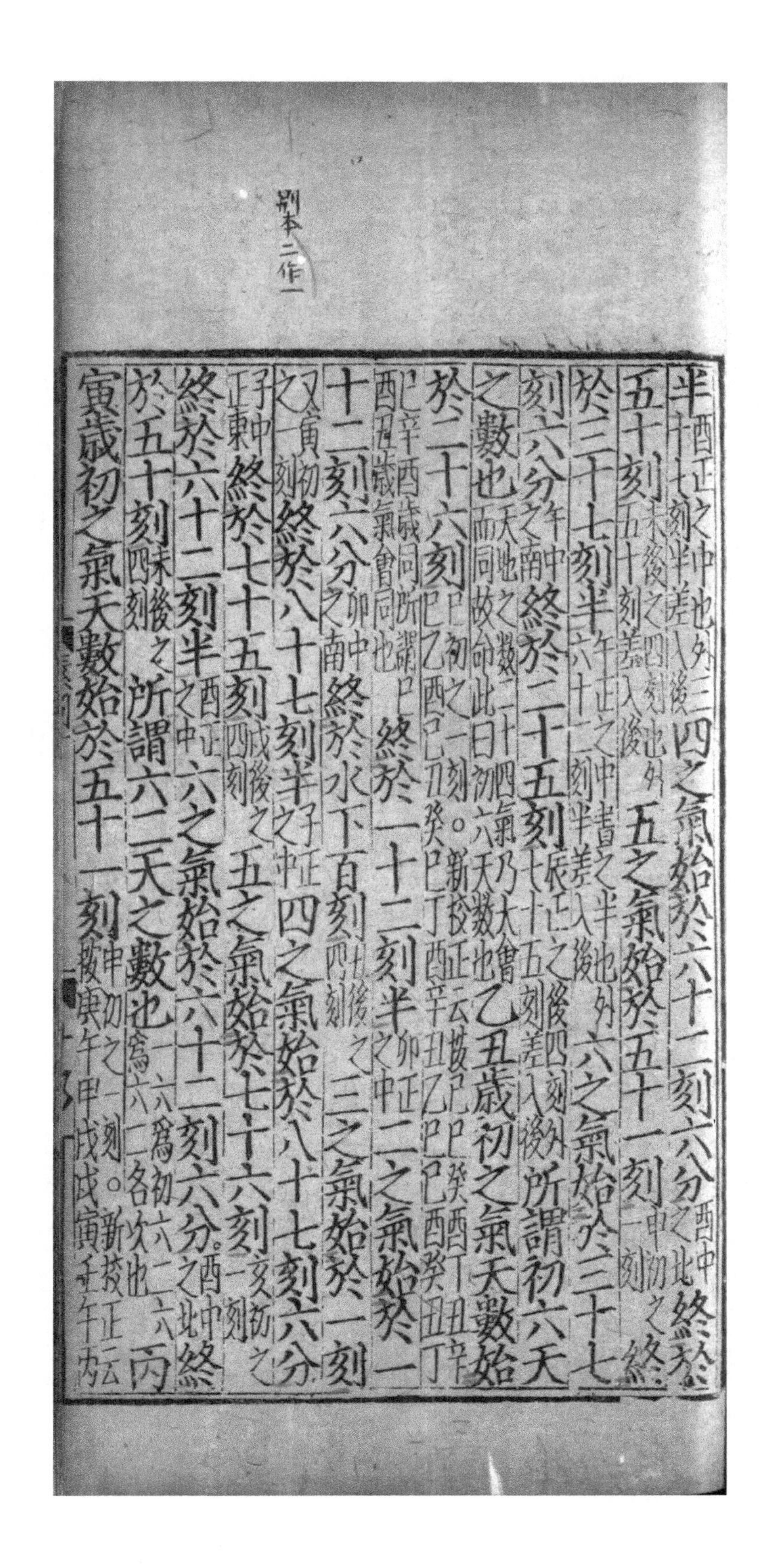

别本二作一

半（酉正之中也，外二十七刻半，差入後）。四之氣始於六十二刻六分（酉中之北），終於五十刻（未後之四刻也，外五十刻，差入後）。五之氣始於五十一刻（申初之一刻），終於三十七刻半（午正之中，晝之半也，外六十二刻半，差入後）。六之氣始於三十七刻六分（午中之南），終於二十五刻（辰正之後四刻，外七十五刻，差入後）。所謂初六天之數也（天地之數，二十四氣乃大會而同，故命此曰初六天數也）。乙丑歲，初之氣天數始於二十六刻（巳初之一刻。○新校正云：按己巳、癸酉、丁丑、辛巳、乙酉、己丑、癸巳、丁酉、辛丑、乙巳、己酉、癸丑、丁巳、辛酉歲同，所謂巳酉丑歲氣會同也），終於一十二刻半（卯正之中）。二之氣始於一十二刻六分（卯中之南），終於水下百刻（丑後之四刻）。三之氣始於一刻（寅初之一刻），終於八十七刻半（子正之中）。四之氣始於八十七刻六分（子中正東），終於七十五刻（戌後之四刻）。五之氣始於七十六刻（亥初之一刻），終於六十二刻半（酉正之中）。六之氣始於六十二刻六分（酉中之北），終於五十刻（未後之四刻）。所謂六二天之數也（一六爲初六，二六爲六二，各次也）。丙寅歲，初之氣天數始於五十一刻（申初之一刻。○新校正云：按丙寅、庚午、甲戌、戊寅、壬午、丙

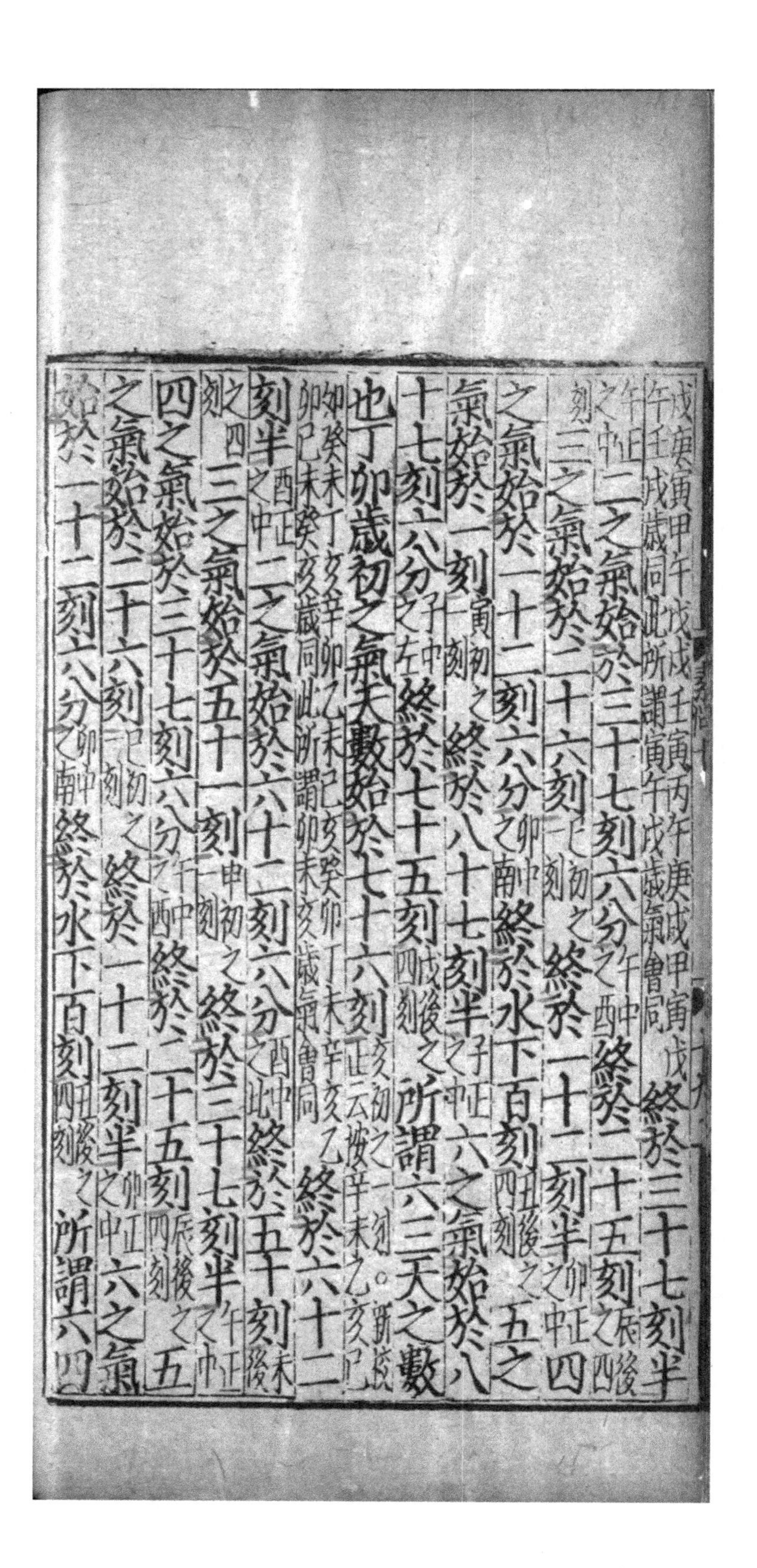

（戊寅甲午戊戌壬寅丙午庚戌甲寅戊午壬戌歲同此所謂寅午戌歲氣會同）終於三十七刻半（午正之中）二之氣始於三十七刻六分（午中之西）終於二十五刻（辰後之四刻）三之氣始於二十六刻（巳初之一刻）終於一十二刻半（卯正之中）四之氣始於一十二刻六分（卯中之南）終於水下百刻（丑後之四刻）五之氣始於一刻（寅初之一刻）終於八十七刻半（子正之中）六之氣始於八十七刻六分（子中之左）終於七十五刻（戌後之四刻）所謂六三天之數也。丁卯歲初之氣天數始於七十六刻（亥初之一刻○新校正云按辛未乙亥己卯癸未丁亥辛卯乙未己亥癸卯丁未辛亥乙卯己未癸亥歲同此所謂卯未亥歲氣會同）終於六十二刻半（酉正之中）二之氣始於六十二刻六分（酉中之北）終於五十刻（未後之四刻）三之氣始於五十一刻（申初之一刻）終於三十七刻半（午正之中）四之氣始於三十七刻六分（午中之西）終於二十五刻（辰後之四刻）五之氣始於二十六刻（巳初之一刻）終於一十二刻半（卯正之中）六之氣始於一十二刻六分（卯中之南）終於水下百刻（丑後之四刻）所謂六四

天之數也。次戊辰歲初之氣復始於一刻，常如是無已，周而復始。始自甲子年終於癸亥歲常以四歲爲一小周一十五周爲一大周以辰命歲則氣可与期帝曰：願聞其歲候何如？岐伯曰：悉乎哉問也！日行一周，天氣始於一刻，甲子歲也日行再周，天氣始於二十六刻，乙丑歲也日行三周，天氣始於五十一刻，丙寅歲也日行四周，天氣始於七十六刻，丁卯歲也日行五周，天氣復始於一刻，戊辰歲也餘五十五歲循環周而復始也所謂一紀也。法以四年爲一紀循環不已餘二十歲一會同故有三合也是故寅午戌歲氣會同，卯未亥歲氣會同，辰申子歲氣會同，巳酉丑歲氣會同，終而復始。陰陽法以是爲三合者緣其氣會同也不尔則各在一方義无由合帝曰：願聞其用也。岐伯曰：言天者求之本，言地者求之位，言人者求之氣交。本謂天六氣寒暑燥濕風火也三陰三陽由是生化故云本所謂六元者也位謂金木火土水君火也天地之氣上下相交人之所處也帝曰：何謂氣交？岐伯曰：上下之位，氣交之中，人之居也。自天之下地之上則二氣交合之分也人居地上故氣交之中人之居也是以化生變易皆在氣交之中故曰：天樞之上，天氣主之。天樞之下，地氣主之。氣交之分，人氣從之，萬物由之，此之謂也。天樞當齊之兩傍也，所謂身半矣。伸臂指天，則天樞正當身之半也。三分折之，上分應天，下分應地，中分應氣交。天地之氣交合之際，所遇寒暑燥濕風火勝復之變之化，故人氣從之，萬物生化悉由而合散也。帝曰：何謂初中。岐伯曰：初凡三十度而有奇，中氣同法。奇謂三十日余四十三刻又四十分刻之三十也。初中相合，則六十日餘八十七刻半也。以各餘四十分刻之三十，故云中氣同法也。帝曰：初中何也。岐伯曰：所以分天地也。以是知氣高下，生人病主之也。帝曰：願卒聞之。岐伯曰：初者地氣也，中者天氣也。氣之初，天用事，天用事則地氣上騰於大虛之內。氣之中，地氣主之，地氣主則天氣下降於有質之中。帝曰：其升降何如。岐伯曰：氣之升降，天地之更用也。升謂上升，降謂下降。升極則降，降極則升，升降不已，故彰天地之更用也。帝曰：願聞其用何如。岐伯曰：升已而降，降者謂天；降已而升，升者謂地。氣之初，地氣升；氣之中，天氣降。升已而降以下，彰天氣之下流；降已而升以上，表地氣之上應。天氣下降，地氣上騰，天地交合，泰之象也。易曰：天地交泰。是以天地之氣升降，常以三十日半下上，下上不已，故萬物生化无有休息，而各得其所也。天氣下降，氣流于地；地氣上升，氣騰于天。故高下相召，升降相因，而變作矣。氣有勝復故變生也。○新校正云按六元正紀大論云天地之氣盈虛何如曰天氣不足地氣隨之地氣不足天氣從之運居其中而常先也惡所不勝歸所和同隨運歸從而生其病也故上勝則天氣降而下下勝則地氣遷而上多少而差其分微者小差甚者大差甚則位易氣交易則大變生而病作矣

帝曰：善。寒濕相遘，燥熱相臨，風火相值，其有間乎？岐伯曰：氣有勝復，勝復之作，有德有化，有用有變，變則邪氣居之。夫撫掌成声沃火生沸物之交合象出其間万類交合亦由是矣天地交合則八風鼓折六氣交馳於其間故氣不能止者反成邪氣

帝曰：何謂邪乎？邪者不正之目也天地勝復則寒暑燥濕風火六氣互為邪也

岐伯曰：夫物之生從於化，物之極由乎變，變化之相薄，成敗之所由也。夫氣之有生化也不見其形不知其情莫測其所起莫究其所止而万物自生自化近成无極是謂天和見其象彰其動震烈剛暴飄泊驟卒拉堅摧殘摺拆鼓慄是謂邪氣故物之生也靜而化成其毀也躁而變革是以生從於化極由乎變變化不息則成敗之由常在生有涯分者言有終始尔。○新校正云按天元紀大論云物生謂之化物極謂之變

故氣有往復，用有遲速，四者之有，而化而變，風之來也。天地易位寒暑移方水火易処當動用時氣之遲速往復故不常在雖不可究識意端然微甚之用而為化為変風所由來也

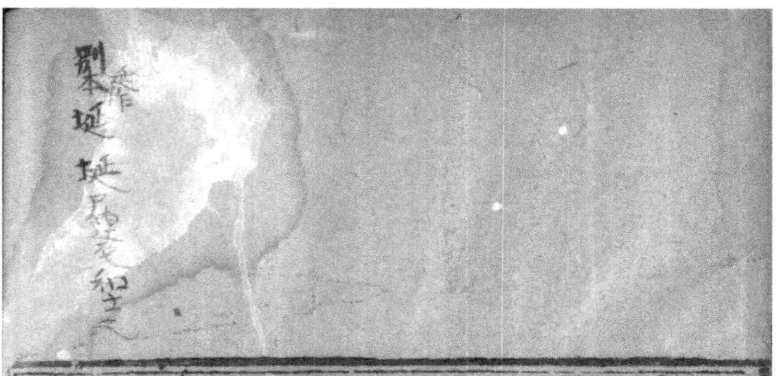

人氣不勝因而感之故病生焉風匪求勝於人也帝曰遲速往復風所由生而化而變故因盛衰之變耳成敗倚伏遊乎中何也夫倚伏者禍福之萌也有禍者福之所倚也有福者禍之所伏也由是故禍福之為倚伏物盛則衰樂極則哀是福之極故為禍所倚否極之泰未濟之濟是禍之極故為福所伏然吉凶成敗目擊道存不可以終自然之理故无尤也岐伯曰成敗倚伏生乎動動而不已則變作矣動靜之理氣有常運其微也為物之化其甚也為物之變化流於物故物得之以生變行於物故物得之以死由是成敗倚伏生於動之微甚遲速尔豈唯氣獨有是哉人在氣中養生之道進退之用當皆然也○新校正云按至真要大論云陰陽之氣清靜則生化治動則苛疾起此之謂也帝曰有期乎岐伯曰不生不化靜之期也人之期可見者二也天地之期不可見者也夫二可見者一曰生之終也其二曰變易与土同體然後捨小生化歸於大化以死後猶化變未已故可見者二也天地終極人壽有分長短不相及故人見之者鮮矣帝曰不生化乎言亦有不生不化者乎岐伯曰出入廢則神機化滅升降息則氣立孤危出入謂喘息也升降謂化氣也夫毛羽倮鱗介及飛走蚑行皆生氣根於身中以神為動靜之主故曰神機也然金玉土石鎔埏草木皆生氣根於外假氣以成立主持故曰氣立也五常政大論曰根于中者命曰神機神去則機息根于外者命曰氣立氣止則化絕此之謂也故无是

別本此作比是

別本而作面

別本也作出

四者則神機與氣立者生死皆絕○新校正云按易云本乎天者親上本乎地者親下周禮大宗伯有天産地産大司徒云動物植物即此神機氣立之謂也[illegible]音郁

故非出入則無以生長壯老已非升降則無以生長化收藏夫自東自西自南自北者假出入息以為化主因物以全質者之陰陽升降之氣以作生源若非此道則无能致是生者也

是以升降出入無器不有包藏生氣者皆謂生化之器觸物然矣夫竅橫者皆有出入去來之氣竅豎者皆有陰陽升降之氣往復於中何以明之則壁隙户牖兩面伺之皆承來氣衝擊於人是則出入氣也夫陽升則井寒陰升則水煖以物投井及葉墜空中翩翩不疾皆升氣所礙也虛管溉滿捻上懸之水固不泄為无升氣而不能降也空瓶小口頓溉不入為氣不出而不能入也由是觀之升无所不降降无所不升无出則不入无入則不出夫羣品之中皆出入升降不失常守而云非化者未之有也有失无失有情无情去出入已升降而云存者未之有也故曰升降出入无器不有

故器者生化之宇器散則分之生化息矣器謂天地及諸身也宇謂屋宇也以其身形包藏府藏受納神靈與天地同故皆名器也諸身者小生化之器宇大虛者廣生化之器宇也生化之器自有小大无不散也夫小大器皆生有涯分散有遠近者也

故無不出入無不升降貞生假立形器者无不有此二者

化有小大期有近遠近者不見遠謂遠者无涯遠者无常見近而嘆有其涯矣既近遠不同期合散殊時節即有无交競異見常乖及至

分散之時則近遠同歸於一變四者之有而貴常守四者謂出入升降也有出入升降則為常守有出无入有入无出有升无降有降无升則非生之氣也若非拾息道成居常而生則未之有屏出入息泯升降氣而能存其生化者故貴常守反常則災害至矣出入升降生化之元主故不可无之反常之道則神去其室生化微絕非災害而何哉故曰無形無患此之謂也夫喜於遂悅於色畏於難懼於禍外惡風寒暑濕內繁飢飽愛欲皆以形无所隱故常嬰患累於人間也若便想慕滋蔓嗜欲无厭外附權門內豐情偽則動以牢網坐招燔焫欲思釋縛其可得乎是以身為患階尒老子曰吾所以有大患者為吾有身及吾无身吾有何患此之謂也去身与形与大虛釋然消散復未知生化之氣為有而聚耶為无而散乎帝曰善有不生不化乎言人有逃陰陽免生化而不生不化无始无終同大虛自然者乎岐伯曰悉乎哉問也與道合同惟真人也真人之身隱見莫測出入天地內外順道至真以生其為小也入於无間其為大也過虛空界不与道如一其孰能尒乎帝曰善

○氣交變大論篇第六十九新校正云詳此論專明氣交之變乃五運太過不及德化政令災變勝復為病之事

黃帝問曰五運更治上應天朞陰陽往復寒暑迎隨真邪相

薄。內外分離，六經波蕩，五氣傾移，太過不及，專勝兼并。願言其始，而有常名，可得聞乎？朞三百六十五日四分日之一也。專勝，謂五運主歲太過也。兼并，謂主歲之不及也。常名，謂布化於太虛，人身參應，病之形診也。○新校正云：按《天元紀大論》云：五運相襲而皆治之，終朞之日，周而復始。又云：五氣運行，各終朞日。太始天元冊文曰：萬物資始，五運終天。即五運更始，上應天朞之義也。岐伯稽首再拜對曰：昭乎哉問也！是明道也，此上帝所貴，先師傳之，臣雖不敏，往聞其旨。言非己心之生知，備聞先人往古受傳之遺旨也。帝曰：余聞得其人不教，是謂失道；傳非其人，慢泄天寶。余誠菲德，未足以受至道，然而眾子哀其不終，願夫子保於無窮，流於無極，余司其事，則而行之，奈何？至道者，非傳之難，非知之難，行之難。聖人愍念蒼生，同居永壽，故屈身降志，請受於天師。太上貴德，故後己先人。苟非其人，則道无虛授。黃帝欲仁慈惠遠，博愛流行，尊道下身，拯乎黎庶，乃曰余司其事，則而行之也。岐伯曰：請遂言之也。上經曰：夫道者，上知天文，下知地理，中知人事，可以長久，此之謂也。夫道者，大无不包，細无不入，故天文、地理、人事咸通。○新校正云：詳夫道者一節与《著至教論》文重。帝曰：何謂也？岐伯曰：本氣位也位天者天文也位地者地理也通於人氣之變化者人事也故太過者先天不及者後天所謂治化而人應之也三陰三陽司天司地以表定陰陽生化之紀是謂位天位地也五運居中司人氣之變化故曰通於人氣也先天後天謂生化氣之變化所主時也太過歲化先時至不及歲化後時至帝曰五運之化太過何如太過謂歲氣有餘也○新校正云詳太過五化具五常政大論中岐伯曰歲木太過風氣流行脾土受邪木餘故土氣卑屈民病飧泄食減體重煩冤腸鳴腹支滿上應歲星飧泄謂食不化而下出也脾虛故食減体重煩冤腸鳴腹支滿也歲木氣大盛歲星光明逆守星屬分皆災也○新校正云按藏氣法時論云脾虛則腹滿腸鳴飧泄食不化甚則忽忽善怒眩冒巔疾變化大甚則遇於金故自病○新校正云按玉機真藏論云肝脈大過則令人善怒忽忽眩冒巔疾為肝實而然則此病不獨木大過遇金自病肝實亦自病也化氣不政生氣獨治雲物飛動草木不寧甚而搖落反脇痛而吐甚衝陽絕者死不治上應太白星諸陽歲也木餘土抑故不能布政於万物也生氣木氣也大過故獨治而生化也風不務德非分而動則大虛之中雲物飛動草木不寧動而不止金則從之故甚則草木搖落也脇反滿木乘土也衝陽胃脈也木亢氣勝而土氣乃絕故死也金

後反而大白逆守屬星者危也其災之發害於東方人之內應則先害於脾後傷肝也害曰蒲犯脾其類也○新校正云詳此大過三化言星之例有三木与土運先言歲鎮後言勝巳之星火与金運先言熒惑大白次言勝巳之星後再言熒惑太白水運先言辰星次言鎮星後再言辰星兼見巳勝之星也 歲火太過炎暑流行。金肺受邪。火不以德則邪害於金若以德行則政和平也 民病瘧少氣欬喘血溢血泄注下。嗌燥耳聾中熱肩背熱。上應熒惑星。少氣謂氣少不足以息也血泄謂泄利便血也血溢謂血上出於七竅也注下謂水利也中熱謂胷心中也背者胷中之府肩接近之故胷心中及肩背熱也火氣大盛則熒惑光芒逆臨宿屬分皆災也○新校正云詳火盛而剋金寒熱交爭故為瘧按藏氣法時論云肺病者欬喘肺虛者少氣不能報息耳聾嗌乾 甚則胷中痛脇支滿脇痛膺背肩胛間痛兩臂內痛新校正云按藏氣法時論云心病者胷中痛脇支滿脇下痛膺背肩甲間痛兩臂內痛 身熱骨痛而為浸淫火无德令縱熱害金水為復讐故火自病○新校正云按玉機真藏論云心脉大過則令人身熱而膚痛為浸淫此云骨痛者誤也 收氣不行長氣獨明雨水霜寒今詳水字當作水 上應辰星金氣退避火氣獨行水氣折之故雨零冰雹及徧降霜寒而殺物也水復於火天象應之辰星逆凌乃寒災於物也占辰星者常在日之前後三十度其災發之當至南方在人之應則內先傷肺後反傷心○新校正云按五常政

論雨水霜寒作雨冰霜雹上臨少陰少陽。火燔焫，水泉涸，物焦槁。新校正云按五
常政大論云赫曦之紀上徵而收氣後又六元正紀大論云戊子戊午大徵上臨少陰戊寅戊申大徵上臨少陽臨者大
過不及皆曰天符病反譫妄狂越，欬喘息鳴，下甚血溢泄不已，太淵
絕者死不治。上應熒惑星。諸戊歲也戊午戊子歲少陰上臨戊寅戊申歲少陽上臨是謂天符
之歲也太淵肺脉也火勝而金絕故死火既太過又火熱上臨兩火相合故形斯候熒惑逆犯宿屬皆危○新校正云詳
戊辰戊戌歲上見太陽是謂天刑運故當盛而不得盛則火化減半非太過又非不及也歲土太過，雨濕
流行，腎水受邪。土无德乃作民病腹痛，清厥意不樂，體重煩冤，上
應鎮星。腹痛謂大腹小腹痛也清厥謂足逆冷也意不樂加有隱憂也土來刑水天象應之鎮星逆犯宿屬則災
○新校正云按藏氣法時論云腎病者身重腎虛者大腹小腹痛清厥意不樂甚則肌肉萎，足痿不
收，行善瘈，脚下痛，飲發中滿食減，四支不舉。脾主肌肉外應四支又其脉起
於足中指之端循核骨內側斜出絡跗故病如是○新校正云按藏氣法時論云脾病者身重善肌肉萎足不收行善瘈
脚下痛又王氏玄珠真藏論云脾太過則令人四支不舉變生得位。新校正云詳大過五化獨此言变生得位者至
一而四氣可知也又以土王時月難知故此詳言之也藏氣伏，化氣獨治之，泉涌河衍

涸澤生魚，風雨大至，土崩潰，鱗見于陸，病腹滿溏泄腸鳴，反下甚而太谿絕者，死不治。上應歲星。諸甲歲也。得位謂季月也。藏，水氣也。化，土氣也。土化大過，故水藏伏匿而化氣獨治之。土勝木復，故風雨大至，水泉涌，河衍，涸澤生魚，濕既甚矣，風又鼓之，故土崩潰。土崩潰，謂垣頹岸仆，山落地入也。河溢泉涌，枯澤水滋，鱗物豐盛，故見于陸地也。太谿，腎脈也。土勝而水絕，故死。木來折土，天象逆臨加其宿屬，正可憂也。○新校正云：按《藏氣法時論》云：脾虛則腹滿腸鳴，飧泄食不化。

歲金太過，燥氣流行，肝木受邪。金暴虐，乃尒。民病兩脅下少腹痛，目赤痛眥瘍，耳無所聞。兩脅，謂兩乳之下脅之下也。少腹，謂齊下兩傍髎骨內也。目赤，謂白睛色赤也。痛，謂疼痛也。眥，謂四際瞼睫之本也。瘍，音陽。肅殺而甚，則體重煩冤，胸痛引背，兩脅滿且痛引少腹，上應太白星。金氣[illegible]下過，肅殺又甚，木氣內畏，感而病生。[illegible]天太白明大，加臨宿屬，必受災害。○新校正云：按《藏氣法時論》云：肝病者，兩脅下痛引少腹。肝虛則目䀮䀮無所見，耳無所聞。又《玉機真藏論》云：肝脈不及，則令人胸痛引背，下則兩脅胠滿。甚則喘欬逆氣，肩背痛，尻陰股膝髀腨胻足皆病，上應熒惑星。火氣復之，自生病也。天象示應在熒惑，逆加守宿屬，則可憂也。○新校正云：按《藏氣法時論》云：肺病者，喘欬逆氣，肩背痛，汗出，尻陰股膝髀腨胻足皆痛。收氣峻，生氣下，草木斂蒼乾凋隕病反暴痛胠脇不可反側新校正云詳此云反暴痛不言何所痛者按至真要大論云心脇暴痛不可反側則此乃心脇暴痛也欬逆甚而血溢太衝絶者死不治上應太白星諸庚歲也金氣峻虐木氣後刑火未復則如是也斂謂已生發無斂附其身也太衝肝脉也金勝而木絶故死當是之候太白應之逆守星屬病皆危也○新校正云按庚子庚午庚寅庚申歲上見少陰少陽司天是謂天刑運金化減半故當盛而不得盛非大過又非不及也歲水太過寒氣流行邪害心火水不務得暴虐乃然民病身熱煩心躁悸陰厥上下中寒譫妄心痛寒氣早至上應辰星悸心跳動也譫乱語也妄妄見聞也天氣水盛辰星瑩明加其宿屬災乃至○新校正云按陰厥在後金不及條則陰厥有治甚則腹大脛腫喘欬寢汗出憎風新校正云按藏氣法時論云腎病者腹大脛腫喘欬身重寢汗出憎風詳大過五化木言化氣不政生氣獨治火言收氣不行長氣獨明土言藏氣伏長氣獨治金言收氣峻生氣下水當言藏氣乃盛長氣失政今獨亡者闕文也大雨至埃霧朦鬱上應鎮星水盛不已為土所乘故彰斯候埃霧朦鬱土之氣腎之脉從足下上行入腹從腎上貫肝鬲入肺中循喉嚨故生是病腎為陰故寢則汗出而憎風也卧寢汗出即其病也夫土氣勝折水之強故鎮星明盛照其應也上臨太陽雨冰雪霜不時降濕氣變物新校正云按五常政

大論云流衍之紀上羽而長氣不化又六元正紀大論云丙辰丙戌太羽上臨太陽臨者太過不及皆曰天符病反腹滿腸鳴溏泄食不化新校正云按藏氣法時論云脾虛則腹滿腸鳴飧泄食不化渴而妄冒神門絕者死不治上應熒惑辰星諸丙歲也丙辰丙戌歲太陽上臨是謂天符之歲也寒氣太甚故雨化為冰雪雨水則雹也霜不時降彰其寒也上復其水則大雨霖霪濕氣內深故物皆濕變神門心脈也水盛而火絕故死水盛入甚則熒惑減曜辰星明瑩加以逆守宿屬則危亡也○新校正云詳太過五化獨記火水之上臨者火臨火水臨水為天符故也火臨水為逆水臨木為順火臨土為順水臨土為運勝天火臨金為天刑運水臨金為逆更不詳出也又此獨言上應熒惑辰星舉此一例餘從而可知也帝曰善其不及何如謂政化少也○新校正云詳不及五化具五常政大論中岐伯曰悉乎哉問也歲木不及燥迺大行清冷時至加之薄寒是謂燥氣燥金氣也生氣失應草木晚榮後時之謂失應也肅殺而甚則剛木辟著柔萎蒼乾上應太白星天氣凄滄日見曜明謂雨非雨謂晴非晴人意慘然氣象凝斂是為肅殺甚也剛勁硬也辟著謂辟著枝莖乾而不落也柔耎也蒼青也柔木之葉青色不變而乾卷也木氣不及金氣乘之太白之明光芒而照其空也民病中清胠脅痛少腹痛腸鳴溏泄涼雨時至上應太白星新校正云按不及五化民病證中上應之

星皆言運星失色畏星加臨宿屬爲災此獨言畏星不言運星者經文闕也當云上應太白星歲星其穀蒼金乘木肝之病也乘此氣者腸中自鳴而溏泄也即胠脇少腹之痛疾也微者善之甚者止之遇夏之氣亦自止也遇秋之氣而復有之凉雨時至謂應時而至也金土齊化故凉雨俱行火氣來復則夏雨少金氣勝木太白臨之加其宿屬分皆災也金勝畢歲火氣不復則蒼色之穀不成實也○新校正云詳中清胠脇痛少腹痛爲金乘木肝病之狀腸鳴溏泄乃脾病之證蓋以木少脾土无畏侮反受邪之故也上臨陽明生氣失政草木再榮化氣迺急上應太白鎮星其主蒼早諸丁歲也丁卯丁酉歲陽明上臨是謂天刑之歲也金歲承天下勝於木故生氣失政草木再榮生氣失政故木華晩啓金氣抑木故秋夏始榮結實成熟以化氣急速故晩結成就也金氣勝木天應同之故太白之見光芒明盛木氣既少土氣无制故化氣生長急速禾少金勝天氣應之故鎮星太白閏而明也蒼色之物又早凋落木少金乘故也○新校正云按不及五化獨紀木上臨陽明土上臨厥陰水上臨大陰不紀木上臨厥陰土上臨大陰金上臨陽明者經之各紀其甚者也故於太過運中只言火臨火水臨水此不及運中只言木臨金土臨木水臨土故不言厥陰臨木太陰臨土陽明臨金也復則炎暑流火濕性燥柔脆草木焦槁下體再生華實齊化病寒熱瘡瘍疿胗癰痤上應熒惑太白其穀白堅火氣復金夏生大熱故萬物濕性時變爲燥流火爍物故柔脆

草木及蔓延之類皆上乾死而下体再生若辛熱之草死不藏生也小熱者死少大熱者死多火大復已土氣間至則涼雨降其酸苦甘鹹性寒之物乃再發生新開之与先結者齊承化而成熟火復其金太白減曜熒惑上應則益光芒加其宿屬則皆災也以火反復故白堅之谷秀而不實白露早降收殺氣行寒雨害物蟲食甘黃脾土受邪赤氣後化心氣晚治上勝肺金白氣迺屈其穀不成欬而鼽上應熒惑太白星陽明上臨金自用事故白露早降寒涼大至則收殺氣行以大陽居上濕之位寒濕相合故寒雨害物少於成實金行伐木假途於土子居母內虫之象也故甘物黃物虫蠹食之清氣先勝熱氣後復復已乃勝故火赤之氣後生化也赤後化謂草木赤華及赤實者皆後時而再榮秀也其五藏則心氣晚王勝於肺心勝於肺則金之白氣乃屈退也金谷稻也鼽鼻中水出也金為火勝天象應同故太白芒減熒惑益明歲火不及寒迺大行長政不用物榮而下凝慘而甚則陽氣不化迺折榮美上應辰星火少水勝故寒乃大行長政不用則物容卑下火氣既少水氣洪盛天象出見辰星益明民病胷中痛脇支滿兩脇痛膺背肩胛間及兩臂內痛新校正云詳此證与火大過甚則反病之狀同傍見藏氣法時論鬱冒朦昧心痛暴瘖胷腹大脇下與腰背相引而痛新校正云按藏氣法時論云心虛則胷腹大脇

丁与腰背相引而痛甚則屈不能伸。髖髀如別，上應熒惑辰星，其穀丹。諸癸歲也寒以其脉行於是也火氣不行炎氣禁固髖髀如別屈不得伸水行乘火故熒惑芒減丹谷不成辰星臨其宿屬之分則皆災也。復則埃鬱，大雨且至，黑氣廼辱，病鶩溏腹滿，食飲不下，寒中腸鳴，泄注腹痛，暴攣痿痹，足不任身，上應鎮星辰星，玄穀不成。埃鬱雲雨土之用也復土之氣以濕氣內淫則生腹疾身重故如是也黑氣水氣也辱屈辱也鶩鶩鴨也上復於水故鎮星明臨犯宿屬則民受病災也鶩音木

歲土不及，風廼大行，化氣不令，草木茂榮，飄揚而甚，秀而不實，上應歲星。木无德也木氣專行故化氣不令生氣獨擅故草木茂榮飄揚而甚是木不以德土氣薄少故物實不成不實謂粃惡也土不及木乘之故歲星之見潤而明也民病飧泄霍亂，體重腹痛，筋骨繇復，肌肉瞤酸，善怒，藏氣舉事，蟄蟲早附，咸病寒中。上應歲星鎮星，其穀黅。諸己歲也風客於胃故病如是土氣不及水与齊化故藏氣舉事蟄虫早附於陽氣之所人皆病中寒之疾也繇搖也筋骨搖動已復常則已繇復也土抑不伸若歲星臨宿屬則皆災。新校正云詳此文云筋骨繇復王氏雖注義不可解按至真要大論云筋骨繇并疑此復字并字之誤復則收政嚴峻，名木蒼凋，胸脇暴痛，下

引少腹善大息蟲食甘黄氣客於脾黅穀迺減民食少失味蒼穀迺損金氣復木故名木蒼明金入於土母懷子也其牝物黄物虫食其中金入土中故氣客於脾金氣大來与土仇復故蟲咸失穀不成也上應太白歲星太白芒盛歲減明也一經少此六字缺文上臨厥陰流水不冰蟄蟲來見藏氣不用白迺不復上應歲星民迺康已巳巳亥歲厥陰上臨其歲少陽在泉火司于地故蟄虫來見流水不冰也金不得復故歲星之象如常民康不病○新校正云詳木不及上臨陽明水不及上臨太陰俱後言復此先言復而後舉上臨之候者蓋白乃不復嫌於此年有復也歲金不及炎火迺行生氣迺用長氣專勝庶物以茂燥爍以行上應熒惑星火不務德而襲金危炎火既流則夏生大熱生氣幸用故庶物蕃茂燥爍氣至物不勝之聲勝之爍石流金涸泉焦草山澤燔燎雨乃不降炎火大盛天象應之熒惑之見而大明也民病肩背瞀重鼽嚏血便注下收氣迺後上應太白星其穀堅芒諸乙歲也瞀謂悶也受熱邪故生是病收金氣也火先勝故收氣後火氣勝金金不能盛若熒惑逆守宿屬之分皆受病○新校正云詳其穀堅芒白色可見故不云其穀白也經云上應太白以前後例相照經脫熒惑二字及詳王注言熒惑逆守之事益知經中之闕也復則寒雨暴至迺零冰雹霜雪殺物陰厥且格

陽反上行頭腦戸痛延及腦頂發熱上應辰星新校正云詳不及之運我者行勝我者之子來復當來復之後勝星減曜復星明大此只言上應辰星而不言熒惑者闕文也當云上應辰星熒惑丹穀不成民病口瘡甚則心痛寒氣折火則見冰雹霜雪冰雹先傷而霜雪後損皆寒氣之常也其災害乃傷於赤化也諸不及而為勝所犯子氣復之者皆歸其方也陰厥謂寒逆也格至也亦拒也冰行折火以殺罔金天象應之辰星明瑩赤色之谷為霜雹損之歲水不及濕乃大行長氣反用其化迺速暑雨數至上應鎮星濕大行謂數雨也化速謂物早成也火濕齊化故暑雨數至乘水不及而土勝之鎮星之象增益光明逆凌留犯其又甚矣民病腹滿身重濡泄寒瘍流水腰股痛發膕腨股膝不便煩冤足痿清厥脚下痛甚則胕腫藏氣不政腎氣不衡上應辰星其穀秬藏氣不能中其政令故腎氣不能內致和平衡平也辰星之應當減其明或遇鎮星臨屬宿者乃災○新校正云詳經云上應辰星注言鎮星以前後例相校此經脫鎮星二字上臨大陰則大寒數舉蟄蟲早藏地積堅冰陽光不治民病寒疾於下甚則腹滿浮腫上應鎮星新校正詳水不及上臨陽明上應太白鎮星此獨言鎮星而不言熒惑者文闕也蓋水不及而又上臨大陰則鎮星明盛以應土氣傳盛

水既益弱則熒惑无畏而明大其主黅穀諸辛歲也辛丑辛未歲上臨太陰太陽在泉故大寒數舉也土氣專盛故鎮星益明黅殺應天歲成也復則大風暴發草偃木零生長不鮮面色時變筋骨并辟肉瞤瘛目視䀮䀮物疏璺肌肉胗發氣并鬲中痛於心腹黃氣迺損其穀不登上應歲星木復其土故黃氣反損而黅谷不登也謂實不成无以登祭器也木氣暴復歲星下臨宿屬分者災○新校正云詳此當云上應歲星鎮星[illegible]音問帝曰善願聞其時也岐伯曰悉乎哉問也木不及春有鳴條律暢之化則秋有霧露清涼之政春有慘悽殘賊之勝則夏有炎暑燔爍之復其眚東化和氣也勝金氣也復火氣也火復於金悉因其木故災眚之作皆在東方餘靑同○新校正云按木火不及先言春夏之化秋冬之政者先言木火之政化次言勝復之變也其藏肝其病內舍胠脅外在關節東方肝之主也火不及夏有炳明光顯之化則冬有嚴肅霜寒之政夏有慘悽凝冽之勝則不時有埃昏大雨之復其眚南化火德也勝水雲也復土變也南方火也其藏心其病內舍膺脅外在經絡南方心之主也土不及四維有埃雲潤澤之化則春

有鳴條鼓拆之政四維發振拉飄騰之變則秋有肅殺霖霪之復其眚四維〔東南東北西南西北方也維隅也謂日在四隅月也○新校正云詳土不及亦先言政化次言勝復也〕其藏脾其病內舍心腹外在肌肉四支〔四維中央脾之主也〕金不及夏有光顯鬱蒸之令則冬有嚴凝整肅之應夏有炎爍燔燎之變則秋有冰雹霜雪之復其眚西其藏肺其病內舍膺脇肩背外在皮毛〔西方肺之主也〕水不及四維有湍潤埃雲之化則不時有和風生發之應四維發埃昏驟注之變則不時有飄蕩振拉之復其眚北〔飄蕩振拉大風所作○新校正云詳金水不及先言政化令与應故不當秋冬而言也次言者火土勝復之變也与木火土之例不同者互文也〕其藏腎其病內舍腰脊骨髓外在谿谷踹膝〔肉之大會爲谷肉之小會爲谿肉分之間谿谷之會以行榮衛以會大氣〕夫五運之政猶權衡也高者抑之下者舉之化者應之變者復之此生長化成收藏之理氣之常也失常則天地四塞矣〔失常之理則天地四時之氣閉塞而无所運行故動必有靜勝必有復乃天地陰陽之道〕故曰天地之動

靜。神明爲之紀。陰陽之往復，寒暑彰其兆。此之謂也。新校正云：按故曰已下与五運行大論同，上兩句又与陰陽應象大論文重，彼云陰陽之升降，寒暑彰其兆也。帝曰：夫子之言五氣之變，四時之應，可謂悉矣。夫氣之動亂，觸遇而作，發無常會，卒然災合，何以期之？岐伯曰：夫氣之動變，固不常在，而德化政令災變，不同其候也。帝曰：何謂也？岐伯曰：東方生風，風生木，其德敷和，其化生榮，其政舒啓，其令風，其變振發，其災散落。敷，布也。和，和氣也。榮，滋榮也。舒，展也。啓，開也。振，怒也。發，出也。散，謂物飄零而散落也。○新校正云：按五運行大論云：其德爲和，其化爲榮，其政爲散，其令宣發，其變摧拉，其眚爲隕。義与此通。南方生熱，熱生火，其德彰顯，其化蕃茂，其政明曜，其令熱，其變銷爍，其災燔焫。新校正云：詳五運行大論云：其德爲顯，其化爲茂，其政爲明，其令鬱蒸，其變炎爍，其眚燔焫。中央生濕，濕生土，其德溽蒸，其化豐備，其政安靜，其令濕，其變驟注，其災霖潰。溽，濕也。蒸，熱也。驟注，急雨也。霖，久雨也。潰，爛泥也。○新校正云：按五運行大論云：其德爲濡，其化爲盈，其政爲謐，其令雲雨，其變動注，其眚淫潰。[illegible]音容。西方生燥，燥生金，其德清潔，其化緊斂其政勁切其令燥其變肅殺其災蒼隕緊縮也斂收也勁銳也切急也燥乾也。肅殺謂風動草樹声若乾也殺氣大甚則木青乾而落也○新校正云按五運行大論云其德為清其化為斂其政為勁其令霧露其變肅殺其眚蒼落北方生寒寒生水其德淒滄其化清謐其政凝肅其令寒其變凓冽其災冰雪霜雹淒滄薄寒也謐靜也肅中外嚴整也凓冽甚寒也冰雪霜雹寒氣凝結所成水復火則非時而有也○新校正云按五運行大論云其德為寒其化為肅其政為謐其變凓冽其眚冰雹是以察其動也有德有化有政有令有變有災而物由之而人應之也夫德化政令和氣也其動靜勝復施於万物皆悉生成變与災殺氣也其用暴速其動驟急其行損傷雖皆天地自為動靜之用然物有不勝其動者且損且病且死焉帝曰夫子之言歲候不及其太過而上應五星今夫德化政令災眚變易非常而有也卒然而動其亦為之變乎岐伯曰承天而行之故無妄動無不應也卒然而動者氣之交變也其不應焉故曰應常不應卒此之謂也德化政令氣之常也災眚變易氣卒交會而有勝負者也常謂歲四時之氣不差晷刻者不常不久也帝曰其應柰何岐伯曰各從其氣化也歲星之化以風應之熒惑之化以熱應之鎮星之化以濕應之太白之化以燥應之辰星之化以寒應之氣变則應故各從其氣化也上文言復勝皆上應之今經言應常不應卒所謂无大变易而不應然其勝復當色有枯燥潤澤之異无見小大以應之帝曰其行之徐疾逆順何如。岐伯曰。以道留久逆守而小是謂省下以道謂順行留久謂過應留之日數也省下謂察天下人君之有德有過者也以道而去去而速來曲而過之是謂省遺過也順行已去已去輒逆行而速委曲而經過是謂責其過而輒省察之也行急行緩往多往少蓋謂罪之有大有小按其遺而斷之久留而環或離或附是謂議災與其德也環謂如環而遶盤迴而不去也火議罪金議殺土木水議德應近則小應遠則大近謂犯星常在遠謂犯星去久大小謂喜慶及罰罪事芒而大倍常之一其化甚大常之二其眚即也甚謂政令大行也發謂起也即至也金火有之小常之一其化減小常之二是謂臨視省下之過與其德也謂省察万国人吏侯王有德有過者也故侯王人吏安可不深思誡慎耶德者福之過者伐之有德者則天降福以應之有過者天降禍以淫之則知禍福无門惟人所召耳是以象之見也高而遠則小下而近則大見物之理也故大則喜怒邇小則禍福遠象見高而

小儆未即禍亦未即福衆見之而大福既不遠禍亦未遥但當修德省過以禳災緩禍苟未能慎禍而務求福祐豈有是者哉

歲運太過則運星北越火運火星木運木星之類也此越謂北而行也運氣相得則各行以道无尅伐之嫌故守常而各行於中道故歲運太過畏星失色而兼其母木失色而兼玄火失色而兼蒼土失色而兼赤金失色而兼黄水失色而兼白是謂兼其母也不及則色兼其所不勝木兼白色火兼玄色土兼蒼色金兼赤色水兼黄色是謂兼不勝也肖者瞿瞿莫知其妙閔閔之當孰者為良新校正云詳肖者至為良与靈蘭秘典論重彼有注妄行無徵示畏侯王不識天意心私度之妄言災咎卒無徵驗適足以示畏之兆於侯王熒惑於庶民矣

帝曰：其災應何如？岐伯曰：亦各從其化也。故時至有盛衰，淩犯有逆順，留守有多少，形見有善惡，宿屬有勝負，徵應有吉凶矣。五星之至相王為時盛囚死為衰東行淩犯為順災輕西行淩犯為逆災重留守日多則災深留守日少則災淺星喜潤則為見善星怒燥憂喪則為見惡宿屬謂所生月之屬二十八宿及十二辰相分所屬之位也命勝星不災不害不勝星為災小重命与星相得雖災無害災者獄訟疾病之謂也雖五星凌犯之事時遇星之囚死時月雖災不成然火犯留守逆臨則有誣譖獄訟之憂金犯則有刑殺氣鬱之憂木犯則有震驚風鼓之憂土犯則有中滿下利胕腫之憂

水犯則有寒氣衝稸之憂故曰徵應有吉凶也帝曰其善惡何謂也岐伯曰有喜有
怒有憂有喪有澤有燥此象之常也必謹察之夫五星之見也從夜深見
之人見之喜星之喜也見之畏星之怒也光色微曜乍明乍暗星之憂也光色迥然不彰不瑩不與衆同星之喪也光色
圓明不盈不縮怡然瑩然星之喜也光色勃然臨人芒彩滿溢其象懍然星之怒也澤洪潤也燥乾枯也帝曰六
者高下異乎岐伯曰象見高下其應一也故人亦應之觀象覩色
則中外之應人天咸一矣帝曰善其德化政令之動靜損益皆何如岐伯
曰夫德化政令災變不能相加也天地動靜陰陽往復以德報德以化報化政令災眚
及動復亦然故曰不能相加也勝復盛衰不能相多也勝盛復盛勝微復微不應以盛報微以化
報變故曰不能相多也往來小大不能相過也勝復日數多少皆同故曰不能相過也用
之升降不能相無也木之勝金必報火土金水皆然未有勝而无報者故氣不能相使无也各
從其動而復之耳動必有復察動以言復也易曰吉凶悔吝生乎動此之謂歟天雖高不可度地雖廣
不可量以氣動復言之其猶視掌矣帝曰其病生何如岐伯曰德化者氣之祥
政令者氣之章變易者復之紀災眚者傷之始氣相勝者和

不相勝者病，重感於邪則甚也。祥善應也章程也式也復紀謂報復之綱紀也重感謂年氣已不及天氣又見剋殺之氣是爲重感重謂重累也帝曰：善。所謂精光之論，大聖之業，宣明大道，通於無窮，究於無極也。余聞之，善言天者，必應於人，善言古者，必驗於今，善言氣者，必彰於物，善言應者，同天地之化，善言化言變者，通神明之理，非夫子孰能言至道歟！大過不及歲化无窮氣交迁變流於无極然天垂象聖人則之以知吉凶何者歲大過而星大或明瑩歲不及而星小或失色故吉凶可指而見也吉凶者何謂物稟五常之氣以生成莫不上參應之有否有宜故曰吉凶斯至矣故曰善言天者必應於人也言古之道而今必應之故曰善言古者必驗於今也化氣生成万物皆稟故言氣應者以物明之故曰善言應者必彰於物也彰明也氣化之應如四時行万物備故善言應者必同天地之造化也物生謂之化物極謂之变言万物化变終始必契於神明運爲故言化变者通於神明之理聖人智周万物无所不通故言必有發動无不應之也迺擇良兆而藏之靈室，每旦讀之，命曰氣交變，非齋戒不敢發，慎傳也。靈室謂靈蘭室黃帝之書府也○新校正詳此文与六元正紀大論末同

○五常政大論篇第七十新校正云詳此篇統論五運有平氣不及大過之事次言地理有四

別本詳作摟

方高下陰陽之異又言歲有不病而藏氣不應考天氣制之而氣有所從之說仍言六氣五類相制勝而歲有胎孕不育之理而後明在泉六化五味有薄厚之異而以治法終之此篇之大槩如此而專名五常政大論者舉其所先者言也

黃帝問曰太虛寥廓五運迴薄衰盛不同損益相從願聞平氣何如而名何如而紀也岐伯對曰昭乎哉問也木曰敷和 敷布和氣物以生榮 火曰升明 火氣高明 土曰備化 廣被化氣資於羣品 金曰審平 金氣清審平而定 水曰靜順 水体清淨順於物也 帝曰其不及柰何岐伯曰木曰委和 陽和之氣委屈而少用也 火曰伏明 明曜之氣屈伏不伸 土曰卑監 土雖卑少猶監万物之生化也 金曰從革 從順革易堅成万物 水曰涸流 水少故流注乾涸 帝曰大過何謂岐伯曰木曰發生 宣發生氣万物以榮 火曰赫曦 赫曦盛明也 土曰敦阜 敦厚也阜高也土餘故高而厚 金曰堅成 氣爽風勁堅成庶物 水曰流衍 衍泮衍也溢也 帝曰三氣之紀願聞其候岐伯曰悉乎哉問也 新校正云詳此論与五運行大論及陰陽應象大論金匱真言論相通 敷和之紀木德周行陽舒陰布五化宣平 自當

其位不与物爭故五氣之化各布政令於四方无相干犯。新校正云按王注大過不及各紀年辰此平木運注不紀年辰者平氣之歲不可以定紀也或者欲補注云謂丁巳丁亥丁卯壬寅壬申歲者是未達也其氣端而端直立也麗也其性隨順於物化其用曲直曲直材幹皆應用也其化生榮木化宣行則物生榮而美其類草木木體堅高草形卑下然各有堅脆剛柔蔓結條屈者其政發散春氣發散物稟以生木之化也其候溫和和春之氣也其令風木之令行以和風其藏肝五藏之氣肝与肝同其畏清清金令也木性暄故畏清五運行大論曰木其性暄又曰燥勝風其主目陽升明見目与同也其穀麻色蒼也。新校正云按金匱真言論云其穀麥与此不同其果李味酸其實核中有堅核者其應春四時之中春化同其蟲毛木化宣行則毛虫生其畜犬如草木之生无所避也。新校正云按金匱真言論云其畜雞其色蒼木化宣行則物浮蒼翠也其養筋酸入筋其病裏急支滿木氣所生。新校正云按金匱真言論云是以知病之在筋也其味酸木化敷和則物酸味厚其音角調而直也其物中堅象土中之有木也其數八成數也升明之紀正陽而治德施周普。五化均衡均等也衡平也其氣高火炎上其性速火性燥疾其用燔灼為燒也燔之与灼皆火之用其化蕃茂長氣盛故物大其類火五行之氣与火類同其政明曜德合高明火之政也其候炎暑氣之至也以是候之其令熱熱至乃令行其藏心心氣應之心其畏寒寒水令也心性暑熱故畏寒五運行大論云心其性暑又曰寒勝熱其主舌火以燭幽舌中明也其穀麥色赤也。新校正云按金匱真言論云其穀黍又藏氣法時論云麥也其果杏味苦也其實絡中有支絡者其應夏四時之氣夏氣同其蟲羽羽火象也火化宣行故羽虫生其畜馬健決躁速火類同。新校正云按金匱真言論云其畜羊其色赤色同以明其養血其病瞤瘛火之性動也。新校正云按金匱真言論云是以知病之在脈也諸妳匀阞其味苦升明氣化則物苦味絲其音徵和而美其物脈中多支脈火之化也其數七成數也備化之紀氣協天休德流四政五化齊脩土之德靜分助四方贊成金木水火之政土之氣厚應天休和之氣以生長收藏終而復始故五化齊脩其氣平土之生也平而正其性順應順羣品悉化成也其用高下田土高下皆應用也其化豐滿豐滿万物非土化不同也其類土五行之化土類同其政安靜土体厚土德靜故政化亦然其候溽蒸溽濕也蒸熱也其令濕濕化不絕竭則土令延長其藏脾脾氣同脾其畏風風木令也脾性靜四氣兼并然其所主尤畏木也五運行大論云脾其性靜兼又曰風勝濕其主口土体包容口主受納其

穀稷色黄也。新校正云按金匱真言論作稷藏氣法時論作粳其果棗味甘也其實肉中有
肌肉者其應長夏長夏謂長養之夏也六月氣同。新校正云按王注藏氣法時論云夏為土母土長於中
以長而治故云長夏又注六節藏象論云所謂長夏者六月也土生於火長在夏中既長而王故云長夏其蟲倮
无毛羽鱗甲土形同其畜牛成彼稼穡土之用也牛之應用其緩而和其色黄土同色也其養肉
所養者厚而壽其病否土性擁礙。新校正云按金匱真言論云病在舌本是以知病之在肉也其味甘
備化氣豐則物味甘厚其音宮大而重其物膚物禀備化之氣則多肌肉其數五生數也正
土不虛加故也審平之紀，收而不爭，殺而無犯，五化宣明犯謂刑犯於物也收
而不爭殺而无犯匪審平之德何以能為是哉其氣潔金氣以潔白瑩明為事其性剛性剛故摧缺於
物其用散落金用則万物散落其化堅斂收斂堅強金之化也其類金審平之化金類
同其政勁肅化急速而整肅也勁鋭也其候清切清大涼也切急也風声也其令燥燥乾
也其藏肺肺氣之用同金化也肺其畏熱熱火令也肺性涼故畏火熱按五運行大論曰肺其性涼
其主鼻肺藏氣鼻通息也其穀稻色白也。新校正云按金匱真言論作稻藏氣法時論作黄黍其
果桃味辛也其實殼外有堅殼者其應秋四時之化秋氣同其蟲介外被堅甲者

其畜雞性善鬬傷象金用也新校正云按金匱真言論云其畜馬其色白色同其養皮毛
堅同也其病欬有声之病金之應也○新校正云按金匱真言論云病在背是以知病之在皮毛其味
辛審平化治則物辛味正其音商和利而揚其物外堅金化宣行則物体外堅其數九
成數也靜順之紀藏而勿害治而善下五化咸整治化也水之性下所以德
全江海所以為百谷王者以其善下之也其氣明清靜明照水氣所生其性下歸流炎下其用沃
衍用非靜事故沫生而流溢沃沫也衍溢也其化凝堅藏氣布化則水物壽堅其類水靜順之化
水同類其政流演井泉不竭河流不息則流演之義也其候凝肅凝寒也肅淨也寒來之氣候
其令寒水令宣行則寒司物化其藏腎腎藏之用同水化也其畏濕濕土氣也腎性凜故
畏土濕五運行大論曰腎其性凜其主二陰流注應同○新校正云按金匱真言論曰北方黑色入通於腎
開竅於二陰其穀豆色黑也○新校正云按金匱真言論及藏氣法時論同其果栗味鹹也其
實濡中有津液也其應冬四時之化冬氣同其蟲鱗鱗水化生其畜彘善下也彘豕也
其色黑色同也其養骨髓氣入骨也其病厥厥氣逆也凌上也剛行不順也○新校正云按
金匱真言論云病在谿是以知病之在骨也其味鹹味同也其音羽深而和其物濡水化

豐洽庶物濡潤其數六成數也故生而勿殺長而勿罰化而勿制收而勿害藏而勿抑是謂平氣生氣主歲收氣不能縱其殺長氣主歲藏氣不能縱其罰化氣主歲生氣不能縱其制收氣主歲長氣不能縱其害藏氣主歲化氣不能縱其抑夫如是者皆天氣平地氣正五化之氣不以勝尅為用故謂曰平和氣也委和之紀是謂勝生丁卯丁丑丁亥丁未丁酉丁巳之歲生氣不政化氣廼揚木少故生氣不政土寬故化氣廼揚長氣自平收令廼早火无忤犯故長氣自平木氣既少故收令乃早涼雨時降風雲並興涼金化也雨濕氣也風木化也雲濕氣也草木晚榮蒼乾凋落金氣有餘木不能勝故也○新校正云詳委和之紀木不及而金氣乘之故蒼乾凋落者金氣有餘木不能勝也蓋木不足而金勝之也物秀而實膚肉內充歲生雖晚成者滿实土化氣速故如是其氣斂收斂兼金氣故其用聚不佈散也其動緛戾拘緩緛縮短也戾了戾也拘〻急也緩不收也其發驚駭木屈卒伸驚駭象也其藏肝內應肝其果棗李棗土李木实也○新校正云詳李木实也按火土金水不及之果李當作桃王注亦非其實核殼核木殼金主其穀稷稻金七穀也其味酸辛味酸之物熟兼辛也其色白蒼蒼色之物熟兼白也其畜犬雞木從金畜其蟲毛介毛從介其主霧露淒滄金之化也其聲角

商（角從商）其病搐動注恐（木受邪也）從金化也（木不自政故化從金）少角與判商同（少角木不及故半與商金化同判半也○新校正云按火土金水之文判作少則此當云少角與少商同不云）（少商者蓋少角之運共有六年而丁巳丁亥上角與正角同丁卯丁酉上商與正商同丁未丁丑上宮與正宮同是六年者名有所同與火土金水之少運不同故不云同少商只大約而言半從商化也）上角與正角同（上見厥陰與敷和歳化同謂丁亥丁巳歳上之所見者也）上商與正商同（上見陽明則與平金歳化同丁卯丁酉歳上見陽明）其病支發癰腫瘡瘍（金刑木也）其甘蟲（子在母中）邪傷肝也（此雖悉與金同然其所傷則歸於肝木也）上宮與正宮同（土蓋其木與未出等也木未出土焉无木同土自用事故與正土運歳化同也上見大陰是謂上宮丁丑丁未歳上見大陰司天化也）蕭飋肅殺則炎赫沸騰（蕭飋肅殺金无德也炎赫沸騰火之復也飋音瑟）眚於三（火為木復故其眚在東三東方也此言金之物勝也○新校正云按六元正紀大論云災三宮）所謂復也（復報復也）其主飛蠹蛆雉（飛羽虫也蠹内生虫也蛆蠅之生者此則物内自化尔雉鳥耕也）廼為雷霆（雷謂大聲生於太虛雲暝之中也霆謂迅雷卒如火之爆者即霹靂也）

伏明之紀是謂勝長（藏氣勝長也謂癸酉癸未癸巳癸卯癸丑癸亥之歳也）長氣不宣藏氣反布（火之長氣不能施化故水之藏氣反布於時）收氣自

政化令迺衡金土之義與歲氣素无干犯故金自行其政土自平其氣寒清數舉暑令迺
薄火氣不用故承化物生生而不長火令不政故承化之物皆不長也成實而稚
遇化已老物實成熟苗尚稚短及遇化氣未長極而氣已老矣陽氣屈伏蟄蟲早藏陽不
用而陰勝也若上臨癸卯癸酉歲則蟄反不藏○新校正云詳癸巳癸亥之歲蟄亦不藏其氣鬱鬱燠不舒暢
其用暴速也其動彰伏變易彰明也伏隱也變易謂不常其象見也其發痛痛由心所
生其藏心歲運之氣通於心其果栗桃栗水桃金果也其實絡濡絡支脉也濡有汁也
其穀豆稻豆水稻金谷也其味苦鹹苦兼鹹也其色玄丹色丹之物熟兼玄也其畜
馬彘火水畜其蟲羽鱗羽從鱗其主冰雪霜寒水之氣也其聲徵羽徵從
羽其病昏惑悲忘火之躁動不拘常律陰冒陽火故昏藏不治心氣不足故喜悲善忘也從水
化也火弱水強故伏明之紀半從水之政化少徵與少羽同火少故半從水化○新校正云詳少
徵運六年內癸酉癸卯同正商癸巳癸亥同歲會外癸未癸丑二年少徵與少羽同故不云判羽也上商與正
商同歲上見陽明則與平金歲化同也癸卯及癸酉歲上見陽明○新校正云詳此不言上宮上角者蓋宮角於火
无大尅伐故經不備言之邪傷心也受病者心凝慘凓冽則暴雨霖霪凝慘凓冽水无

別本七作九

勝也暴雨霖霪土之復也眚於七七南方也。新校正云按六元正紀大論云災七宮其主驟注雷
霆震驚天地氣爭而生是變氣交之內害及粢盛及傷鱗類沈黔淫雨沈黔淫雨濕變所生也黔音陰
又音今卑監之紀是謂減化謂化氣減少己巳己卯丑己亥己酉己未歲也化氣不
令生政獨彰土少而木專其用長氣整雨迺愆收氣平不拒干紀則平整化氣減
故雨愆期風寒並興草木榮美風木也寒水也土少故寒氣得行生氣獨彰故草木敷榮而端美
秀而不實成而粃也榮秀而美氣生於木化氣不滿故物實中空是以粃惡其氣散氣不
安靜木且乘之從木之風故施散也其用靜定雖不能專政於時物然或卒用則終歸土德而靜定其動
瘍涌分潰癰腫瘍瘡也涌嘔吐也分裂也潰爛也癰壅膿瘡也其發濡滯土性也濡濕也其
藏脾土藏病其果李栗李木栗水果也其實濡核濡中有汁者核中堅者。新校正云詳前
後濡實主水此濡字當作肉王注亦非其穀豆麻豆水麻木穀也其味酸甘甘味之物熟兼酸也
其色蒼黃色黃之物外兼蒼也其畜牛犬土從木畜其蟲倮毛倮從毛其主飄
怒振發木之氣用也其聲宮角宮從角其病留滿否塞土氣壅凝故從木
化也不勝故從他化少宮與少角同土少故半從木化也。新校正云詳少宮之運六年內除己丑

乙未与正宫同，己巳己亥与正角同，外有己卯己酉二年少宫与少角同，故不云判角也。上宮與正宮同，
上見太陰則与平土運生化同也，己丑己未其歲見也。上角與正角同，上見厥陰則柔，是敷和之紀也。
己亥己巳其歲見也。其病飧泄，風之勝也。邪傷脾也。繼諸氣金病即自傷脾。○新校正云：詳此不言
上商者，土与金无相尅伐，故經不紀之也。又王云繼諸氣金病即自傷脾也，金字疑誤。振拉飄揚，則蒼
乾散落，振拉飄揚，木无德也；蒼乾散落，金之復也。其眚四維，東南西南西北東北，土之位也。○新校正
云：按六元正紀大論云災五宮。其主敗折虎狼，虎狼猴狖豹鹿馬獐麂諸四足之獸，害於粢盛及生命也。
麂音几。清氣迺用，生政迺辱，金氣行則木氣屈。從革之紀，是謂折收，火折
金收之氣也，謂乙丑乙亥乙酉乙未乙巳乙卯之歲也。收氣迺後，生氣迺揚，後，不及時也。收氣不
能以時而行，則生氣自應布揚而用之也。長化合德，火政迺宣，庶類以蕃，火土之氣同生
化也；宣，行也。其氣揚，順火也。其用躁切，小雖後用猶則切急隨火躁也。其動鏗禁瞀
厥，鏗，欬声也；禁，謂二陰禁止也；瞀，悶也；厥，謂氣上逆也。鏗音坑，瞀音冒。其發欬喘，欬，金之有声；喘，肺藏氣也。
其藏肺，[illegible]藏。其果李杏，李木杏火果也。其實殼絡，有殼內有支絡之實也。其穀
麻麥，麻木麥火穀也，麥色赤也。其味苦辛，苦味勝辛，辛兼苦也。其色白丹，赤加白也。其畜

雞羊金從火土之兼化也。新校正云詳火畜馬土畜牛今言羊故王注云從火土之兼化爲羊也或者當去注中之土字甚非其蟲介羽介從明其主明曜炎爍火之勝也其聲商徵商從徵其病嚏欬鼽衄金之病也從火化也火氣來勝故屈已以從之少商與少徵同金少故半同火化也。新校正云詳少商運六年內除乙卯乙酉同正商乙巳乙亥同正角外乙丑乙未二年爲少商同少徵故不云判微也上商與正商同上見陽明則與平金運生化同乙卯乙酉其歲上見也上角與正角同上見厥陰則與平木運生化同乙巳乙亥其歲上見也。新校正云詳金土无相勝剋故經不言上宮與正宮同也邪傷肺也有邪之勝則歸肺炎光赫烈則冰雪霜雹炎光赫烈火无德也冰雪霜雹水之復也水復之作雹形如半珠。新校正云詳注云霰形如珠半字疑誤眚於九九西方也。新校正云按六元正紀大論云災九宮其主鱗伏彘鼠突戾潛伏歲主縱之以傷赤實及羽翮也歲氣早至迺生大寒水之化也

涸流之紀是謂反陽陰氣不及反爲陽氣代之謂辛未辛巳辛卯辛酉辛亥辛丑之歲也藏令不舉化氣迺昌少水而土盛長氣宣布蟄蟲不藏太陽在泉經文背也厥陰陽明司天乃如經謂也土潤水泉減草木條茂榮秀滿盛長化之氣豐而厚也其氣滯從土也其用滲泄不能流也其動堅止謂便

寫也水少不濡則乾而堅止藏氣不能固則注下而奔速其發燥槁陰少而陽盛故亦其藏腎王藏

病也其果棗杏棗土杏火果也其實濡肉濡水肉土化也其穀黍稷黍火稷土穀也。新

校正云按本論上文麥為火之穀今言黍者疑麥字誤為黍也雖金匱真言論作黍然本論作麥當從本論之文也其

味甘鹹甘入於鹹鹵味甘美也其色黅玄黃加黑也其畜彘牛水從土畜其蟲鱗倮

鱗從倮其主埃鬱昏翳土之勝也其聲羽宮羽從宮其病痿厥堅下水土

參并故如是從土化也不勝於土故從他化少羽與少宮同。水土各半化也。新校正云詳

少羽之運六年內除辛丑辛未与正宮同外辛卯辛酉辛巳辛亥四歲為同少宮故不言判宮也上宮與正

宮同上見太陰則与平土運生化同辛丑辛未歲上見之。新校正云詳此不言上角上商者蓋水於金木无相尅

伐故也其病癃閟癃小便不通閟大便乾澀不利也邪傷腎也邪勝則歸腎埃昏驟

雨則振拉摧拔埃昏驟雨土之虐也振拉摧拔木之復也眚於一一北方也諸謂一方者国郡州縣

境之方也。新校正云按六元正紀大論云災一宮其主毛顯狐貉變化不藏毛顯謂毛中藥

麋鹿麞麂猯兔虎狼顯見傷於黃實兼害倮蟲之長也變化謂為魅狐狸當之不藏謂害藏盛鼠猯兔狸貉當之所謂毛顯

不藏也也謂兔故乘危而行不速而至暴虐無德災反及之微者

復微甚者復甚氣之常也通言五行氣少而有勝復之大凡也乘彼孤危恃乎強盛不召而往專肆威刑怨禍自招又治各也假令木弱金氣來乘暴虐苛刻辛是无德也木被金害火必讎之金受火燔則災及也夫是者刑甚則復甚刑微則復微氣動之常固其宜也五行之理咸迭然乎○新校正云按五運不及之詳具氣交變大論中發生之紀是謂啓敷物乘木氣以發生而啓敷其容質也是謂壬申壬寅壬子壬午壬辰壬戌之六歲化也敷古陳字土踈泄蒼氣達生氣上達是故土体踈泄木之專政故蒼氣上達達通也出也行也陽和布化陰氣迺隨少陽先生發於萬物之表厥陰次隨營運於萬象之中也生氣淳化萬物以榮歲木有餘金不來勝生令布化故物以舒榮其化生其氣美木化宣行則物容端美其政散布散生榮无所不至其令條舒條直也理也舒啓也端直舒啓万物隨之發生之化无非順理者也其動掉眩巔疾掉提動也眩旋轉也巔上首也疾病氣也○新校正云詳王不解其動之義按後敦阜之紀其動濡積并稸王注云動謂變動又堅成之紀其動暴折瘍疰王注云動以生病蓋謂氣既變動因動以生病也則木火土水金之動義皆同也又按王注脈要精微論云巔疾上巔疾也又注奇病論云巔謂上巔則頭首也此注云上也疾病氣也氣字為衍也其德鳴靡啓坼風氣所生○新校正云按六元正紀大論云其化鳴紊啓坼其變振拉摧拔振謂振怒拉謂中折摧謂仆落拔謂出本○新校正云按六元正紀大論同其

穀麻稻木不化齊金其畜雞犬齊雞孕也其果李桃李齊桃實也其色青黃白
青加於黃白自正也其味酸甘辛酸入於甘辛齊化也其象春如春之氣布散陽和其經足
厥陰少陽厥陰肝脉少陽膽脉其藏肝脾肝勝脾其蟲毛介木餘故毛齊介育其
物中堅外堅中堅有核之物齊等於皮殼之類也其病怒木餘故太角與上商同
太過之木氣與金化齊等新校正云按太過五運獨太角言與上商同餘四運並不言者疑此文爲衍上徵則
其氣逆其病吐利上見少陰少陽則其氣逆行壬子壬午歲上見少陰壬寅壬申歲上見少陽木餘遇
火故氣不順○新校正云按五運行大論云氣相得而病者以下臨上不當位也不云上羽者水臨木爲相得故也不
務其德則收氣復秋氣勁切甚則肅殺清氣大至草木凋零
邪迺傷肝持巳大過凌犯於土土氣屯極金爲復讎金行殺令故邪傷肝木也赫曦之紀是謂
蕃茂物遇大陽則蕃而茂是謂戊辰戊寅戊子戊戌戊申戊午之歲也○新校正云按或云注中大陽當作大徵詳
木土金水之大過注俱不言角商宮羽等運而水大過注陰云陰氣大行此火大過是物遇大陽也安得謂之大徵乎
氣內化陽氣外榮陰陽之氣得其序也炎暑施化物得以昌長氣多故爾其
化長其氣高長化行則物容大高氣達則物色明其政動革易其象不常也其令鳴顯

別本脉作肺

火之用而有声火之燔而有焰象无所隱則其信也顯露也其動炎灼妄擾妄謬也擾撓也其德暄暑鬱蒸熱化所生長於物也○新校正云按六元正紀大論云其化暄囂鬱燠又作暄曜其變炎烈沸騰勝復之有極於是也其穀麥豆火齊水化也其畜羊彘齊孕育也○新校正云按本論上文馬為火之畜今言羊者疑馬字誤為羊金匱真言論及藏氣法時論俱作羊然本論作馬當從本論之文也其果杏栗等實也其色赤白玄赤色加白黑自正也其味苦辛鹹辛物兼苦与鹹化齊成也其象夏如夏氣之熱也其經手少陰太陽少陰心脉太陽小腸脉手厥陰少陽厥陰心包脉少陽三焦脉其藏心脉心勝肺其蟲羽鱗火餘故鱗羽齊化其物脉濡脉火物濡水物水火齊也○新校正云詳脉即絡也文雖殊而義同其病笑瘧瘡瘍血流狂妄目赤火盛故上羽與正徵同○其收齊其病痓上見太陽則天氣且制故大過之火反与平火運生化同也戊辰戊戌歲上見之若平火運同則五常之氣无相凌犯故金收之氣生化同等上徵而收氣後也上見少陰少陽則其生化自政金氣不能与之齊化戊子戊午歲上見少陰戊寅戊申歲上見少陽火盛故收氣後化○新校正云按氣交變大論云歲火大過上臨少陰少陽火燔焫水泉涸物焦槁暴烈其政藏氣迺復時見凝慘甚則雨水霜雹切寒邪傷心也不務

其德與海致之也。新校正云按氣交變大論云雨冰霜寒與此互文也。敦阜之紀，是謂廣化。土餘故化氣廣被於物也，是謂甲子、甲戌、甲申、甲午、甲辰、甲寅之歲也。厚德清靜，順長以盈，土性順用，无與物爭，故德厚而不躁，順火之長育，使萬物化氣盈滿也。至陰內實，物化充成，至陰土精氣也。夫萬物所以化成者，皆以至陰之靈氣生化於中也。煙埃朦鬱，見於厚土，厚土山也，煙埃土氣也。大雨時行，濕氣迺用，燥政迺辟，濕氣用則燥政辟，自然之理爾。其化圓，其氣豐，化氣豐圓，以其清靜故也。其政靜，靜而能久，故政常存。其令周備，氣緩故周備。其動濡積并稸，動謂變動。其德柔潤重淖，靜而柔潤，故厚德常存。新校正云按六元正紀大論云其化柔潤重淖。其變震驚飄驟崩潰，震驚雷霆之作也，飄驟暴風雨至也，大雨暴注則山崩土潰，隨水流沒。其穀稷麻，土木齊化。其畜牛犬，齊孕育也。其果棗李，土齊木化。其色黅玄蒼，黃色加黑蒼白正也。其味甘鹹酸，甘入於鹹，鹹齊化也。其象長夏，六月之氣，土化同。其經足大陰陽明，大陰脾脈，陽明胃脈。其藏脾腎，脾勝腎。其蟲倮毛，土餘故毛倮齊育化。其物肌核，肌土核木化也。其病腹滿，四支不舉，土性靜故病如是。新校正云詳此不云土羽土徵者，徵羽不能爲盛於土，故无能徵也。大風迅至，邪傷脾也。木盛怒故土脾傷。堅

成之紀。是謂收引引斂也陽氣收陰氣用故萬物收斂謂庚午庚辰庚寅庚子庚戌庚申之歲也天
氣潔。地氣明秋氣高潔金氣同陽氣隨陰治化陽順金而生化燥行其政物
以司成燥氣行化方物事司其成熟无遺略也收氣繁布化洽不終收殺氣早土之化不
得終其用也。新校正云詳繁字疑誤其化成。其氣削成削也其政肅肅清也靜也其
令銳切氣用不屈勁物而急其動暴折瘍疰動以生病其德霧露蕭飋燥之化也
蕭飋風声也靜為霧露用則風生。新校正云按六元正紀大論德作化其變肅殺凋零隕墜於物其
穀稻黍金火齊化也。新校正云按本論上文麥為火之穀當言其穀稻麥其畜雞馬齊孕育也其
果桃杏。金火齊實其色白青丹白加於青丹白正也其味辛酸苦辛入酸苦齊化其
象秋氣爽清潔如秋之化其經手太陰陽明太陰肺脉陽明大腸脉其藏肺肝肺勝
肝其蟲介羽金餘故介羽齊育其物殼絡殼金絡火化也其病喘喝胷憑仰
息金氣餘故上徵與正商同。其生齊。其病欬上見少陰少陽則天氣阻肺故其生化与天
平金歲同庚子庚午歲上見少陰庚寅庚申歲上見少陽上火制金故生氣与之齊化以刑金肺故病欬。新校正云詳
此不言上羽者水与金非相勝剋故政暴變則名木不榮。柔脆焦首。長氣斯救。

大火流炎爍且至，蔓將槁，邪傷肺也。炎爍，謂大甚也。政大甚則生氣抑，故木不榮，草首焦死。政暴不已，則火氣發怒，故火流炎爍至，柔條蔓草脆之類皆乾死也。火乘金氣，故肺傷也。

流衍之紀，是謂封藏。陰氣大行，則天地封藏之化也。謂丙寅、丙子、丙戌、丙申、丙午、丙辰之歲也。寒司物化，天地嚴凝，陰之氣也。藏政以布，長令不揚。藏氣用則長化止，故令不發揚。其化凜，其氣堅，寒氣及物則堅定。其政謐，謐，靜也。其令流注，水之象也。其動漂泄沃涌，沃，沫也。涌，溢也。其德凝慘寒雰，寒之化也。○新校正云：按《六元正紀大論》作"其化凝慘凓冽"。其變冰雪霜雹，非時而有。其穀豆稷，水齊土化。其畜彘牛，齊孕育也。其果栗棗，水土齊實。其色黑丹黅，黑加於丹，黃白正也。其味鹹苦甘，鹹入於苦，甘化齊焉。其象冬，氣序。其經足少陰太陽，少陰，腎脈；太陽，膀胱脈。其藏腎心，腎勝心。其蟲鱗倮，水餘，故鱗倮齊育。其物濡滿，濡，水；滿，土化也。○新校正云：按土不及作肉，土太過作肌，此作天下摧成也。其病脹，水餘也。上羽而長氣不化也。上見太陽，則天不能布化以長養也。丙辰、丙戌之歲，上見天符水運也。○新校正云：按《氣交變大論》云：上臨太陽，則雨水雪霜不時降，濕氣變物，不去上徵若運所勝也。政過則化氣大舉，而埃昏氣交，大雨時降，邪傷腎也。暴寒數舉是[illegible]攻過火被水凌土來仇復故天地[illegible][illegible]上水氣交大雨斯降而邪傷腎也故曰不恒其德則所勝來復政恒其理則所勝同化此之謂也不恒謂恃己有餘凌犯不勝恒謂守常之化不肆威刑如是則克己之氣歲同治化也○新校正云詳五運太過之說具氣交變大論中帝曰天不足西北左寒而右涼地不滿東南右熱而左溫其故何也面異言也岐伯曰陰陽之氣高下之理大小之異也高下謂地形大小謂陰陽之氣盛衰之異今中原地形西北方高東南方下西方涼北方寒東方溫南方熱氣化猶然矣東南方陽也陽者其精降於下故右熱而左溫陽精下降故地氣以溫而知之於下矣陽氣生於東而盛於南故東方溫而南方熱氣之多少明矣西北方陰也陰者其精奉於上故左寒而右涼陰精奉上故地以寒而知之於上矣陰氣生於西而盛於北故西方涼而北方寒君面巽而言臣面乾而對也○新校正云詳天地不足陰陽之說亦具陰陽應象大論中是以地有高下氣有溫涼高者氣寒下者氣熱○新校正云按六元正紀大論云至高之地冬氣常在至下之地春氣常在故適寒涼者脹之溫熱者瘡下之則脹已汗之則瘡已此湊理開閉之常大小之異耳西北東南言其大也夫以氣候驗之中原地形所居者悉以居高則寒處

下則熱皆試觀之高山多雪平川多雨高山多寒平川多熱則高下寒熱可徵見矣中華之地凡有高下之大者東西南北各三分也其一者自漢蜀江南至海也二者自漢江北至平遥縣也三者自平遥北山北至蕃界北海也故南分大熱中分寒熱兼半北分大寒南北分外寒熱尤極大熱之分其寒微大寒之分其熱微然其登陟極高山頂則南面北面寒熱懸殊榮枯倍異也又東西高下之別亦三矣其一者自汧源縣西至沙洲二者自開封縣西至汧源縣三者自開封縣東至滄海也故東分大溫中分溫涼兼半西分大涼大溫之分其寒五分之二大涼之分其熱五分之二溫涼分外溫涼尤極變爲大暄大寒也約其大凡如此然九分之地寒極於東北熱極於西南九分之地其中有高下不同地高處則溼下則燥此一方之中小異也若大而言之是則高下之有二也何者中原地形西高北高東下南下今百川滿湊東之滄海則東南西北高下可知一爲地形高下故寒熱不同二則陰陽之氣有少有多故表溫涼之異爾今以氣候驗之乃春氣西行秋氣東行冬氣南行夏氣北行以中分校之自開封至汧源氣候正與曆候同以東行校之自開封至滄海每一百里秋氣至晚一日春氣發早一日西行校之自汧源縣西至蕃界磧石其以南向及西北東南者每四十里春氣發晚一日秋氣至早一日北向及東北西南者每一十五里春氣發晚一日秋氣至早一日南行校之川形有北向東北西南者海五百里○新校正云按別本作十五里○陽氣行晚一日陰氣行早一日南向及東南西北川每一十五里熱氣至早一日寒氣至晚一日廣平之地則每五十里陽氣發早一日寒氣至晚一日北行校之川形有南向及東南西北者

每二十五里陽氣行晚一日陰氣行早一日北向及東北西南川每一十五里寒氣至早一日熱氣至晚一日廣平之地則每二十里熱氣行晚一日寒氣至早一日大率如此然高処險処冬氣常在平処下処夏氣常在觀其雪零草茂則可知矣然地土固有弓形川蛇形川月形川地勢不同生殺榮枯地同而天異凡此之類有離向丙向巽向乙向震向処則春氣早至秋氣晚至早晚校十五日有丁向坤向庚向兌向辛向乾向坎向艮向処則秋氣早至春氣晚至早晚亦校二十日是所謂帶山之地也審觀向背氣候可知寒凉之地湊理開少而閉多閉多則陽氣不散故適寒凉腹必脹也温熱之地湊理開多而閉少開多則陽氣發散故往温熱皮必瘡也下之則中氣不餘故脹已汗之則陽氣外泄故■已

帝曰：其於壽夭何如？言土地居人之壽夭

岐伯曰：陰精所奉其人壽，陽精所降其人夭。陰精所奉高之地也陽精所降下之地也陰方之地陽不妄泄寒氣外持邪不數中而正氣堅守故壽延陽方之地陽氣耗散發泄無度風濕數中眞氣傾竭故夭折即事驗之今中原之境西北方衆人壽東南方衆人夭其中猶各有微甚爾此壽夭之大異也方者審之乎

帝曰：善。其病者治之柰何？

岐伯曰：西北之氣散而寒之，東南之氣收而温之，所謂同病異治也。西方北方人皮膚腠理密人皆食熱故宜散宜寒東方南方人皮膚疏腠理開人皆食冷故宜收宜温散謂温浴使中外條達收謂温中不解表也今土俗皆反之依而療之則反甚矣○新校正云詳分方為治亦具異法方宜論

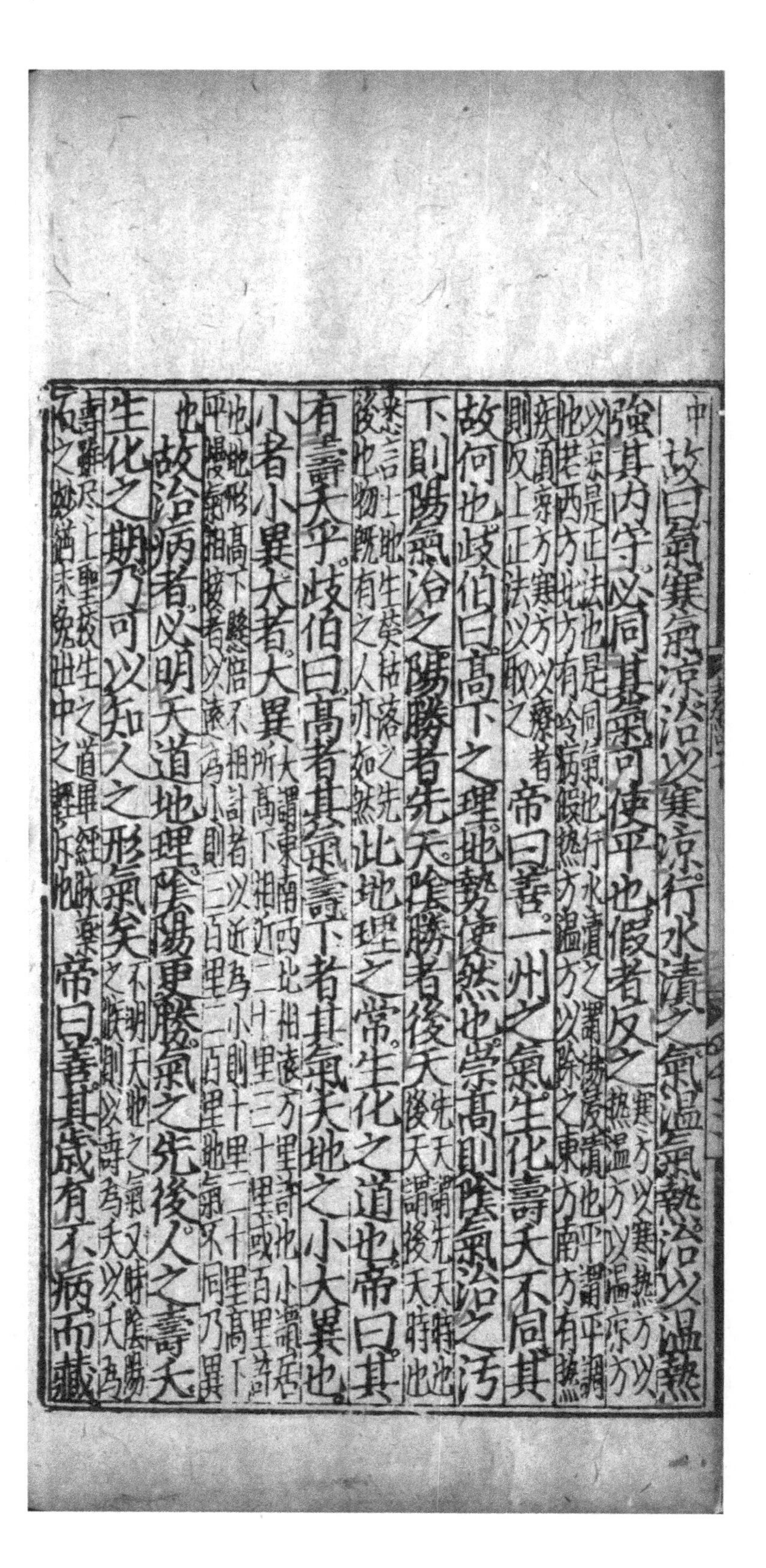
中故曰氣寒氣涼治以寒涼行水漬之氣溫氣熱治以溫熱
強其內守必同其氣可使平也假者反之寒方以寒熱方以熱溫方以溫涼方
以涼是正法也是同氣也行水漬之謂湯漫漬也平謂平調也若西方北方有冷病假熱方溫方以除之東方南方有熱
疾須涼方寒方以療者則反上正法以取之帝曰善一州之氣生化壽夭不同其
故何也岐伯曰高下之理地勢使然也崇高則陰氣治之污
下則陽氣治之陽勝者先天陰勝者後天先天謂先天時也後天謂後天時也
悉言土地生榮枯落之先後也物既有之人亦如然此地理之常生化之道也帝曰其
有壽夭乎岐伯曰高者其氣壽下者其氣夭地之小大異也
小者小異大者大異大謂東南西北相遠萬里許也小謂居所高下相近二十里三十里或百里許
也地形高下懸倍不相計者以近為小則十里二十里高下平慢氣相接者以遠為小則三百里二百里地氣不同乃異
也故治病者必明天道地理陰陽更勝氣之先後人之壽夭
生化之期乃可以知人之形氣矣不明天地之氣又昧陰陽之候則以壽為夭以夭為
壽雖盡上聖救生之道畢經脉藥石之妙猶未免世中之誣斥也帝曰善其歲有不病而藏

氣不應不用者何也岐伯曰天氣制之氣有所從也從謂從事於彼
不及營於私應用之帝曰願卒聞之岐伯曰少陽司天火氣下臨肺氣
上從白起金用草木眚火見燔焫革金且耗大暑以行欬嚏
鼽衄鼻窒曰瘍寒熱胕腫寅申之歲候也臨謂御於下從謂從事於上起謂價高於市用謂用
行刑罰也臨從起用同之革謂皮革亦謂革易也金謂器屬也耗謂費用也火氣燔灼故生瘡〻身瘡也瘍頭瘡也寒〻
熱謂先寒〻而後熱則瘧疾也肺為熱害水且救之水守肺中故為胕腫胕腫謂腫滿按之不起此天氣之所生也○新校
正云詳注云故曰生瘡〻身瘡也瘍頭瘡也今經只言曰瘍疑經脫一瘡字別本曰字作口一風行于地塵
沙飛揚心痛胃脘痛厥逆鬲不通其主暴速厥陰在泉故風行于地風淫所
勝故是病生焉少陽厥陰其化急速故病氣起發疾速而為故云其主暴速此地氣不順而生是也○新校正云詳厥陰
與少陽在泉言其主暴速其發機速故不言甚則某病也陽明司天燥氣下臨肝氣上從
蒼起木用而立土迺眚凄滄數至木伐草萎脅痛目赤掉振
鼓慄筋痿不能久立卯酉之歲候也木用亦謂木功也凄滄大凉也此病之起天氣生焉暴熱
至土迺暑陽氣鬱發小便變寒熱如瘧甚則心痛火行于槁

流水不冰蟄蟲迺見少陰在泉熱盛于地而為是也病之所有地氣生焉太陽司天寒氣下臨心氣上從而火且明新校正云詳火且明三字當作火用二字丹起金迺眚寒清時舉勝則水冰火氣高明心熱煩嗌乾善渴鼽嚏喜悲數欠熱氣妄行寒迺復霜不時降善忘甚則心痛辰戌之歲候也寒清時舉太陽之令也火氣高明謂燔焫於物也不時謂大早及偏害不循時令不普及於物也病之所起天氣生焉土迺潤水豐衍寒客至沈陰化濕氣變物水飲内穡中滿不食皮𤸷肉苛筋脈不利甚則胕腫身後癰大陰在泉濕盛于地而為是也病之源始地氣生焉○新校正云詳身後癰當作身後難厥陰司天風氣下臨脾氣上從而土且隆黃起水迺眚土用革體重肌肉萎食減口爽風行大虛雲物搖動目轉耳鳴巳亥之歲候也土隆土用革謂土氣有用而革易其躰亦謂土功事也雲物搖動是謂風高此病所生天之氣也火縱其暴地迺暑大熱消爍赤沃下蟄蟲數見流水不冰少陽在泉火盛于地而為是也病之宗兆地氣生焉其發機速少陽厥陰之氣變化卒急其為疾病速若發機故曰其發機速少陰司天熱氣下臨肺氣上從白

起金用草木眚喘嘔寒熱嚏鼽衄鼻窒大暑流行子午之歲候也热司天氣故是病生天氣之作也甚則瘡瘍燔灼金爍石流天之交也地迺燥淒滄數至脇痛善太息肅殺行草木變變謂變易容質也痛太息地氣生也太陰司天濕氣下臨腎氣上從黑起水變新校正云詳前後文此少火迺眚三字埃冒雲雨胸中不利陰痿氣大衰而不起不用新校正云詳不用二字當作水用當其時反腰脽痛動轉不便也丑未之歲候也水變謂甘泉變鹹也埃土霧也冒不分遠也雲雨土化也脽謂臀肉也病之有者天氣生焉厥逆新校正云詳厥逆二字疑當連上文地迺藏陰大寒且至蟄蟲早附心下否痛地裂冰堅少腹痛時害於食乘金則止水增味迺鹹行水減也止水井泉也行水河渠流注者也止水雖長迺鹹常其美而為鹹味也病之有者地氣生焉。新校正云詳太陰司天之化不言甚則病某而云當其時又云乘金則云云者与前條互相發明也帝曰歲有胎孕不育治之不全何氣使然岐伯曰六氣五類有相勝制也同者盛之異者衰之此天地之道生化之常也故厥陰司天毛蟲靜羽蟲育介蟲不成謂乙巳丁巳巳巳辛巳癸巳乙亥丁亥己亥辛亥癸亥之歲也靜无声也亦謂靜退不先用事也羽為火虫氣同地也火制金化故介虫不成謂白色有甲之虫少孕育也在泉毛蟲育倮蟲耗羽蟲不育地氣制土黃倮耗損歲乘木運其又甚也羽虫不育少陽自抑之是則五寅五申歲也凡称不育不成皆謂少非悉无也少陰司天。羽蟲靜。介蟲育。毛蟲不成謂甲子丙子戊子庚子壬子甲午丙午戊午庚午壬午之歲也靜謂胡越鷰百舌鳥之類也是歲黑色毛虫孕育少成在泉羽蟲育介蟲耗不育地氣制金白介虫不育歲乘火運流復甚豈是則五卯五酉歲也。新校正云詳介虫耗以少陰在泉火剋金也介虫不育以陽明在天自抑之也太陰司天倮蟲靜。鱗蟲育。羽蟲不成是謂乙丑丁丑己丑辛丑癸丑乙未丁未己未辛未癸未之歲也倮虫者謂人及蝦蟇之類也羽虫謂青緑色者則鸚鵡翠鳥翠碧鳥之類諸青緑色之有羽者歲乘金運其復甚哉鴷音列在泉倮蟲育。鱗蟲新校正云詳此少一耗字不成地氣制水黑鱗不育歲乘土運而又甚焉是則五辰五戌是也少陽司天羽蟲靜。毛蟲育。倮蟲不成謂甲寅丙寅戊寅庚寅壬寅甲申丙申戊申庚申壬申之歲也倮虫謂青緑色者也羽虫謂黑色諸有羽翼者則越鷰百舌鳥之類是也在泉羽蟲育。介蟲耗。毛蟲不育地氣制金白介耗黃歲乘火運其又甚也毛虫不育天氣制之是五巳五亥歲也陽明司天介蟲靜。羽蟲育。介蟲不成謂乙

卯丁卯己卯辛卯癸卯乙酉丁酉己酉辛酉癸酉之歲也羽爲火虫故蕃育也介虫諸有赤色甲殼者也赤介不育天氣
制之**在泉介虫育毛虫耗羽虫不成**地氣制木黑毛虫耗歲乘金運損復甚焉是則五子
五午歲也羽虫不就以上見少陰也**太陽司天鱗虫靜倮虫育**謂甲辰丙辰戊辰庚辰壬辰甲
戌甲戌戊戌庚戌壬戌歲也倮虫育地氣同也鱗虫靜謂黃鱗不用也是歲雷霆少舉以天氣制之也。新校正云詳此
當云鱗虫不成**在泉鱗蟲耗倮虫不育**天氣制勝黃黑鱗耗是則五丑五未歲也。新校正云詳
此當爲鱗虫育羽虫耗倮虫不育註中鱗字亦當作羽**諸乘所不成之運則甚也**乘木之運
倮虫不成乘火之運介虫不成乘土之運鱗虫不成乘金之運毛虫不成乘水之運羽虫不成當是歲者与上文同悉少
能孕育也斯並運与氣同者運乘其勝復遇天符及歲會者十孕不全一二也**故氣主有所制歲立**
有所生地氣制己勝天氣制勝己天制色地制形天氣隨己不勝者制
之謂制其色也地氣隨己所勝者制之謂制其形也故又曰天制色地制形焉是以天地之間五類生化互有所勝互有
所化互有所生互有所制矣**五類衰盛各隨其氣之所宜也**宜則蕃息**故有胎孕**
不育治之不全此氣之常也天地之間有生之物凡此五類也五謂毛羽倮鱗介也故曰毛
虫三百六十麟爲之長羽虫三百六十鳳爲之長倮虫三百六十人爲之長鱗虫三百六十龍爲之長介虫三百六十龜

為之長凡諸有形蚑行飛走喘息胎息大小高下青黃赤白黑身鼓毛羽鱗介者通而言之皆謂之蟲矣不具是四者皆為倮蟲凡此五物皆有胎生卵生濕生化生因人致問言及五類也**所謂中根也**生氣之根本發自身形之中中根也非是五類則生氣根系悉因外物以成立去之則生氣絕矣**根于外者亦五**謂五味五色類也然木火土金水之形類悉假外物色藏乃能生化外物既去則生氣離絕故皆是根于外也。新校正云詳註中色藏二字當作已成**故生化之别有五氣五味五色五類五宜也**然是二十五者皆中根外悉有之五氣謂臊焦香腥腐也五味謂酸苦甘辛鹹也五色謂青黃赤白黑也五類有二矣其一者謂毛羽倮鱗介其二者謂燥濕液堅耎也夫如是等於万物之中互有所宜也**帝曰何謂也岐伯曰根于中者命曰神機神去則機息根于外者命曰氣立氣止則化絕**諸有形之類根於中者生源繫天其所動淳皆神氣為機發之主故其所為也物莫之知是以神捨去則機發動用之道息矣根于外者生源繫地故其所生長化成收藏皆為造化之氣所成立故其所出也物亦莫之知是以氣止息則生化結成之道絕滅矣其木火土金水燥濕液堅柔雖常性不易及乎外物去生氣離根化絕止則其常体性顏色皆必小變移其旧也。新校正云按六微旨大論云出入廢則神機化滅升降息則氣立孤危故非出入則无以生長壯老已非升降則无以生長化收藏**故各有制各有勝各有生各有成**根中根外悉如是故曰不知年之所加氣之同異不足以言生化此之謂也新校正云按六節藏象論云不知年之所加氣之盛衰虛实之所起不可以爲丁矣帝曰氣始而生化氣始謂始發動散謂流散於散而有形氣布而蕃育氣終而象變其致一也物中布謂布化於結成之形所終極於收藏之用也故始動而生化流散而有形布化而成結終極而万象皆变也即事驗之天地之間有形之類其生也柔弱其死也堅強凡如此類皆謂變易生死之時形質是謂氣之終極○新校正云按天元紀大論云物生謂之化物極謂之变又六微旨大論云物之生從於化物之極由乎变变化相薄成敗之所由也然而五味所資生化有薄厚成熟有少多終始不同其故何也岐伯曰地氣制之也非天不生而地不長也天地雖无情於生化而生化之氣自有異同尔何者以地體之中有六入故也氣有同異故有生有化有不生有不化有少生少化有廣生廣化矣故天地之間无必生必化必不生必不化必少生少化必廣生廣化也各隨其氣分所好所惡所異所同也帝曰願聞其道岐伯曰寒熱燥濕不同其化也辛寒熱燥濕四氣不同則温清異化可知之矣故少陽在泉寒毒不生其味辛其治苦酸其穀蒼丹巳亥歲氣化也夫毒者皆五行標盛暴烈之氣所為也今火在地中其氣正熱寒毒之物氣与地殊生死不同故生少也火制

金氣故味辛者不化也少陽之氣上奉厥陰故其歲化苦与酸也六氣主歲唯此歲通和木火相承故无間氣也苦丹地氣所化酸蒼天氣所生也餘所生化悉有上下勝尅故皆有間氣矣陽明在泉。濕毒不生。其味酸。其氣濕新校正云詳在泉六唯陽明与太陰在泉之歲云其氣温其氣熱蓋以濕燥未見寒温之氣故再云其氣也其治辛苦甘。其穀丹素子午歲氣化也燥在地中其氣凉清故濕温毒藥少生化也金木相制故味酸者少化也陽明之氣上奉少陰故其歲化辛与苦也辛素地氣也苦丹天氣也甘間氣也所以間金火之勝尅故兼治甘太陽在泉。熱毒不生。其味苦。其治淡鹹。其穀黅秬丑未歲氣化也寒在地中与熱殊化故其歲物熱毒不生水勝火味故當苦也太陽之氣上奉太陰故其氣化生淡鹹也太陰土氣上主於天氣遠而高故甘之化薄而為淡也所以淡亦屬甘甘之類也淡黅天化也鹹秬地化也黅黄也○新校正云詳注云味故當苦當作故味苦者不化傳寫誤也厥陰在泉。清毒不生。其味甘。其治酸苦。其穀蒼赤寅申歲氣化也温在地中与清殊性故其歲物清毒不生木勝其土故味甘少化也厥陰之氣上合少陽所合之氣既无乖忤故其治化酸与苦也酸蒼地化也苦赤天化也氣无勝尅故不間氣以甘化也其氣專。其味正厥陰少陽在泉之歲皆氣化專一其味純正然餘歲悉上下有勝尅之氣故皆有間氣間味矣少陰在泉。寒毒不生。其味辛。其治辛苦甘。其穀白丹卯酉歲氣化也熱在地中与寒殊化故其歲藥寒毒甚微火氣爍金故味辛少化也少陰陽明主天主地故其所治苦与辛焉苦泄為燥氣所育白辛為天氣所生甘間氣也所以間止尅伐也

大陰在泉燥毒不生其味鹹其氣熱其治甘鹹其穀黅秬辰戍歲氣化也地中有濕与燥不同故乾毒之物不生化也土制於水故味鹹少化也大陰之氣上承大陽故其歲化甘与鹹也甘黅地化也鹹秬天化也寒濕不為大忤故間氣同而氣熱者應之

化淳則鹹守氣專則辛化而俱治淳和也化淳謂少陽在泉之歲也火來居泉而反能化育是水鹹自守不与火爭化也氣專謂厥陰在泉之歲也木居于水而復下化金不受害故辛復生化与鹹俱王也唯此兩歲上下之氣无尅伐之嫌故辛得与鹹同應王而生化也餘歲皆上下有勝尅之變故其中間其味兼化以緩其制抑餘苦鹹酸三味不同其生化也故天地之間藥物辛甘者多也

故曰補上下者從之。治上下者逆之以所在寒熱盛衰而調之上謂司天下謂在泉也司天地氣太過則逆其味以治之司天地氣不及則順其味以和之從順也

故曰上取下取內取外取。以求其過能毒者以厚藥不勝毒者以薄藥此之謂也。上取謂以藥制有過之氣也制而不順則吐之下取謂以迅疾之藥除下病攻之不去則下之內取謂食及以藥內之審其寒熱而調之外取謂藥熨令所病氣調適也當寒反熱以冷調之當熱反寒以溫和之上盛不已吐而脫之下盛不已下而奪之謂求

得氣過之道也藥厚薄謂氣味厚薄者也○新校正云按甲乙經云胃厚色黑大骨肉肥者皆勝毒其瘦而薄胃者皆不勝毒又按異法方宜論云西方之民陵居而多風水土剛強不衣而褐薦華食而脂肥故邪不能傷其形体其病生於內其治宜毒藥

氣反者病在上取之下病在下取之上病在中傍取之下取謂寒逆於下而熱攻於上不利於下氣盈於上則溫下以調之上取謂寒積於下溫之不去陽藏不足則補其陽也傍取謂氣并於左則藥熨其右氣并於右則藥熨其左以和之必隨寒熱為適凡是七者皆病无所逃動而必中斯為妙用矣

治熱以寒溫而行之治寒以熱涼而行之治溫以清冷而行之治清以溫熱而行之氣性有剛柔形證有輕重方用有大小調制有寒溫盛大則順气性以取之小耎則逆气性以伐之气殊則主必不容力倍則攻之必勝是則謂湯飲調气之制也○新校正云按至真要大論云热因寒用寒因热用以伏其所主而先其所因其始則同其終則異可使破積可使潰堅可使气和可使必已

故消之削之吐之下之補之寫之久新同法量气盛虛而行其法病之新久无異道也

帝曰病在中而不實不堅且聚且散柰何歧伯曰悉乎哉問也无積者求其藏虛則補之隨病所在命其藏以補之藥以祛之食以隨之食以无毒之藥隨湯丸以迫逐之使其尽也行水漬之和其中外可使畢

已中外通和氣無流凝則釋然消散貞氣自平帝曰有毒無毒服有約乎岐伯曰病有久新方有大小有毒無毒固宜常制矣大毒治病十去其六下品藥毒毒之大也常毒治病十去其七中品藥毒次於下也小毒治病十去其八上品藥毒毒之小也無毒治病十去其九上品中品下品無毒藥悉謂之平穀肉果菜食養盡之無使過之傷其正也大毒之性烈其爲傷也多小毒之性和其爲傷也少常毒之性減大毒之性一等加小毒之性一等所傷可知也故至約必止之以待來證尔然無毒之藥性雖平和久而多之則氣有偏勝則有偏絕久攻之則藏氣偏弱既弱且困不可長也故十去其九而止服至約已則以五穀五肉五果五菜隨五藏宜者食之已盡其餘病藥食兼行亦通也。新校正云按藏氣法時論云毒藥攻邪五穀爲養五果爲助五畜爲益五菜爲充不盡行復如法法謂前四約也餘病不盡然再行之毒之大小至約而止必無過也必先歲氣無伐天和歲有六氣分主有南面北面之政先知此六氣所在人脈至尺寸應之大陰所在其脈沉少陰所在其脈鉤厥陰所在其脈弦太陽所在其脈大而長陽明所在其脈短而濇少陽所在其脈大而浮如是六脈則謂天和不識不知呼爲寒熱攻寒令熱脈不變而熱疾已生制熱令寒脈如故而寒病又起欲求其適安可得乎夭枉之來率由於此無盛盛無虛虛而遺人夭殃不察虛實但思攻擊而盛者轉

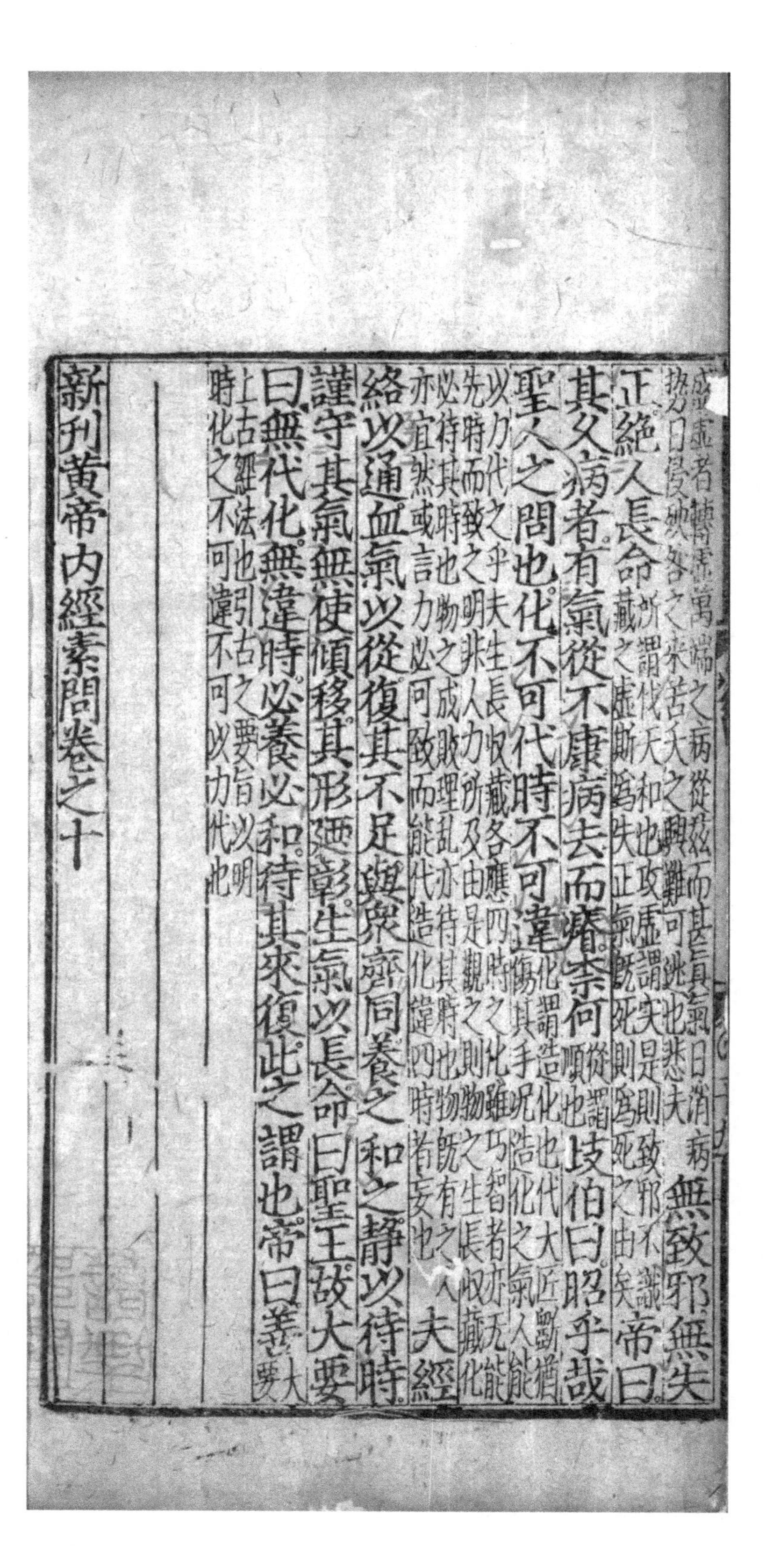

盛虚者轉虚萬端之病從兹而甚真氣日消病勢日侵殃咎之來苦夭之興難可逃也悲夫無致邪無失正絶人長命所謂伐天和也攻虚謂实是則致邪不識藏之虚斯爲失正氣既死則爲死之由矣帝曰其久病者有氣從不康病去而瘠奈何從謂順也岐伯曰昭乎哉聖人之問也化不可代時不可違化謂造化也代大匠斲猶傷其手况造化之氣人能以力代之乎夫生長收藏各應四時之化雖巧智者亦无能先時而致之明非人力所及由是觀之則物之生長收藏化必待其時也物之成敗理乱亦待其時也物既有之人亦宜然或言力必可致而能代造化違四時者妄也夫經絡以通血氣以從復其不足與衆齊同養之和之靜以待時謹守其氣無使傾移其形廼彰生氣以長命曰聖王故大要曰無代化無違時必養必和待其來復此之謂也帝曰善大要上古經法也引古之要旨以明時化之不可違不可以力代也

新刊黃帝内經素問卷之十

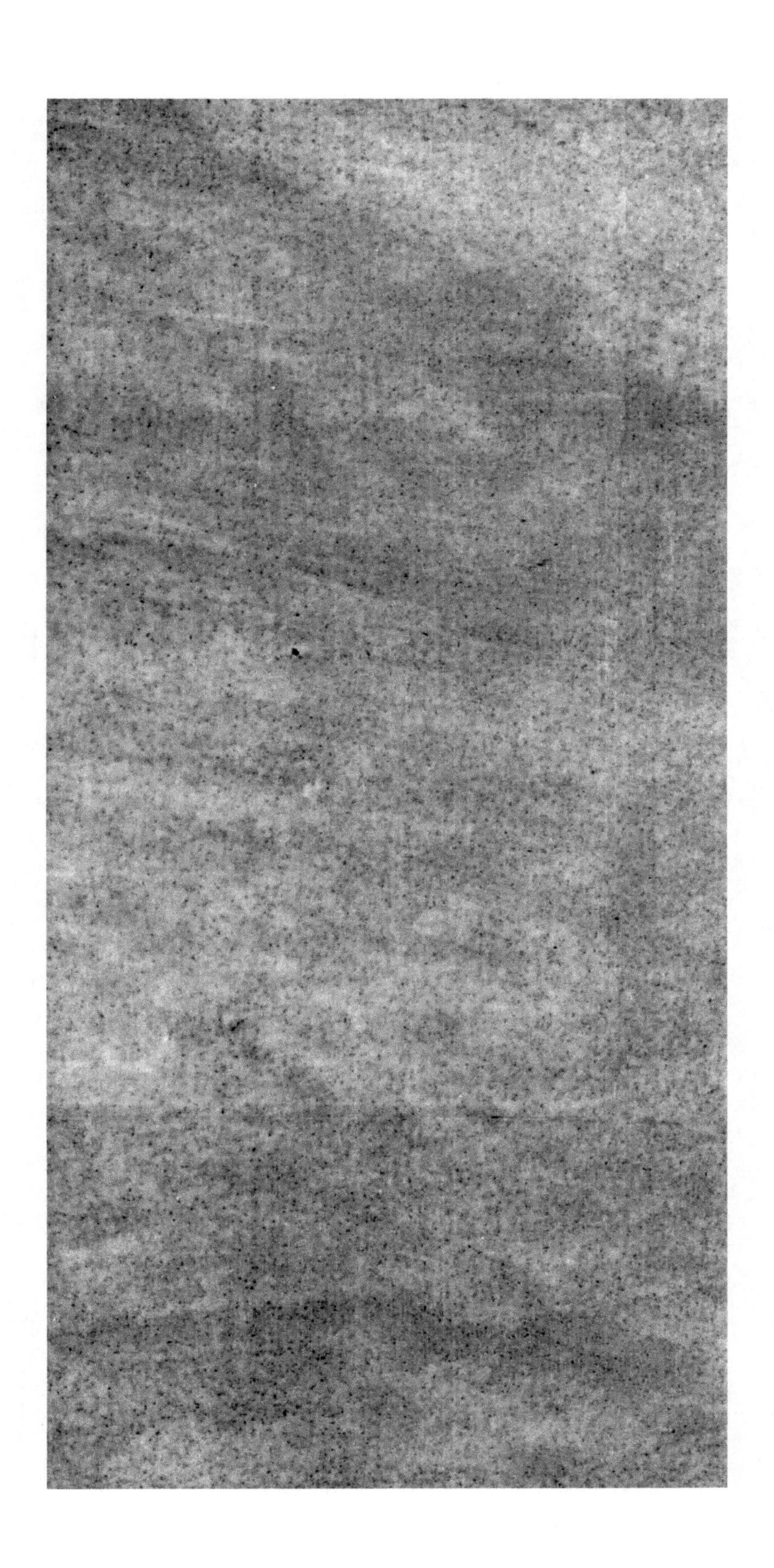

新刊補註釋文黃帝內經素問卷之十一

啓玄子王冰次註　鼇峰勿聽子熊宗立點校重刊

○六元正紀大論篇第七十一

黃帝問曰。六化六變勝復淫治。甘苦辛鹹酸淡先後。余知之矣。夫五運之化。或從五氣新校正云詳五氣疑作天氣則與下文相叶或逆天氣或從天氣而逆地氣。或從地氣而逆天氣。或相得或不相得余未能明其事。欲通天之紀。從地之理。和其運。調其化。使上下合德。無相奪倫。天地升降。不失其宜。五運宣行。勿乖其政。調之正味。從逆奈何。氣同謂之從。氣異謂之逆。勝制為不相得。相生為相得。同天地之氣便淫勝復各有主治。法則欲令平調氣性不違忤天地之氣以致清凈和平也岐伯稽首再拜對曰。昭乎哉問也。此天地之綱紀。變化之淵源。非聖帝孰能窮其至理歟。臣雖不敏。請陳其道。令終不滅。久而不易。氣主循環同於大化大世大偏不可改氣序常然不言求定之制則久而更易去聖遼遠何以明之。帝曰：願夫子推而次之。從其類序。分其部主。別其宗司。昭其氣數。明其正化。可得聞乎部主謂分六氣所部主者也宗司謂配五氣運行之位也氣數謂天地五運氣更用之正數也正化謂歲直氣味所宜酸苦甘辛鹹寒溫冷熱也岐伯曰。先立其年。以明其氣。金木水火土運行之數。寒暑燥濕風火臨御之化。則天道可見。民氣可調。陰陽卷舒。近而無惑。數之可數者。請遂言之遂盡也。帝曰：大陽之正奈何。岐伯曰。辰戌之紀也。

大陽　大角　大陰。　壬辰　壬戌　其運風。其化鳴紊啓拆。新校正云。按五常政大論云。其德鳴靡啓坼。其變振拉摧拔新校正云詳此其運其化其變從大角等運起其病眩掉目瞑。新校正云詳此宗[illegible]以運加同天此爲言。○按

大角初正　少徵　大宮　少商　大羽終

大陽　大徵　大陰。　戊辰　戊戌同正徵新校正云按五常大論云赫曦之紀上羽與正徵同其運熱　其化暄暑鬱燠。新校正云。按五常政大論燠作蒸。其

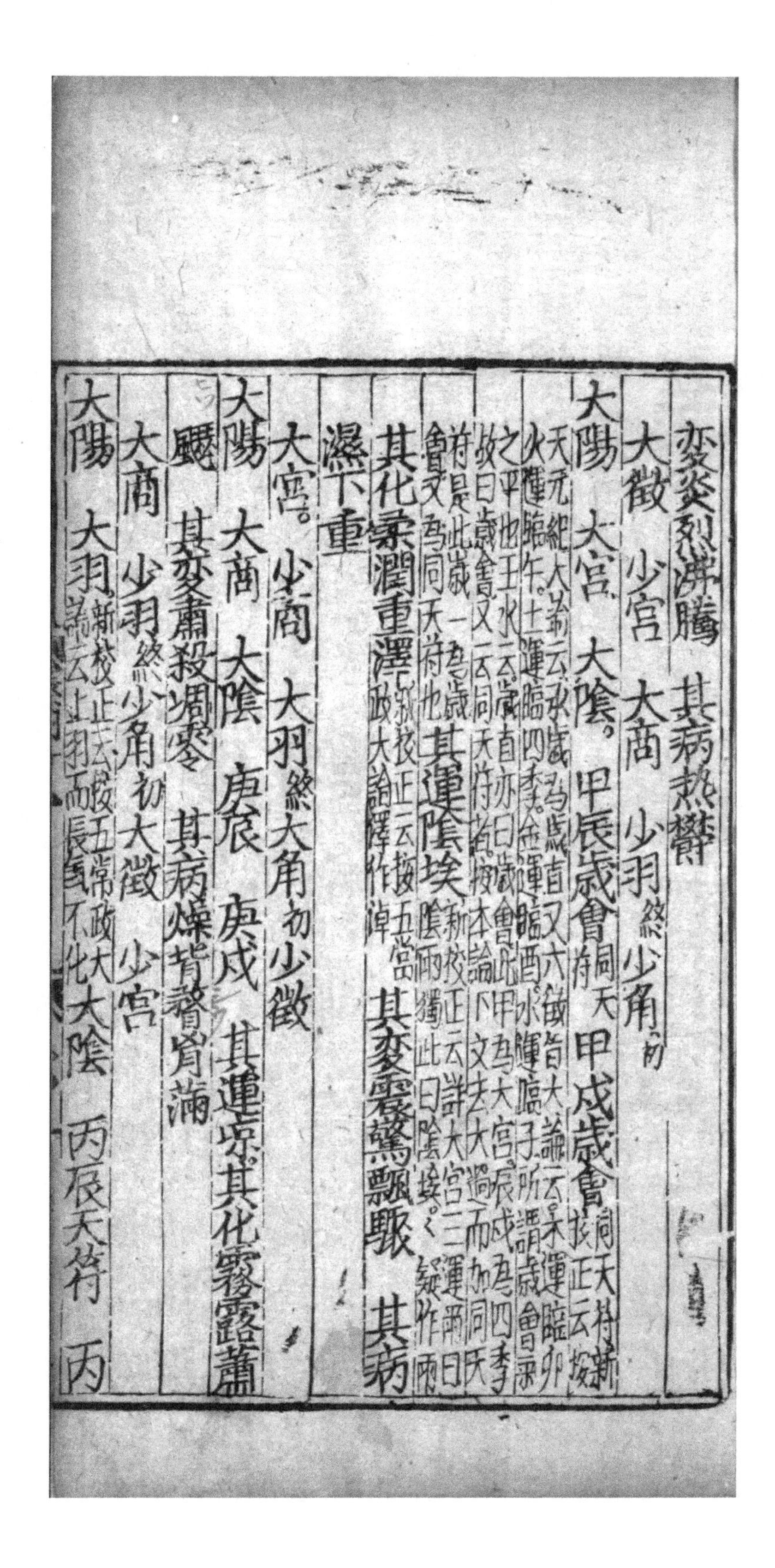

其變炎烈沸騰　其病熱鬱

大徵　少宮　大商　少羽終　少角初

大陽　大宮　大陰。　甲辰歲會同天符　甲戌歲會同天符新校正云按天元紀大論云承歲為歲直又六微旨大論云木運臨卯火運臨午土運臨四季金運臨酉水運臨子所謂歲會氣之平也王冰云歲直亦曰歲會此甲為大宮辰戌為四季故曰歲會又云同天符者按本論下文云大過而加同天符是此歲一為歲會又為同天符也　其運陰埃新校正云詳大宮三運兩曰陰雨獨此曰陰埃埃疑作雨　其化柔潤重澤新校正云按五常政大論澤作淖　其變震驚飄驟　其病濕下重

大宮　少商　大羽終　大角初　少徵

大陽　大商　大陰　庚辰　庚戌　其運涼　其化霧露蕭飋　其變肅殺凋零　其病燥背瞀胸滿

大商　少羽終　少角初　大徵　少宮

大陽　大羽新校正云按五常政大論云上羽而長氣不化　大陰　丙辰天符　丙

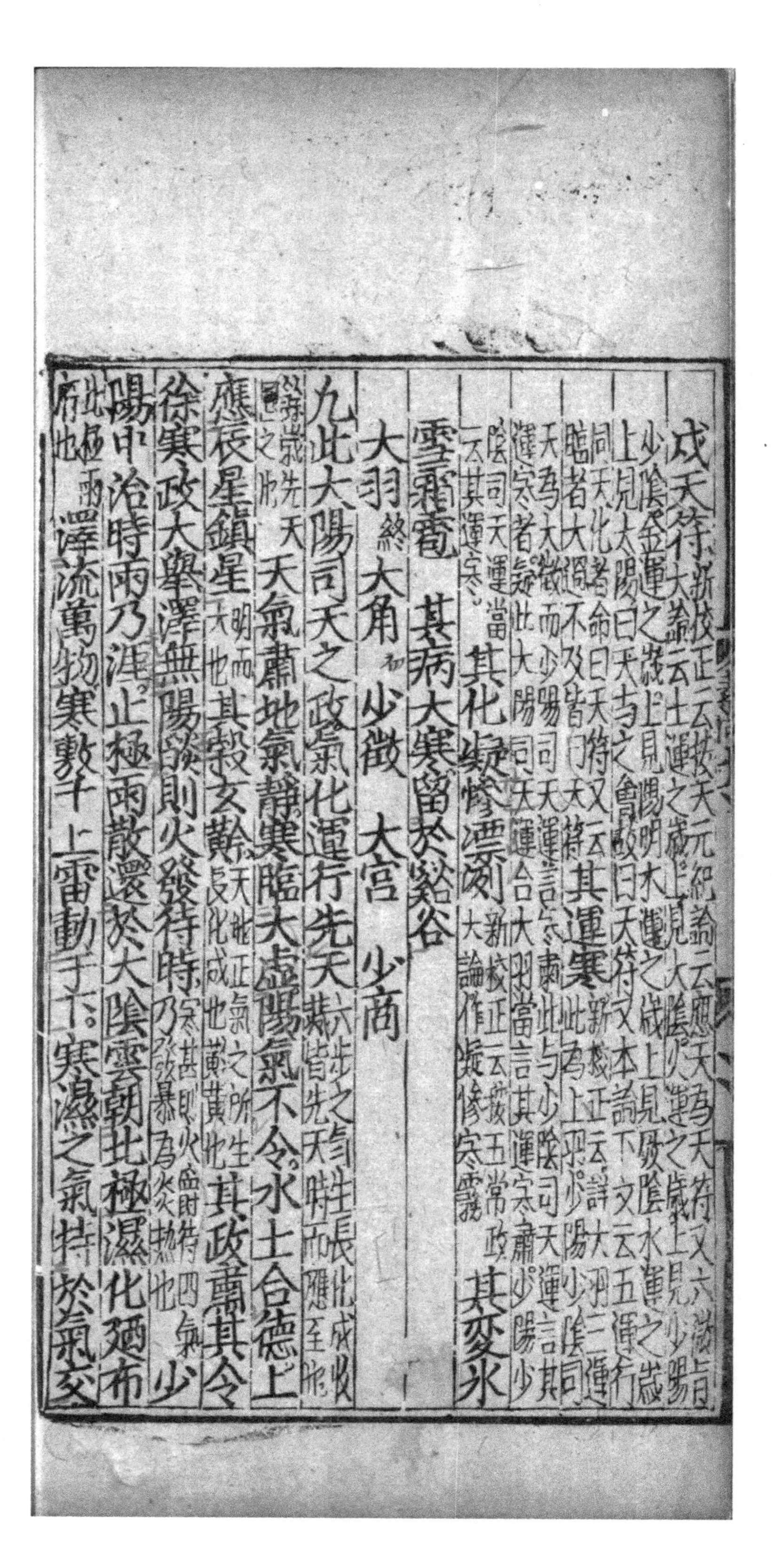

戊天符新校正云按天元紀論云應天為天符又六微旨大論云土運之歲上見太陰火運之歲上見少陽少陰金運之歲上見陽明木運之歲上見厥陰水運之歲上見太陽曰天與之會故曰天符又本論下文云五運行同天化者命曰天符又云臨者大過不及皆曰天符其運寒新校正云詳大羽二運此為上羽少陽少陰同天為大徵而少陽司天運言寒肅此与少陰司天運言其運寒者疑此大陽司天運合大羽當言其運寒肅少陽少陰司天運當云其運寒。其化凝慘凓冽新校正云按五常政大論作凝慘寒霧其變冰雪霜雹其病大寒留於谿谷

大羽終　大角初　少徵　太宮　少商

凡此太陽司天之政，氣化運行先天六步之氣生長化成收藏皆先天時而應至也餘歲先天同之也天氣肅，地氣靜，寒臨太虛，陽氣不令，水土合德，上應辰星鎮星明而大也其穀玄黅天地正氣之所生長化成也黅黃也其政肅，其令徐，寒政大舉，澤無陽燄，則火發待時。寒甚則火鬱待四氣乃發暴為炎熱也少陽中治，時雨乃涯，止極雨散，還於太陰，雲朝北極，濕化乃布北極雨府也澤流萬物，寒敷于上，雷動于下，寒濕之氣，持於氣交

歲氣之先時也民病寒濕發肌肉萎足痿不收濡寫血溢新校正云詳血溢者火發待時所為之病也初之氣地氣遷氣迺大溫辰火溫故之草迺早榮民迺厲溫病迺作身熱頭痛嘔吐肌腠瘡瘍赤斑也是為膚腠中瘡在皮肉也二之氣大涼反至民迺慘草迺遇寒火氣遂抑民病氣鬱中滿寒迺始自涼而反之於寒故寒氣始來近人也三之氣天政布寒氣行雨迺降氣病寒反熱中癰疽注下心熱瞀悶不治者死當寒反熱是反天常熱起於心則神之危亟不急扶救神必消亡故治者則生不治則死四之氣風濕交爭風化為雨迺長迺化迺成民病大熱少氣肌肉萎足痿注下赤白五之氣陽復化草迺長迺化迺成民迺舒大火臨御故万物舒榮終之氣地氣正濕令行陰凝大虛埃昏郊野民迺慘悽寒風以至反者孕迺死故歲宜苦以燥之溫之新校正云詳故歲宜苦以燥之溫之九字當在避虛邪以安其正下錯簡在此必折其鬱氣先資其化源化源謂九月迎而取之以補心火○新校正云詳水將勝也先於九月迎取其化源先寫腎之源也蓋以水王十月故先於九月迎而取之寫水所以補火也抑其

運氣，扶其不勝大角歲脾不勝大徵歲肺不勝大宮歲腎不勝大商歲肝不勝大羽歲心不勝歲之宜也如此然大陽司天五歲之氣通宜先助心後扶腎氣無使暴過而生其疾，食歲穀以全其真，避虚邪以安其正木過則脾病生火過則肺病生土過則腎病生金過則肝病生水過則心病生天地之氣過亦然也歲穀謂黃色黑色穀也虚邪謂從衝後來之風也適氣同異，多少制之。同寒濕者燥熱化，異寒濕者燥濕化大宮大商大羽歲同寒濕宜治以燥熱化大角大徵歲異寒濕宜治以燥溫化用寒遠寒，用涼遠涼，用溫遠溫，用熱遠熱，食宜同法，有假者反常，反是者病，所謂時也時謂春夏秋冬及間氣所在同則遠之即雖其時若六氣臨御假寒熱溫涼以除疾病者則勿遠之如大陽司天寒為病者假熱以療則熱用不遠夏餘氣例同故曰有假反常也食同藥法尔若無假反法則為病之媒非方制養生之道○新校正云按用寒遠寒及有假者反常等事下文備矣。帝曰：善。陽明之政奈何？岐伯曰：卯酉之紀也。

陽明　少角　少陰　清熱勝復同，同正商清勝少角熱復清氣故曰清熱勝復同也餘少運皆同也同正商者上見陽明上商與正商同言歲木不及也餘準此○新校正云按五常政大論云委和之紀上商與正商同

丁卯歲會　丁酉　其運風清熱不及之運常兼

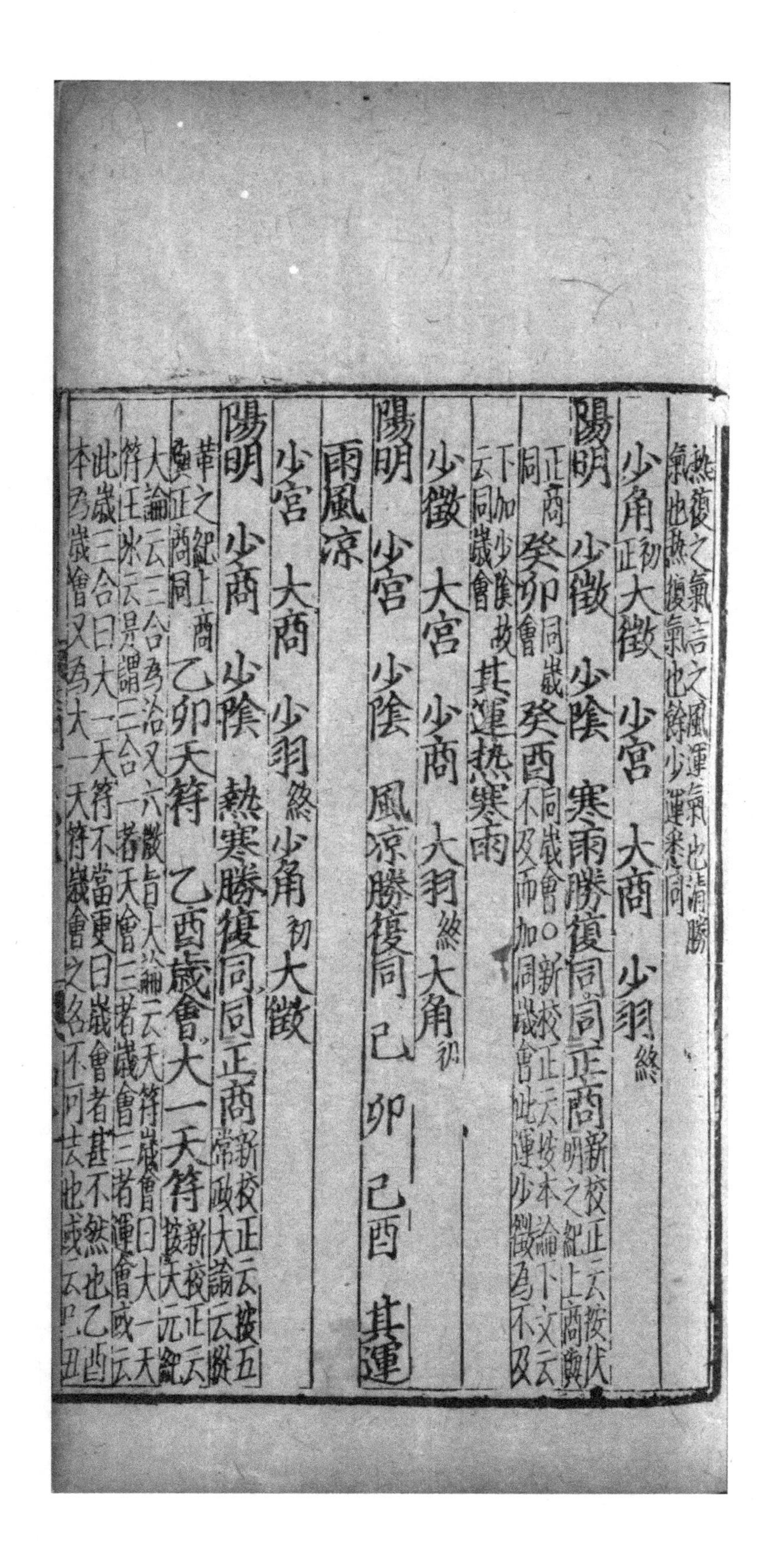

熱復之氣言之風運氣也清勝氣也熱復氣也餘少運悉同

少角初正　大徵　少宮　大商　少羽終

陽明　少徵　少陰　寒雨勝復同　同正商新校正云按伏明之紀上商與正商同　癸卯同歲會　癸酉同歲會○新校正云按本論下文云不及而加同歲會此運少徵為不及下加少陰故云同歲會　其運熱寒雨

少徵　大宮　少商　大羽終　大角初

陽明　少宮　少陰　風涼勝復同　己卯　己酉　其運雨風涼

少宮　大商　少羽終　少角初　大徵

陽明　少商　少陰　熱寒勝復同　同正商新校正云按五常政大論云從革之紀上商與正商同　乙卯天符　乙酉歲會大一天符新校正云按天元紀大論云三合為治又六微旨大論云天符歲會曰大一天符王冰云是謂三合一者天會二者歲會三者運會或云此歲三合曰大一天符不當更曰歲會者甚不然也乙酉本為歲會又為大一天符歲會之名不可去也或云己丑

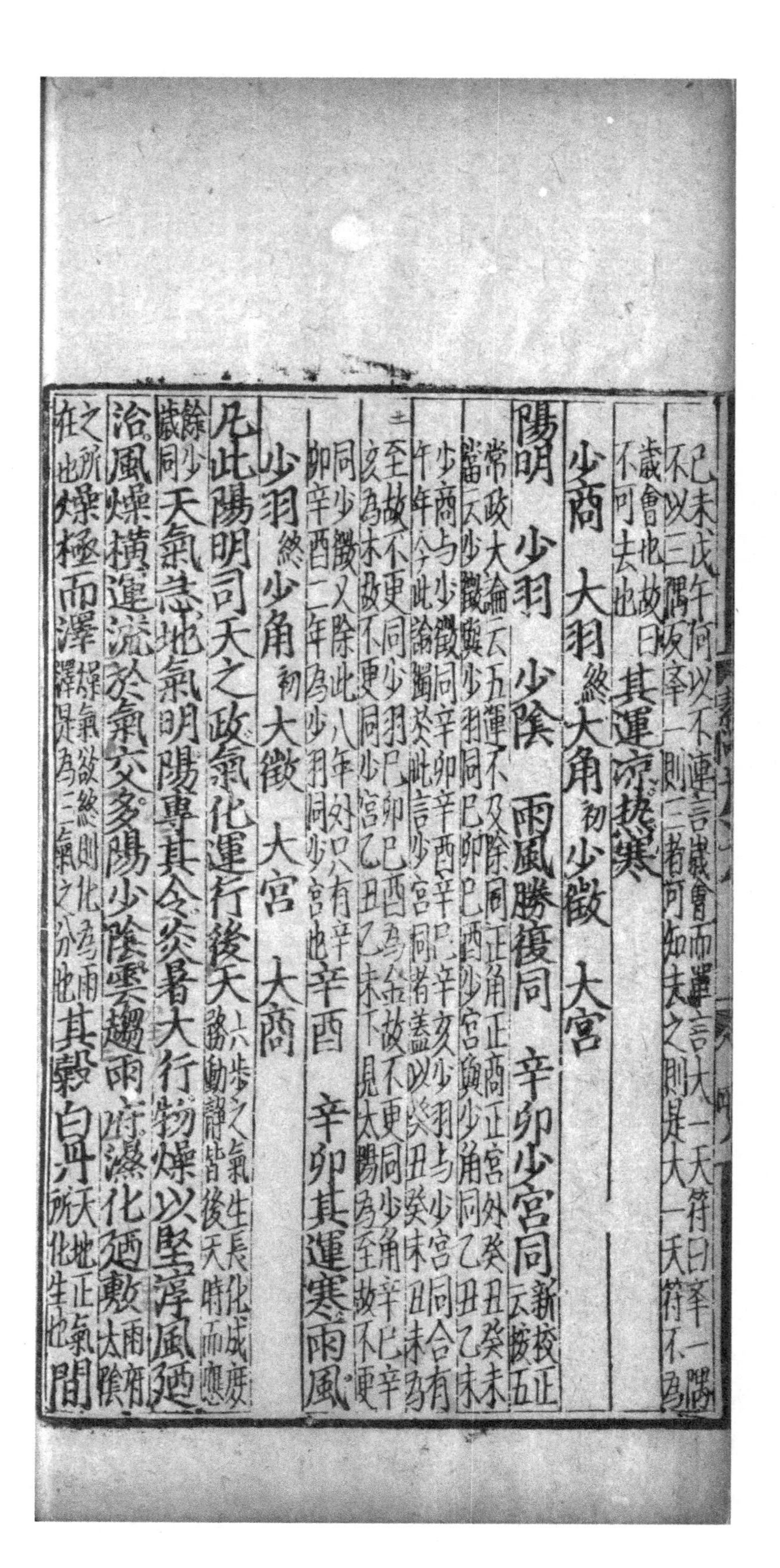
己未戊午何以不連言歲會而單言大一天符曰舉一隅不以三隅反舉一則二者可知矣去之則是大一天符不為歲會也故曰不可去也其運涼熱寒

少商　大羽終大角初少徵　大宮

陽明　少羽　少陰　雨風勝復同　辛卯少宮同新校正云詳五常政大論云五運不及除同正角正商正宮外癸丑癸未當云少徵與少羽同己卯己酉少宮與少角同乙丑乙未少商與少徵同辛卯辛酉辛巳辛亥少羽與少宮同合有午年今此論獨於此言少宮同者蓋以癸丑癸未丑未為土至故不更同少羽己卯己酉為金故不更同少角辛巳辛亥為木故不更同少宮乙丑乙未下見太陽為至故不更同少徵又除此八年外只有辛卯辛酉二年為少羽同少宮也辛酉　辛卯其運寒雨風

少羽終少角初大徵　大宮　大商

凡此陽明司天之政氣化運行後天六步之氣生長化成庶務動靜皆後天時而應餘少歲同天氣急地氣明陽專其令炎暑大行物燥以堅淳風乃治風燥橫運流於氣交多陽少陰雲趨雨府濕化乃敷雨府太陰之所在也燥極而澤燥氣欲終則化為雨澤是為三氣之分也其穀白丹天地正氣所化生也間

穀命大者命大者謂前文大角商羽等氣之化者間氣化生故云間穀也○新校正云按玄珠云歲穀與間穀者何即在泉為歲穀及在泉之左右間者皆為歲穀其司天及運間而化者名間穀及別有一名間穀者是地化不及即反所勝而生者故名間穀即邪氣之化又名並化之穀也亦名間穀與王注頗異其耗白甲品羽白色中蟲多品羽類有羽翼者耗散粢盛蟲鳥甲兵歲為災以耗竭物類金火合德上應太白熒惑見大而明其政切其令暴蟄蟲迺見流水不冰民病欬嗌塞寒熱發暴振慄癃閟清先而勁毛蟲迺死熱後而暴介蟲迺殃其發暴勝復之作擾而大亂金先勝木已承害故毛蟲死火後勝金不勝故介蟲復殃勝而行殺弱者已亡復者後來強者又死非大亂氣其々謂也清熱之氣持於氣交初之氣地氣遷陰始凝氣始肅水迺冰寒雨化其病中熱脹面目浮腫善眠鼽衄嚏欠嘔小便黃赤甚則淋大陰之化○新校正云詳氣肅水冰疑非大陰之化二之氣陽迺布民迺舒物迺生榮癘大至民善暴死臣位君故爾三之氣天政布涼迺行燥熱交合燥極而澤民病寒熱寒熱瘧也四之氣寒雨降病暴仆振慄譫妄少氣嗌乾引飲及為心痛癰

腫瘡瘍瘧寒之疾骨痿血便（骨痿無力）五之氣春令反行草迺生榮民氣和終之氣陽氣布候反溫蟄蟲來見流水不冰民迺康平其病溫（君之化也）故食歲穀以安其氣食間穀以去其邪歲宜以鹹以苦以辛汗之清之散之安其運氣無使受邪折其鬱氣資其化源（化源謂六月迎而取之也○新校正云按金王七月故迎於六月寫金氣）以寒熱輕重少多其制同熱者多天化同清者多地化（少角少徵歲同熱用方多以天清之化治之少宮少商少羽歲同清用方多以地熱之化治之火在地故同清者多地化金在天故同熱者多天化）用涼遠涼用熱遠熱用寒遠寒用溫遠溫食宜同法有假者反之此其道也反之者亂天地之經擾陰陽之紀也帝曰善

少陽之政奈何岐伯曰寅申之紀也

少陽　大角（新校正云按五常政大論云上徵則其氣逆）　厥陰　壬寅（同天符）壬申（同天符）　其氣風鼓（新校正云詳風大合勢故其運風鼓少陰同天大角運亦同）　其化鳴紊啓拆（新校正云按五常政大論云其德鳴靡啓拆）　其變振拉摧拔　其病掉眩

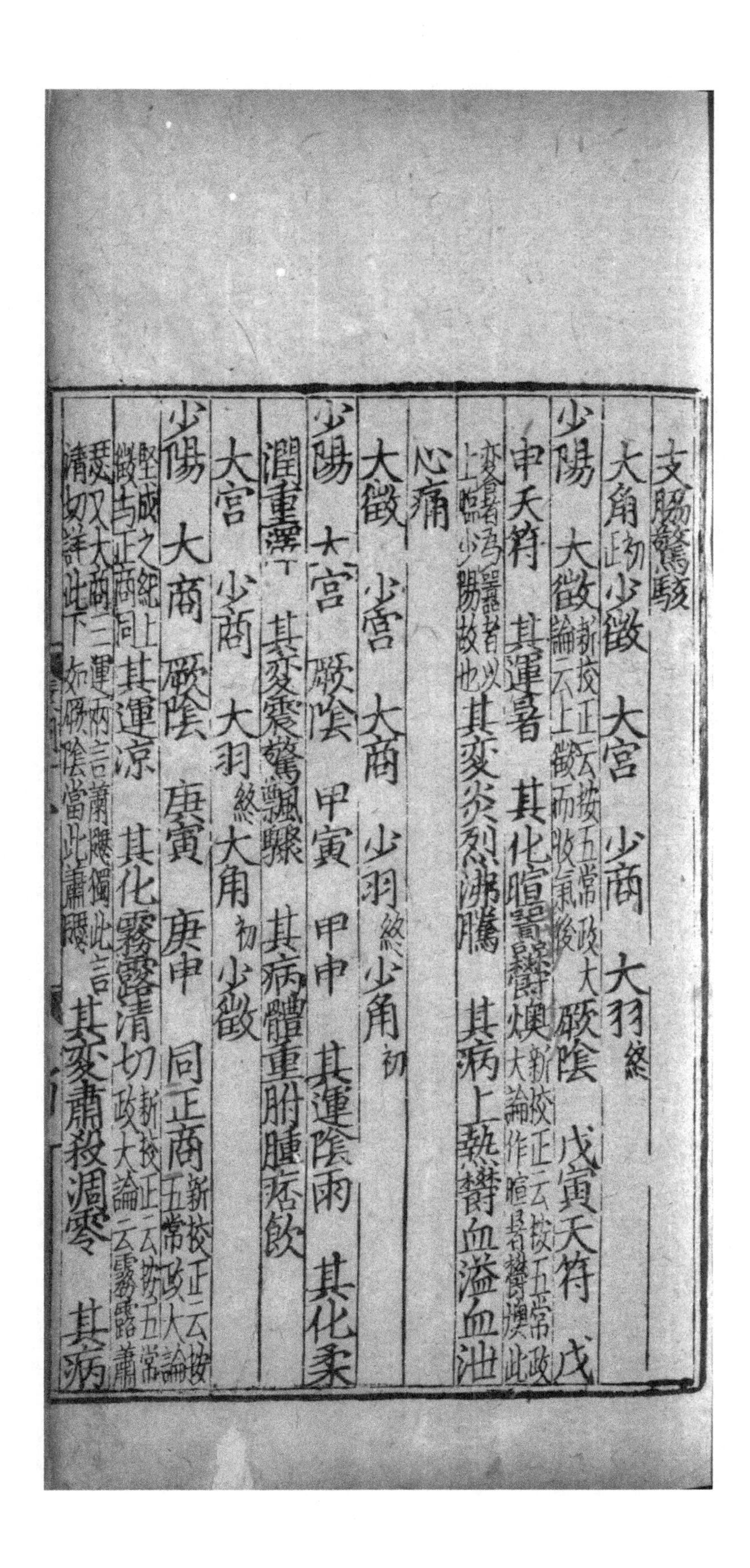

支腸驚駭

大角初正　少徵　大宮　少商　大羽終

少陽　大徵（新校正云按五常政大論云上徵而收氣後）　厥陰　戊寅天符　戊申天符　其運暑　其化暄囂鬱燠（新校正云按五常政大論作暄暑鬱燠此變暑為囂者以上臨少陽故也）　其變炎烈沸騰　其病上熱鬱血溢血泄心痛

大徵　少宮　大商　少羽終　少角初

少陽　大宮　厥陰　甲寅　甲申　其運陰雨　其化柔潤重澤　其變震驚飄驟　其病體重胕腫痞飲

大宮　少商　大羽終　大角初　少徵

少陽　大商　厥陰　庚寅　庚申　同正商（新校正云按五常政大論堅成之紀上徵與正商同）　其運涼　其化霧露清切（新校正云按五常政大論云霧露蕭瑟又大商三運兩言蕭飋獨此言清切詳此下如厥陰當此蕭飋）　其變肅殺凋零　其病

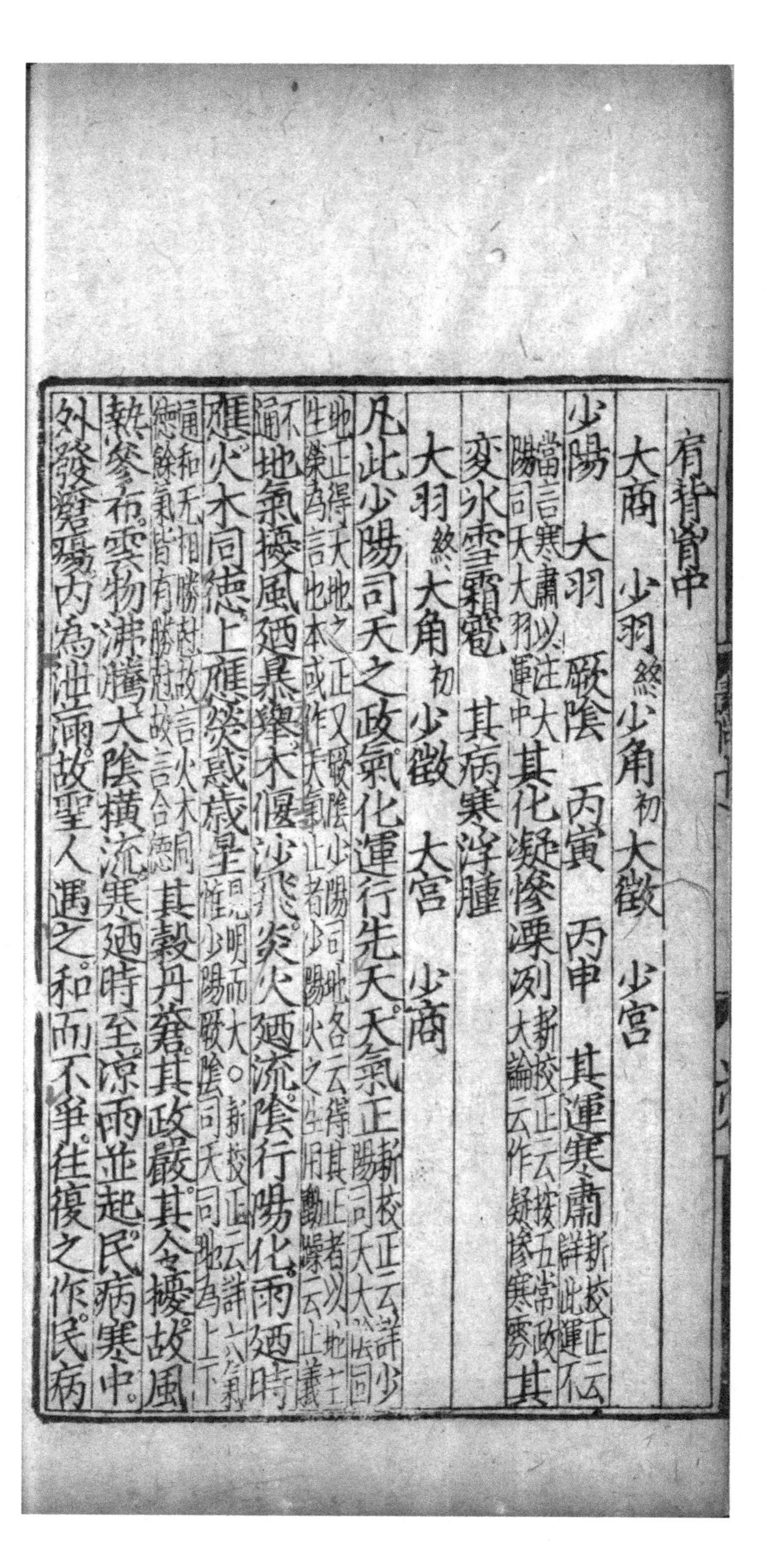

肩背胷中

大商　少羽終　少角初　大徵　少宮

少陽　大羽　厥陰　丙寅　丙申　其運寒肅新校正云詳此運云當言寒肅以注大陽司天大羽運中其化凝慘凓冽新校正云按五常政大論云作凝慘寒雰其變冰雪霜雹　其病寒浮腫

大羽終　大角初　少徵　大宮　少商

凡此少陽司天之政，氣化運行先天，天氣正新校正云詳少陽司天大陰司地正得天地之正又厥陰法少陽司地各云得其正者以地主生榮為言也本或作天氣止者少陽火之性用動躁云止義不通地氣擾，風迺暴舉，木偃沙飛，炎火迺流，陰行陽化，雨迺時應，火木同德，上應熒惑歲星是光明而大。新校正云詳六氣惟少陽厥陰司天司地為上下通和无相勝尅故言火木同德餘氣皆有勝尅故言合德其穀丹蒼，其政嚴，其令擾，故風熱參布，雲物沸騰，大陰橫流，寒迺時至，涼雨並起，民病寒中，外發瘡瘍，內為泄滿，故聖人遇之，和而不爭，往復之作，民病寒熱瘧泄聾瞑嘔吐，上怫腫色變。初之氣，地氣遷，風勝乃搖，寒乃去，候乃大溫，草木早榮。寒來不殺，溫病乃起，其病氣怫於上，血溢目赤，欬逆頭痛，血崩今詳崩字當作崩脇滿，膚腠中瘡少陰。二之氣，火反鬱太陰分故小，白埃四起，雲趨雨府，風下勝濕，雨乃零，民乃康。其病熱鬱於上，欬逆嘔吐，瘡發於中，胸嗌不利，頭痛身熱，昏憒音會膿瘡。三之氣，天政布，炎暑至，少陽臨上，雨乃涯。民病熱中，聾瞑血溢，膿瘡欬嘔，鼽衄渴嚏欠，喉痺目赤，善暴死。四之氣，涼乃至，炎暑間化，白露降，民氣和平。其病滿身重。五之氣，陽乃去，寒乃來，雨乃降，氣門乃閉新校正云按王注生氣通天論氣門玄府也所以發泄經脈榮衛之氣故謂之氣門，剛木早凋，民避寒邪，君子周密。終之氣，地氣正，風乃至，萬物反生，霿霧以行。其病關閉不禁，心痛，陽氣不藏而欬。抑其運氣，贊所不勝，必折其鬱氣，先取化源化源年之前十二月迎而取之。○新校正云詳王注資取化源俱注云取其意有四等大陽司天取九月陽明司大政六月是一者先政在天之氣也少陽同天政年前十二月大陰司天政九月是二者乃先時政在地之氣也少陰司天政年前十二月厥陰司天政四月義不可解按玄珠之說則不然大陽陽明之月與王注合少陽少陰俱政三月大陰政五月厥陰政年前十二月玄珠之義可解王注之月疑有誤也暴過不生苛疾不起苛重也新校正云詳此不言食歲穀間穀者蓋此歲天地氣正上下通和故不言也故歲宜鹹宜辛宜酸

滲之泄之漬之發之觀氣寒溫以調其過同風熱者多寒化

異風熱者少寒化大角大徵歲同風熱以寒化多之大宮大商大羽歲異風熱以涼調其過也用

熱遠熱用溫遠溫用寒遠寒用涼遠涼食宜同法此其道也

有假者反之反是者病之階也帝曰善大陰之政奈何岐伯

曰丑未之紀也

大陰　少角　大陽　清熱勝復同　同正宮新校正云按五常政大論

一云委和之紀上宮與正宮同　丁丑　丁未　其運風清熱

少角初正　大徵　少宮　大商　少羽終

大陰　少徵　大陽　寒雨勝復同　癸丑　癸未　其運

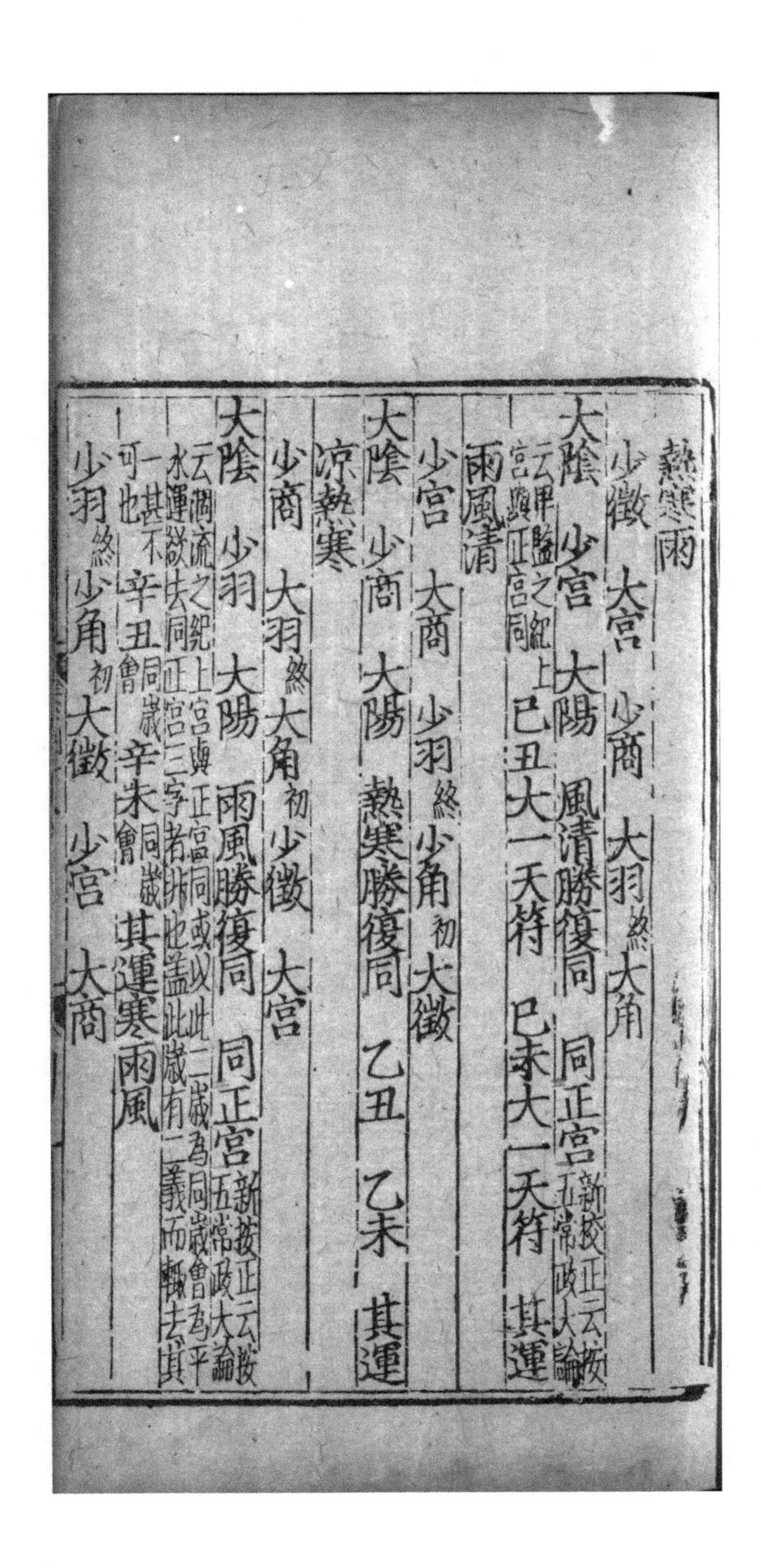

熱寒雨

少徵　大宮　少商　大羽終　大角

大陰　少宮　大陽　風清勝復同　同正宮新校正云按五常政大論云甲己之紀上宮與正宮同　己丑大一天符　己未大一天符　其運雨風清

少宮　大商　少羽終　少角初　大徵

大陰　少商　大陽　熱寒勝復同　乙丑　乙未　其運涼熱寒

少商　大羽終　大角初　少徵　大宮

大陰　少羽　大陽　雨風勝復同　同正宮新校正云按五常政大論云涸流之紀上宮與正宮同或以此二歲為同歲會為平水運欲去同正宮三字者非也蓋此歲有二義而輒去其一甚不可也　辛丑同歲會　辛未同歲會　其運寒雨風

少羽終　少角初　大徵　少宮　大商

凡此太陰司天之政，氣化運行後天。万物生長化成，皆後天時而生成也。陰專其政，陽氣退辟，大風時起。新校正云：詳此太陰之政，何以言大風時起？蓋厥陰為初氣，居木位，春氣正，風迺來，故言大風時起。天氣下降，地氣上騰，原野昏霧，白埃四起，雲奔南極，寒雨數至，物成於差夏。南極，雨府也。差夏，謂立秋之後一十日也。民病寒濕，腹滿身䐜憤，胕腫痞逆，寒厥拘急，濕寒合德，黃黑埃昏，流行氣交，上應鎮星、辰星。見大而明。其政肅，其令寂，其穀黅玄。正氣所生成也。故陰凝於上，寒積於下，寒水勝火，則為冰雹，陽光不治，殺氣迺行。黃黑昏埃，是謂殺氣，自北及西，流行於東及南也。故有餘宜高，不及宜下，有餘宜晚，不及宜早，土之利，氣之化也，民氣亦從之，間穀命其大也。以間氣之大者，言其穀也。初之氣，地氣遷，寒迺去，春氣至，風迺來，生布萬物以榮，民氣條舒，風濕相薄，雨迺後。民病血溢，筋絡拘強，關節不利，身重筋痿。二之氣，大火正，物承化，民迺和。其病溫厲大行，遠近咸若，濕蒸相薄，雨迺時降。應順天常，不愆時候，謂之時雨。○新校校正云詳此以少陰居君火之位故言大火正三之氣天政布濕氣降地氣騰雨迺時降寒迺隨之感於寒濕則民病身重胕腫胸腹滿四之氣畏火臨溽蒸化地氣騰天氣否隔寒風曉暮蒸熱相薄草木凝煙濕化不流則白露陰布以成秋令萬物得之以成民病腠理熱血暴溢瘧心腹滿熱臚脹甚則胕腫五之氣慘令已行寒露下霜迺早降草木黃落寒氣及體君子周密民病皮腠終之氣寒大舉濕大化霜迺積陰迺凝水堅冰陽光不治感於寒則病人關節禁固腰脽痛寒濕持於氣交而為疾也必折其鬱氣而取化源九月化源近而取之以補益也益其歲氣無使邪勝食歲穀以全其真食間穀以保其精故歲宜以苦燥之溫之甚者發之泄之不發不泄則濕氣外溢肉潰皮拆而水血交流必贊其陽火令禦甚寒冬之分其用五步量氣用之也從氣異同少多其判也通言歲運之同異也同寒者以熱化同濕者以燥化少宮少商少羽歲同寒少宮歲又同濕

過故宜燥寒過故宜熱少角少徵歲平和氣之也異者少之同者多之用涼遠涼用
寒遠寒用溫遠溫用熱遠熱食宜同法假者反之此其道也
反是者病也帝曰善少陰之政柰何岐伯曰子午之紀也
少陰　大角新校正云按五常政大論云上徵則其氣逆陽明　壬子　壬午
其運風鼓　其化鳴紊啓坼新校正云按五常政大論云其德鳴靡啓坼其變
振拉摧拔　其病支滿
大角初正　少徵　大宮　少商　大羽終
少陰　大徵新校正云按五常政大論云上徵而收氣後陽明　戊子天符　戊
午大一天符　其運炎暑新校正云詳大徵運大陽司天曰熱少陽司天曰暑少陰司天
民炎暑兼司天之氣而言運也其化暄曜鬱燠新校正云按五常政大論作暄暑鬱燠此變暑爲曜
者以上臨少陰故也其變炎烈沸騰　其病上熱血溢
大徵　少宮　大商　少羽終　少角初
少陰　大宮　陽明　甲子　甲午　其運陰雨　其化柔

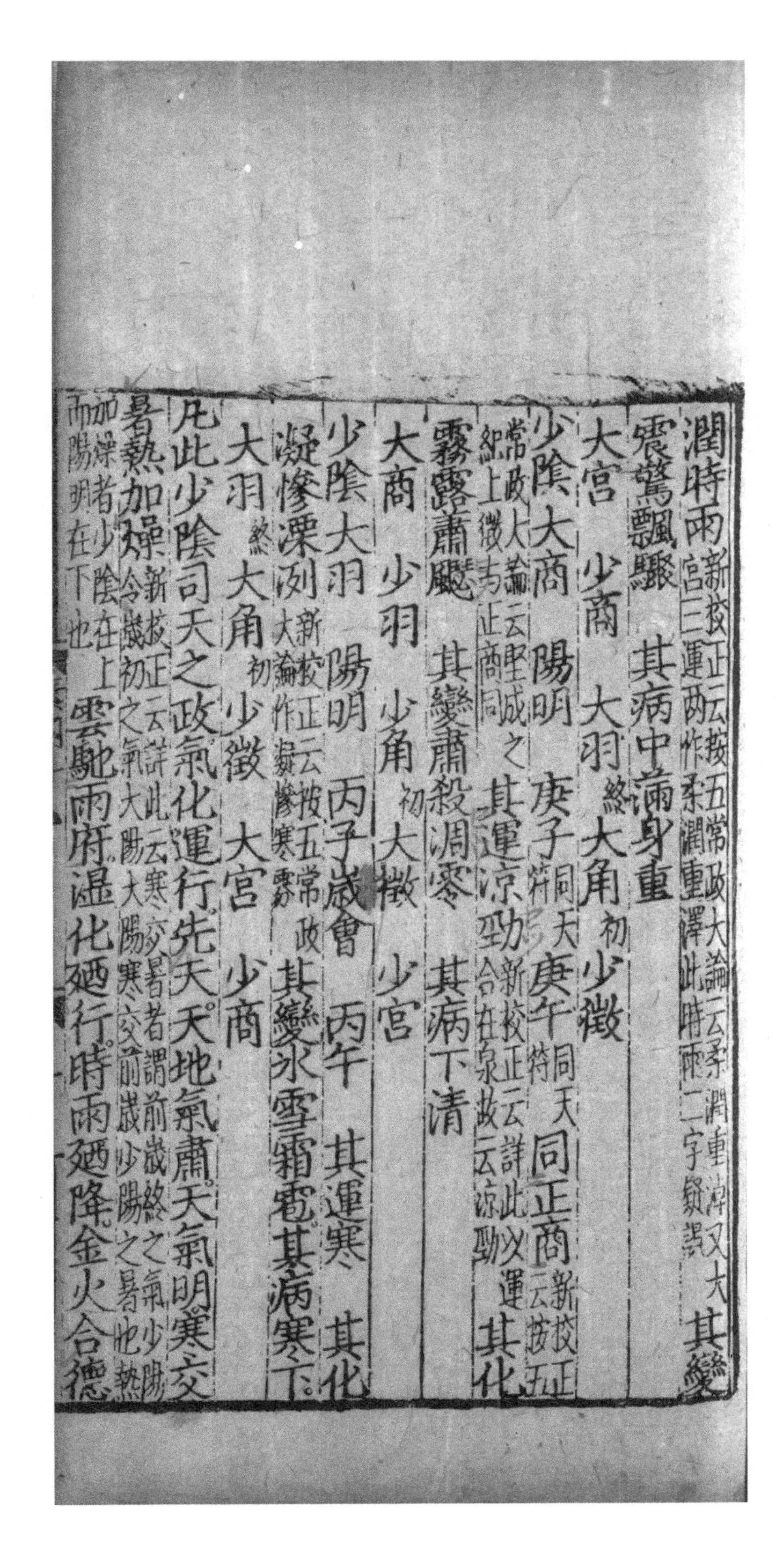

潤時雨新校正云按五常政大論云柔潤重淖又大宮三運兩作柔潤重澤此時雨二字疑誤其變

震驚飄驟　其病中滿身重

大宮　少商　大羽終　大角初　少徵

少陰　大商　陽明　庚子同天符　庚午同天符　同正商新校正云按五常政大論云堅成之紀上徵与正商同其運涼勁新校正云詳此以運合在泉故云涼勁其化

霧露蕭飋　其變肅殺凋零　其病下清

大商　少羽　少角初　大徵　少宮

少陰　大羽　陽明　丙子歲會　丙午　其運寒　其化

凝慘凓冽新校正云按五常政大論作凝慘寒雰其變冰雪霜雹。其病寒下。

大羽終　大角初　少徵　大宮　少商

凡此少陰司天之政，氣化運行先天。天地氣肅，天氣明，寒交暑，熱加燥，新校正云詳此云寒交暑者謂前歲終之氣少陽今歲初之氣大陽大陽寒交前歲少陽之暑也熱加燥者少陰在上而陽明在下也雲馳雨府，溼化迺行，時雨迺降，金火合德上應熒惑太白（見而明大）其政明其令切其穀丹白水火寒熱持於氣交而為病始也熱病生於上清病生於下寒熱凌犯而爭於中民病欬喘血溢血泄鼽嚏目赤眥瘍寒厥入胃心痛腰痛腹大嗌乾腫上初之氣地氣遷燥將去（新校正云按陽明在泉之前歲為少陽少陽者暑暑往而陽明在地大陽初之氣故上文寒交暑是暑去而寒始也此燥字乃暑字之誤也）寒迺始蟄復藏水迺冰霜復降風迺至（新校正云按六微旨大論大陽居木位為寒風切冽此風乃至常作風迺冽）陽氣鬱民反周密關節禁固腰脽痛炎暑將起中外瘡瘍二之氣陽氣布風迺行春氣以正萬物應榮寒氣時至民迺和其病淋目瞑目赤氣鬱於上而熱三之氣天政布大火行庶類蕃鮮寒氣時至民病氣厥心痛寒熱更作欬喘目赤四之氣溽暑至大雨時行寒熱互至民病寒熱嗌乾黃癉鼽衄飲發五之氣畏火臨暑反至陽迺化萬物迺生迺長榮民迺康其病溫終之氣燥令行餘火內格腫於上欬

喘甚則血溢。寒氣數舉，則霧霿翳，病生皮腠，內舍於脇，下連少腹而作寒中，地將易也。氣終則迁，何可長也。必抑其運氣，資其歲勝，折其鬱發，先取化源，先於年前十二月迁而取之。無使暴過而生其病也。食歲穀以全真氣，食間穀以辟虛邪。歲宜鹹以耎之，而調其上，甚則以苦發之，以酸收之，而安其下，甚則以苦泄之。適氣同異，而多少之。同天氣者以寒清化，同地氣者以溫熱化。大角、大徵歲同天氣，宜以寒清治之；大宮、大商、大羽歲同地氣，宜以溫熱治之。化，治也。用熱遠熱，用涼遠涼，用溫遠溫，用寒遠寒，食宜同法。有假則反，此其道也。反是者病作矣。帝曰：善。厥陰之政奈何？岐伯曰：巳亥之紀也。

厥陰　少角　少陽　清熱勝復同　同正角新校正云：按《五常政大論》云：委和之紀，上角与正角同。　丁巳天符　丁亥天符　其運風清熱

少角初正　大徵　少宮　大商　少羽終

厥陰　少徵　少陽　寒雨勝復同　癸巳同歲會　癸亥同歲會

其運熱寒雨

少徵　大宮　少商　大羽終　大角初

厥陰　少宮　少陽　風清勝復同　同正角新校正云按五常政大論云卑監之紀上角与正角同　己巳　己亥　其運雨風清

少宮　大商　少羽終　少角初　大徵

厥陰　少商　少陽　熱寒勝復同　同正角新校正云按五常政大論云從革之紀上角与正角同　乙巳　乙亥　其運凉熱寒

少商　大羽終　大角初　少徵　大宮

厥陰　少羽　少陽　雨風勝復同　辛巳　辛亥　其運寒雨風

少羽終　少角初　大徵　少宮　大商

凡此厥陰司天之政氣化運行後天。諸同正歲氣化運行同天太過歲運化氣行先天時不及歲化生成後天時同正歲化生成与天二十四氣遲速同无先後也。新校正云詳此謂云同正歲時与二十四氣同歲非恐是与大寒日交司氣候同天氣擾地氣正風生高遠炎熱從之雲趨雨府濕化迺行風火同德上應歲星熒惑其政撓其令速其穀蒼丹間穀言太者其耗文角品羽風燥火熱勝復更作蟄蟲來見流水不冰熱病行於下風病行於上風燥勝復形於中初之氣寒始肅殺氣方至民病寒於右之下二之氣寒不去華雪水冰殺氣施化霜迺降名草上焦寒雨數至陽復化民病熱於中三之氣天政布風迺時舉民病泣出耳鳴掉眩四之氣溽暑濕熱相薄爭於左之上民病黃癉而為胕腫五之氣燥濕更勝沈陰迺布寒氣及體風雨迺行終之氣畏火司令陽迺大化蟄蟲出見流水不冰地氣大發草迺生人迺舒其病溫厲必折其鬱氣資其化源化源四月也迎而取之贊其運氣無使邪勝歲宜以辛調上以鹹調下畏火之氣無妄犯之新校正云詳此運何以不言適氣同異少多之制者蓋厥陰之政與少陽之政同六氣分政惟

劉注云少陽之政上下無剋罰之異治化惟一故不再言同風熱者多寒化異風熱者少寒化也用溫遠溫

用熱遠熱用涼遠涼用寒遠寒食宜同法有假反常此之道

也反是者病帝曰善夫子言可謂悉矣然何以明其應乎岐

伯曰昭乎哉問也夫六氣者行有次止有位故常以正月朔

日平旦視之覩其位而知其所在矣陰之所在天應以雲陽之所在天應以清淨自

然分布象見不差運有餘其至先運不及其至後先後者寅時之先後也先則丑後後

則卯初此天之道氣之常也天道昭然當期必應見無差失是氣之常運非有餘非

不足是謂正歲其至當其時也當時謂當寅之正也帝曰勝復之氣其

常在也災眚時至候也奈何岐伯曰非氣化者是謂災也二十

交備矣帝曰天地之數終始奈何岐伯曰悉乎哉問也是明道

也數之始起於上而終於下歲半之前天氣主之歲半之後

地氣主之歲半謂立秋之日也○新校正云詳初氣交司在前歲大寒日歲半當在立秋前一氣之十五日不

得云立秋之日也上下交互氣交主之歲紀畢矣交互互躰也上躰下躰之中有二互

（射也）故曰位明氣月可知乎所謂氣也（大凡一氣主六十日而有奇以立位數之位同一氣則月之節氣中氣可知也故言天地氣者以上下射言勝復者以氣交言橫運者以上下互皆以節氣准之候之災眚變復可期矣）帝曰余司其事則而行之不合其數何也歧伯曰氣用有多少化洽有盛衰衰盛多少同其化也帝曰願聞同化何如歧伯曰風溫春化同熱曛昏火夏化同勝與復同燥清煙露秋化同雲雨昏暝埃長夏化同寒氣霜雪冰冬化同此天地五運六氣之化更用盛衰之常也帝曰五運行同天化者命曰天符余知之矣願聞同地化者何謂也歧伯曰大過而同天化者三不及而同天化者亦三大過而同地化者三不及而同地化者亦三此凡二十四歲也（六十年中同天地之化者凡二十四歲餘悉隨已多少）帝曰願聞其所謂也歧伯曰甲辰甲戌大宮下加太陰壬寅壬申大角下加厥陰庚子庚午大商下加陽明如是者三癸巳癸亥少徵下加少陽辛丑辛未少羽下加大陽

癸卯癸酉少徵下加少陰如是者三戊子戊午大徵上臨少陰戊寅戊申大徵上臨少陽丙辰丙戌大羽上臨大陽如是者三丁巳丁亥少角上臨厥陰乙卯乙酉少商上臨陽明己丑己未少宮上臨大陰如是者三除此二十四歲則不加不臨也帝曰加者何謂岐伯曰大過而加同天符不及而加同歲會也帝曰臨者何謂岐伯曰大過不及皆曰天符而變行有多少病形有微甚生死有早晏耳帝曰夫子言用寒遠寒用熱遠熱余未知其然也願聞何謂遠岐伯曰熱無犯熱寒無犯寒從者和逆者病不可不敬畏而遠之所謂時與六位也四時氣王之月藥及食衣寒熱溫涼同者皆宜之差四時同犯則以水濟水以火助火病必生帝曰溫涼何如溫涼减於寒熱可抑犯之乎岐伯曰司氣以熱用熱無犯司氣以寒用寒無犯司氣以涼用涼無犯司氣以溫用溫無犯間氣同其主無犯異其主則小犯之是謂四畏必謹察之帝曰善

其犯者何如。須犯者岐伯曰。天氣反時。則可依時。反甚為病則可依時及勝其主則可犯。夏寒甚則可以熱犯熱寒氣不甚則不可犯之以平為期。而不可過。气平則止過則病生過而病生与犯同也是謂邪氣反勝者。气動有勝是謂邪客勝於主不可不禦也六步之气於六位中應寒反熱應熱反寒應溫反涼應涼反溫是謂六步之邪勝也差冬反溫差夏反冷差秋反熱差春反涼是謂四時之邪勝也勝則反其氣以平之故曰。無失天信。無逆氣宜。無翼其勝。無贊其復。是謂至治。天信謂至時必定異贊當佐之謹守天信是謂至真剋理也帝曰。善。五運氣行。主歲之紀。其有常數乎。岐伯曰。臣請次之。

甲子　甲午歲

上少陰火　中大宮土運　下陽明金　熱化二新校正云詳對化從標成數正化從本生數甲子之年熱化七燥化九甲午之年熱化二燥化四雨化五新校正云按本論正文云大過不及其數何始大過者其數成不及者其數生土常以生也甲年大宮土運大過故言雨化五五土數也燥化四　所謂正化日也。正气化也其化。上鹹寒。中苦熱。下酸熱。所謂藥食宜也。新校正云按玄珠云下苦熱又按至真要大論云熱淫所勝平以鹹寒燥

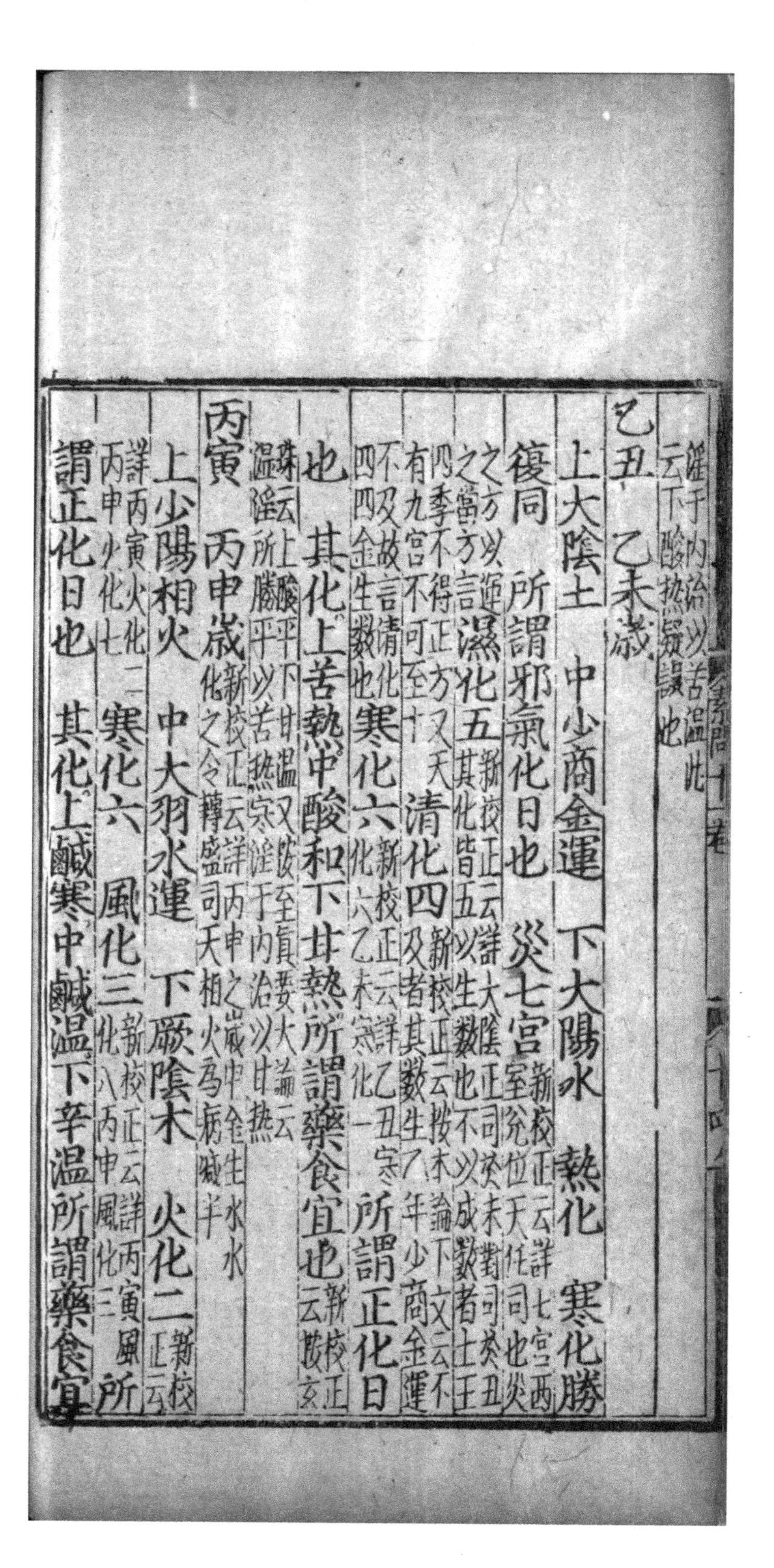

淫于內治以苦溫此云下酸熱疑誤也

乙丑　乙未歲

上太陰土　中少商金運　下太陽水　熱化　寒化勝

復同　所謂邪氣化日也　災七宮新校正云詳七宮西室兑位天柱司也災之方以運之當方言

濕化五新校正云詳太陰正司癸未對司癸丑其化皆五以生數也不以成數者土王四季不得正方又天有九宮不可至十

清化四新校正云按木論下文云不及者其數生乙年少商金運不及故言清化四四金生數也

寒化六新校正云詳乙丑寒化六乙未寒化一　所謂正化日也

其化上苦熱　中酸和　下甘熱　所謂藥食宜也新校正云按玄珠云上酸平下甘溫又按至真要大論云濕淫所勝平以苦熱寒淫于內治以甘熱

丙寅　丙申歲新校正云詳丙申之歲申金生水水化之令轉盛司天相火為病減半

上少陽相火　中太羽水運　下厥陰木　火化二新校正云詳丙寅火化二丙申火化七　寒化六　風化三新校正云詳丙寅風化八丙申風化三　所謂正化日也　其化上鹹寒　中鹹溫　下辛溫　所謂藥食宜

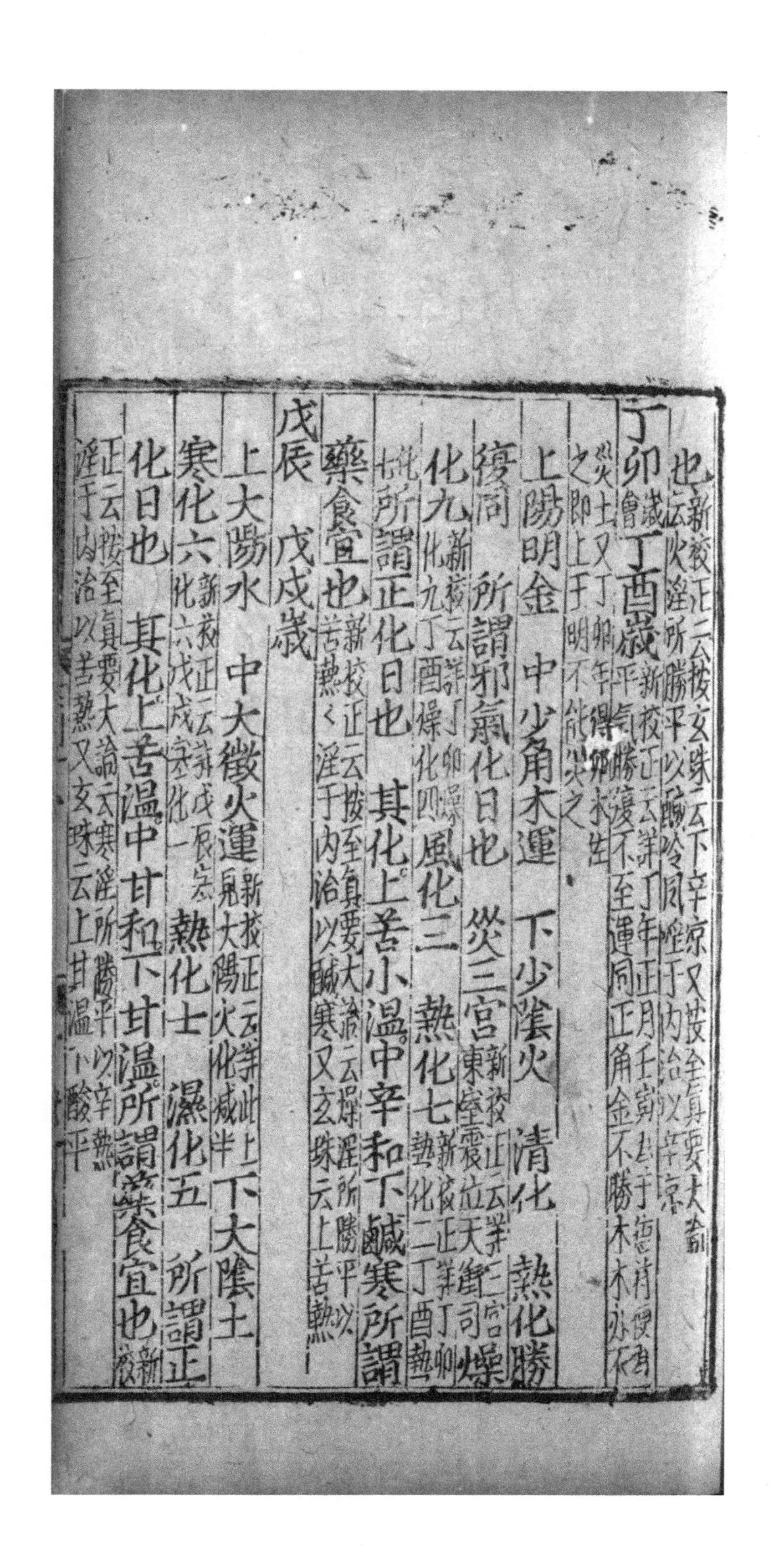

也新校正云按玄珠云下辛凉又按至真要大論云火淫所勝平以鹹冷同淫于内治以辛凉

丁卯會歲丁酉歲新校正云詳丁年正月壬寅為干德符便為平氣勝復不至運同正角金不勝木木亦不災土又丁卯年得卯木佐之即上干明不能災之

上陽明金　中少角木運　下少陰火　清化熱化勝復同　所謂邪氣化日也　災三宮新校正云詳三宮東室震位天衝司　燥化九新校正云詳丁卯燥化九丁酉燥化四　風化三　熱化七新校正云詳丁卯熱化二丁酉熱化七　所謂正化日也　其化上苦小温中辛和下鹹寒所謂藥食宜也新校正云按至真要大論云燥淫所勝平以苦熱〻淫于内治以鹹寒又玄珠云上苦熱

戊辰　戊戌歲

上太陽水　中太徵火運新校正云詳此上見太陽火化減半　下太陰土　寒化六新校正云詳戊辰寒化六戊戌寒化一　熱化七　濕化五　所謂正化日也　其化上苦温中甘和下甘温所謂藥食宜也新校正云按至真要大論云寒淫所勝平以辛熱淫于内治以苦熱又玄珠云上甘温下酸平

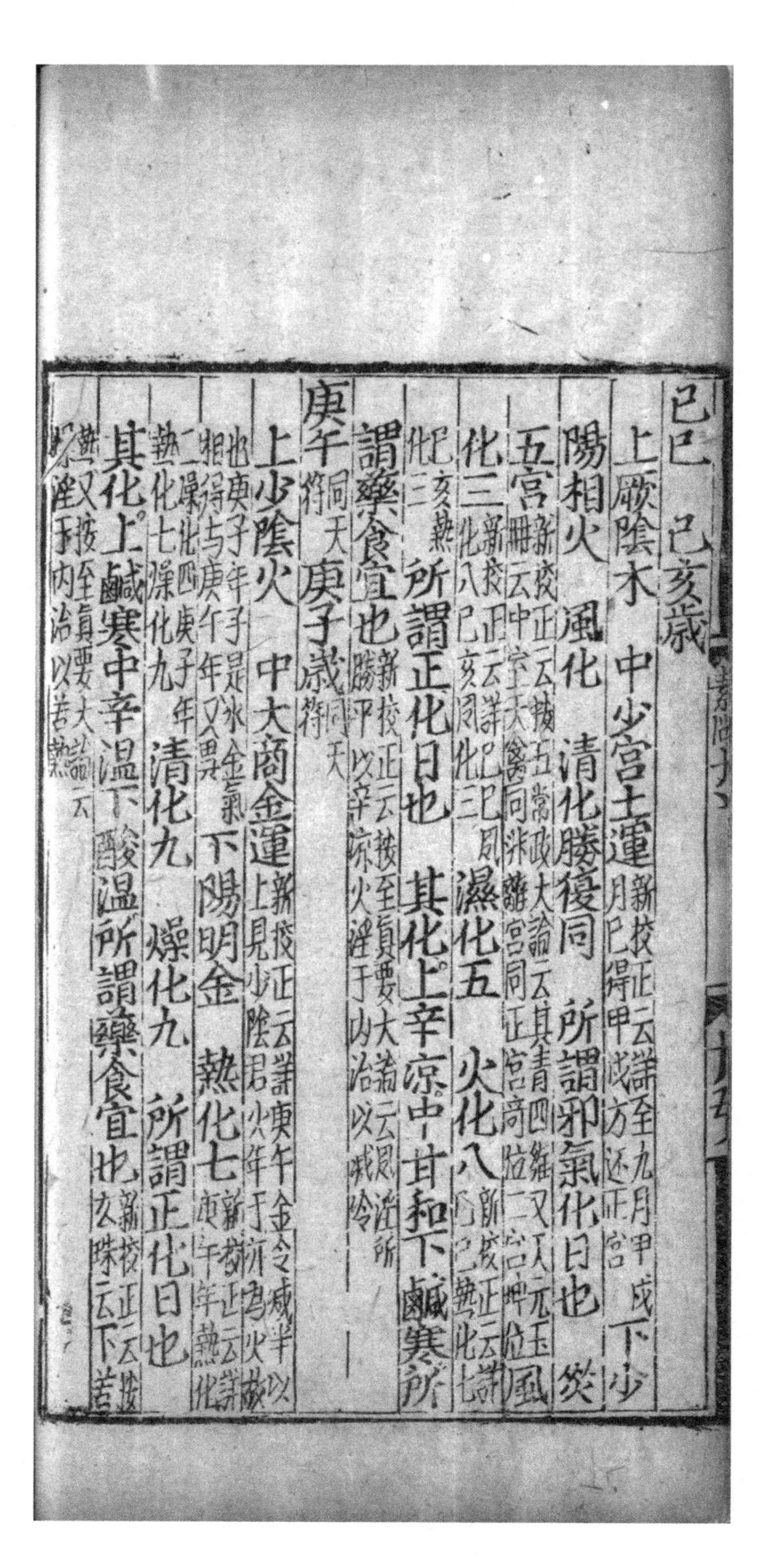

己巳　己亥歲

上厥陰木　中少宮土運（新校正云詳至九月甲戌月已得甲戌方還正宮）下少

陽相火　風化　清化勝復同　所謂邪氣化日也　災

五宮（新校正云按五常政大論云其眚四維又六元正冊云中宮天陰同非離宮同正宮商位二宮坤位風）

化三（新校正云詳己巳風化八己亥同化三）濕化五　火化八（新校正云詳己巳熱化七

己亥熱化二）所謂正化日也　其化上辛涼中甘和下鹹寒所

謂藥食宜也（新校正云按至真要大論云風淫所勝平以辛涼火淫于內治以鹹冷）

庚午（同天符）庚子歲（同天符）

上少陰火　中太商金運（新校正云詳庚午金令減半以上見少陰君火年干亦為火歲

也庚子年子是水金氣相得與庚午年又異）下陽明金　熱化七（新校正云詳庚午年熱化

二燥化四庚子年熱化七燥化九）清化九　燥化九　所謂正化日也

其化上鹹寒中辛溫下酸溫所謂藥食宜也（新校正云按玄珠云下苦

熱又按至真要大論云熱淫于內治以苦熱）

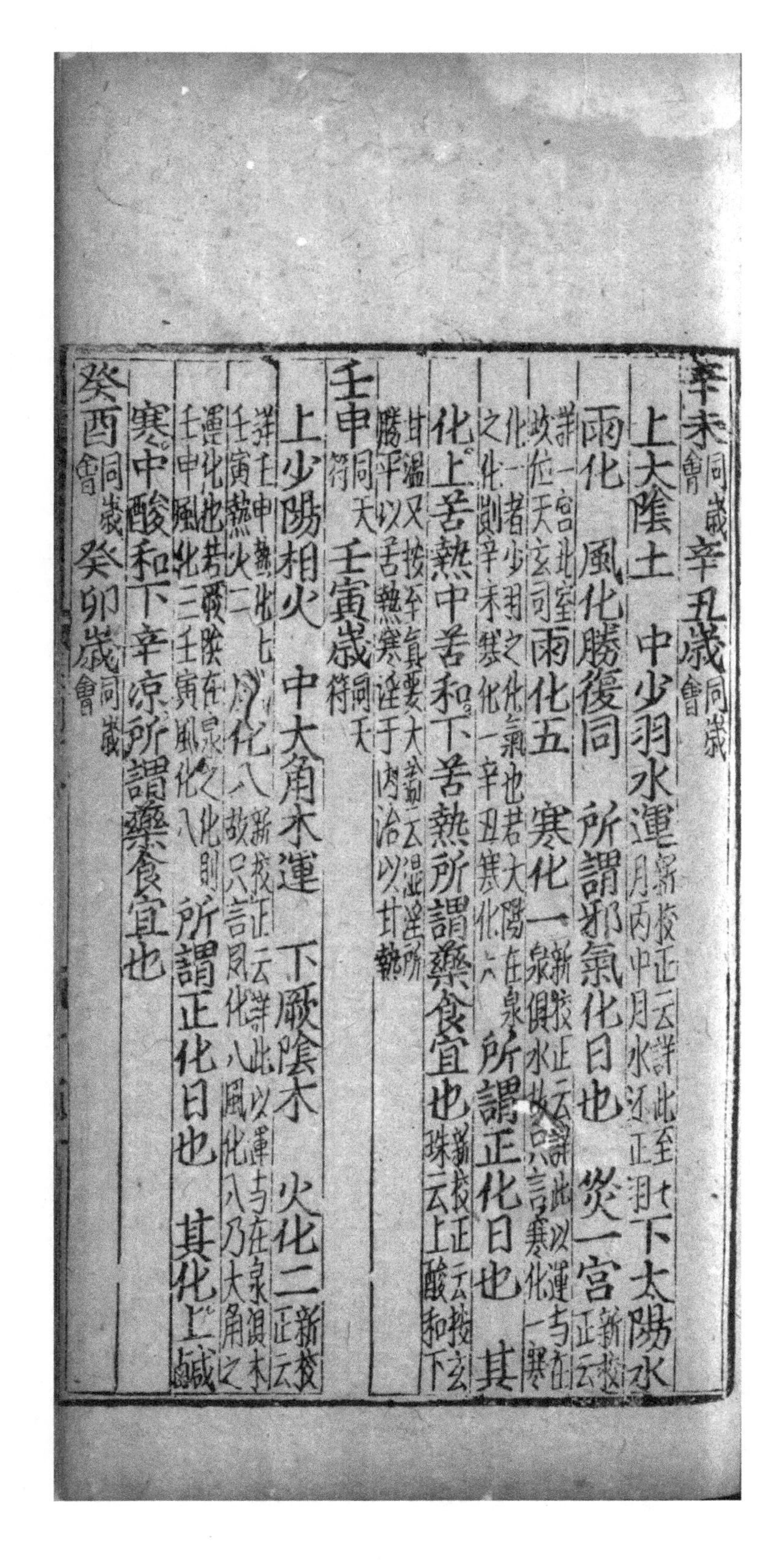

辛未同歲會　辛丑歲同歲會

上太陰土　中少羽水運新校正云詳此至七月丙中月水運正羽　下太陽水

雨化　風化勝復同　所謂邪氣化日也　災一宮新校正云詳一宮北室政佐天玄司

雨化五　寒化一新校正云詳此以運与在泉俱水故只言寒化一

寒化一者少羽之化氣也君大陽在泉之化則辛未寒化一辛丑寒化六　所謂正化日也　其

化上苦熱中苦和下苦熱所謂藥食宜也新校正云按玄珠云上酸和下甘溫又按至真要大論云濕淫所勝平以苦熱寒淫于內治以甘熱

壬申同天符　壬寅歲同天符

上少陽相火　中太角木運　下厥陰木　火化二新校正云詳壬申熱化七壬寅熱火二

風化八新校正云詳此以運与在泉俱木故只言風化八風化八乃大角之運化也若厥陰在泉之化則壬申風化三壬寅風化八　所謂正化日也　其化上鹹

寒中酸和下辛涼所謂藥食宜也

癸酉同歲會　癸卯歲同歲會

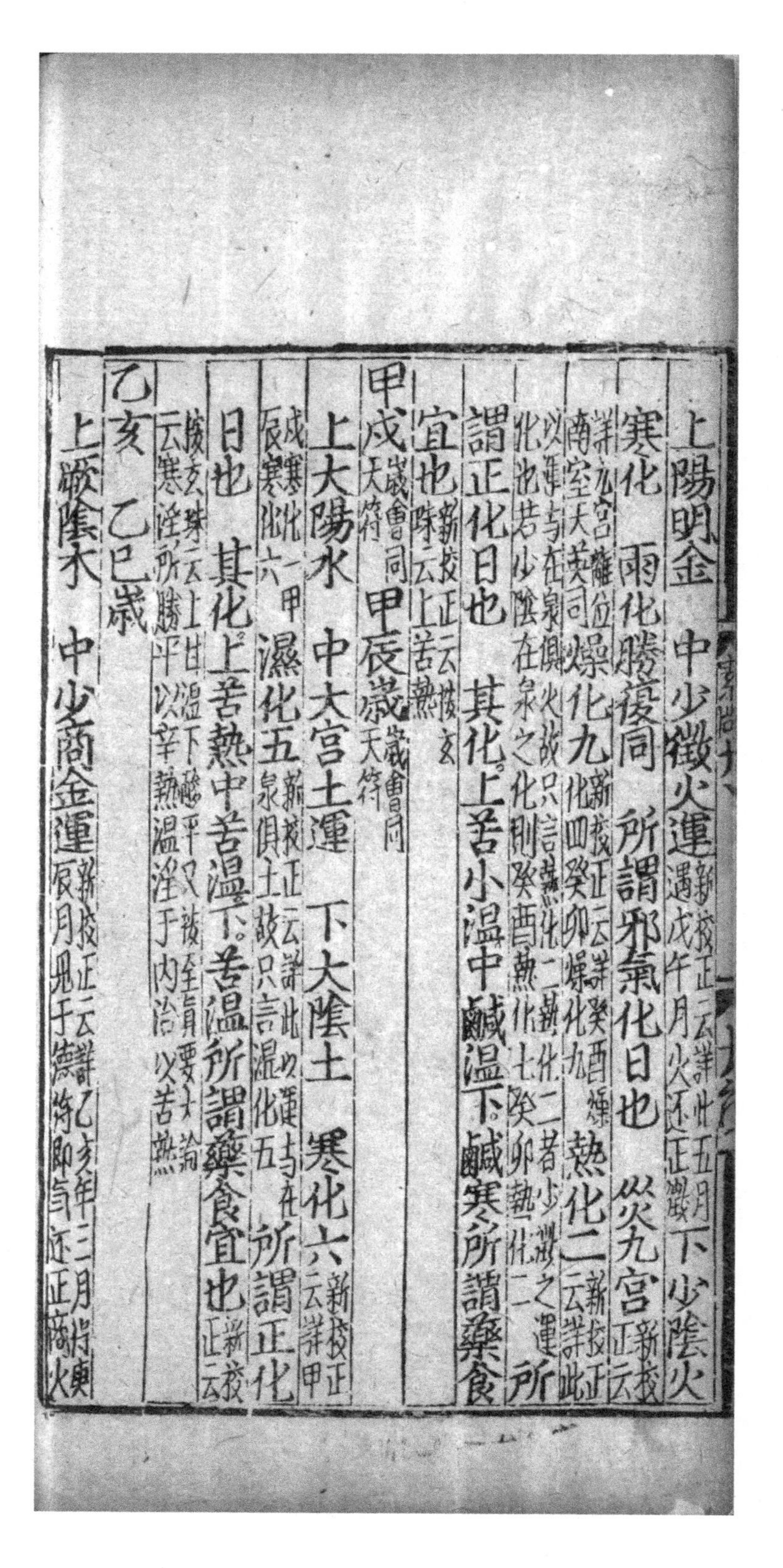

上陽明金　中少徵火運新校正云詳此五月遇戊午月火運正徵　下少陰火

寒化　雨化勝復同　所謂邪氣化日也　災九宮新校正云詳九宮離位南室天英司

燥化九新校正云詳癸酉燥化四癸卯燥化九　熱化二新校正云詳此以運与在泉俱火故只言熱化二二者少徵之運化也若少陰在泉之化則癸酉熱化七癸卯熱化二　所

謂正化日也　其化上苦小溫中鹹溫下鹹寒所謂藥食

宜也新校正云按玄珠云上苦熱

甲戌歲會同天符　甲辰歲歲會同天符

上大陽水　中大宮土運　下大陰土　寒化六新校正云詳甲戌寒化一甲辰寒化六　濕化五新校正云詳此以運与在泉俱土故只言濕化五　所謂正化

日也　其化上苦熱中苦溫下苦溫所謂藥食宜也新校正云按玄珠云上甘溫下酸平又按至眞要大論云寒淫所勝平以辛熱溫淫于內治以苦熱

乙亥　乙巳歲

上厥陰木　中少商金運新校正云詳乙亥年三月得庚辰月見干德符即氣運正商

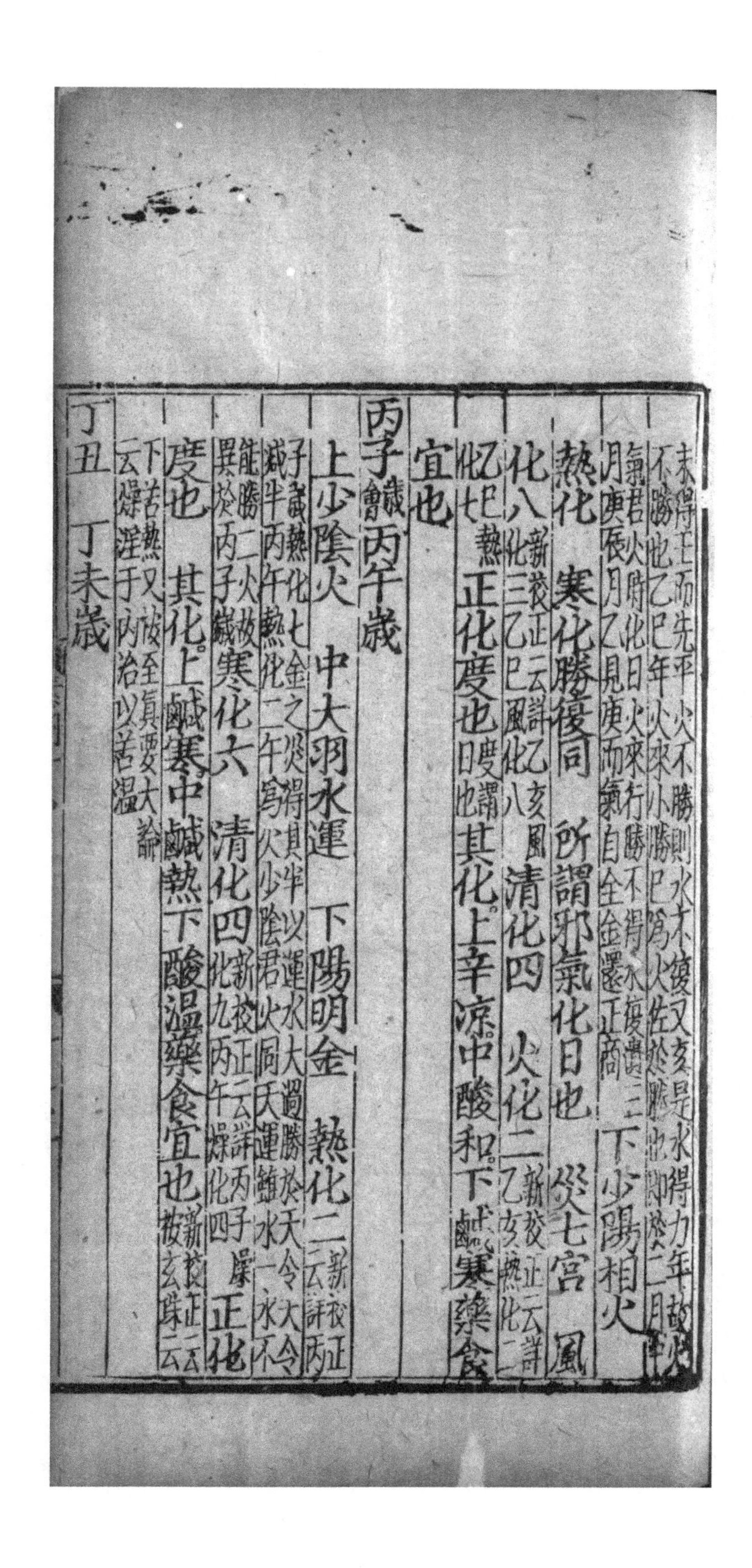

未得王而先平火不勝則水木復又亥是水得力年故火不勝也乙巳年火來小勝巳爲火佐於勝也卯癸二月半氣君火用化日火來行勝不得水復畏之二月庚辰月乙見庚而氣自全金還正商　下少陽相火

熱化　寒化勝復同　所謂邪氣化日也　災七宮　風化八新校正云詳乙亥風化三乙巳風化八　清化四　火化二新校正云詳乙亥熱化二乙巳熱化七　正化度也度謂日也　其化上辛涼，中酸和，下鹹寒，藥食宜也

丙子歲會　丙午歲

上少陰火　中大羽水運　下陽明金　熱化二新校正云詳丙子歲熱化七金之災得其半以運水大過勝於天令大令減半丙午熱化二午寫火少陰君火同天運鑄水一水不能勝二火故異於丙子歲　寒化六　清化四新校正云詳丙子燥化九丙午燥化四　正化度也　其化上鹹寒，中鹹熱，下酸溫，藥食宜也新校正云按玄珠云下苦熱又按至眞要大論云燥淫于內治以苦溫

丁丑　丁未歲

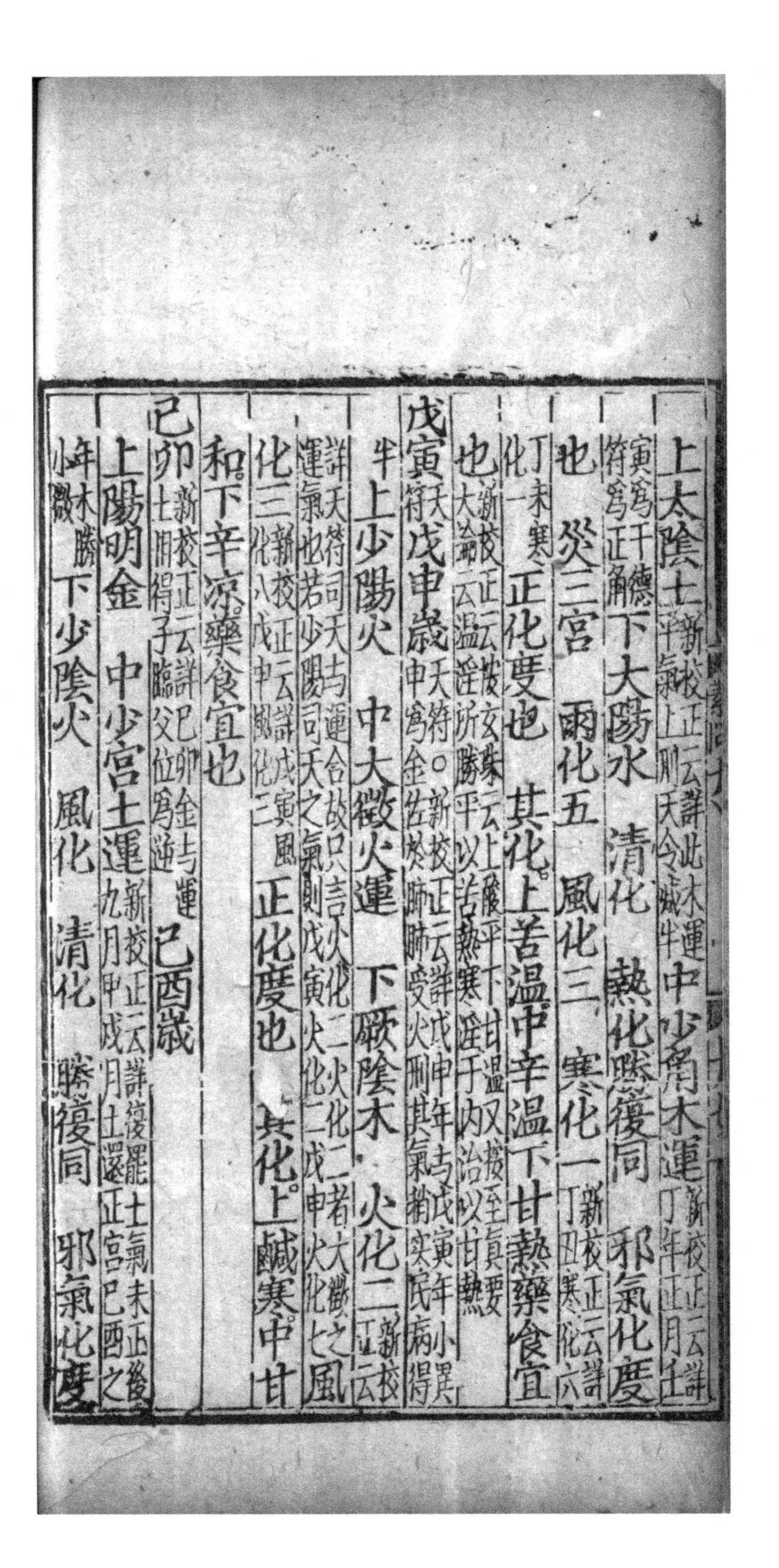

上太陰土新校正云詳此木運平氣上刑天令減半中少角木運新校正云詳丁年正月壬
寅爲干德符爲正角下大陽水　清化　熱化勝復同　邪氣化度
也　災三宮　雨化五　風化三　寒化一新校正云詳丁丑寒化六
丁未寒化一正化度也　其化上苦溫中辛溫下甘熱藥食宜
也新校正云按玄珠云上酸平下甘溫又按至真要大論云溫淫所勝平以苦熱寒淫于內治以甘熱
戊寅天符戊申歲天符○新校正云詳戊申年與戊寅年小異申爲金佐於肺肺受火刑其氣稍實民病得
半上少陽火　中大徵火運　下厥陰木　火化二新校正云
詳天符司天與運合故只言火化二火化二者大徵之運氣也若少陽司天之氣則戊寅火化二戊申火化七風
化三新校正云詳戊寅風化八戊申風化三正化度也　其化上鹹寒中甘
和下辛涼藥食宜也
己卯新校正云詳己卯金與運卯土相得子臨父位爲逆己酉歲
上陽明金　中少宮土運新校正云詳復罷土氣未正後九月甲戌月土還正宮己酉之
年木勝小徵下少陰火　風化　清化　勝復同　邪氣化度

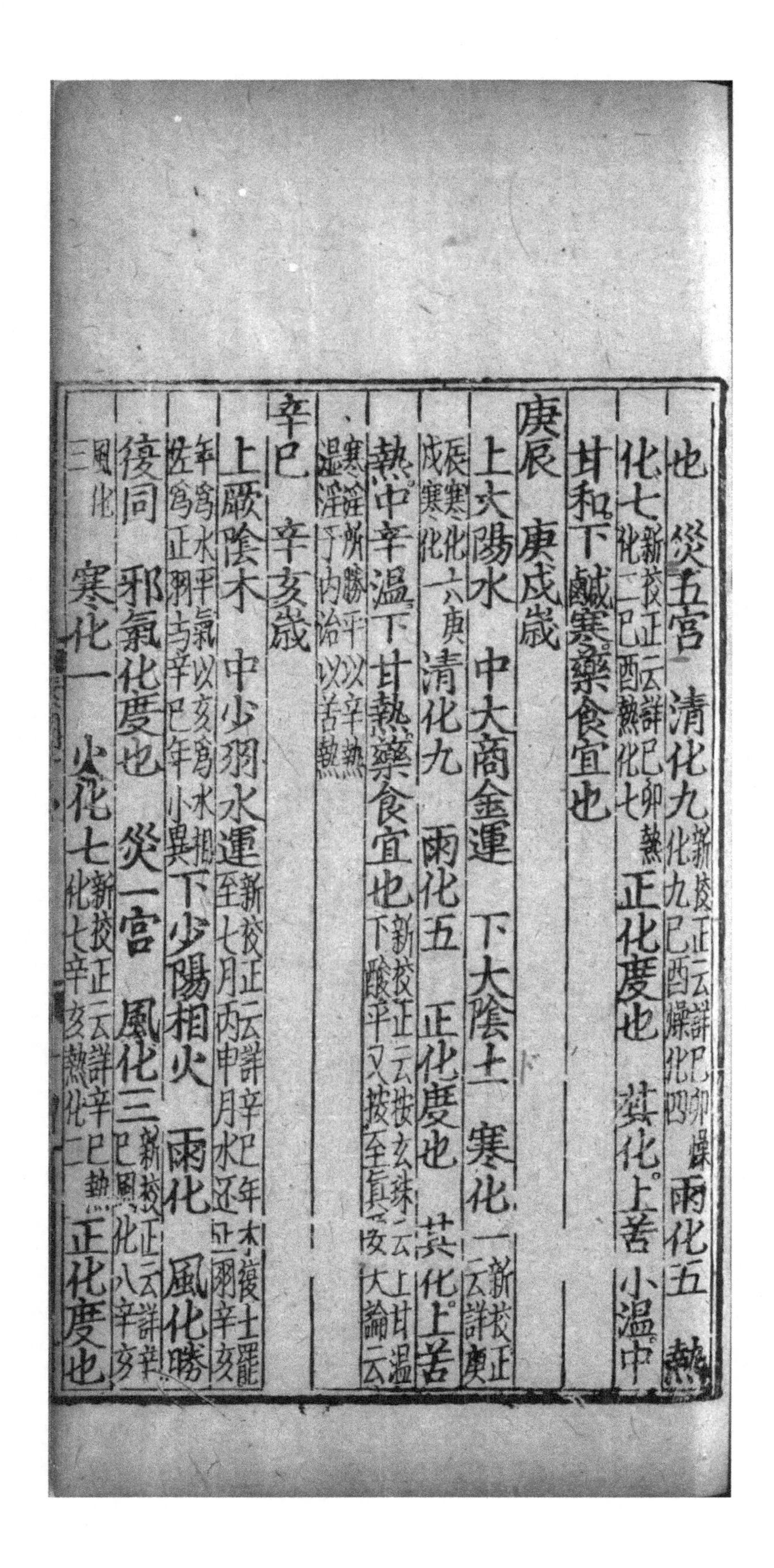

也 災五宮 清化九新校正云詳己卯燥化九己酉燥化四 雨化五 熱化七新校正云詳己卯熱化二己酉熱化七 正化度也 其化上苦小溫中甘和下鹹寒藥食宜也

庚辰 庚戌歲

上太陽水 中太商金運 下太陰土 寒化一新校正云詳庚辰寒化六庚戌寒化一 清化九 雨化五 正化度也 其化上苦熱中辛溫下甘熱藥食宜也新校正云按玄珠云上甘溫下酸平又按至真要大論云寒淫所勝平以辛熱濕淫于內治以苦熱

辛巳 辛亥歲

上厥陰木 中少羽水運新校正云詳辛巳年木復土罷至七月丙申月水還正羽辛亥年爲水平氣以亥爲水相佐爲正羽与辛巳年小異 下少陽相火 雨化風化勝復同 邪氣化度也 災一宮 風化三新校正云詳辛巳風化八辛亥風化三 寒化一 火化七新校正云詳辛巳熱化七辛亥熱化二 正化度也

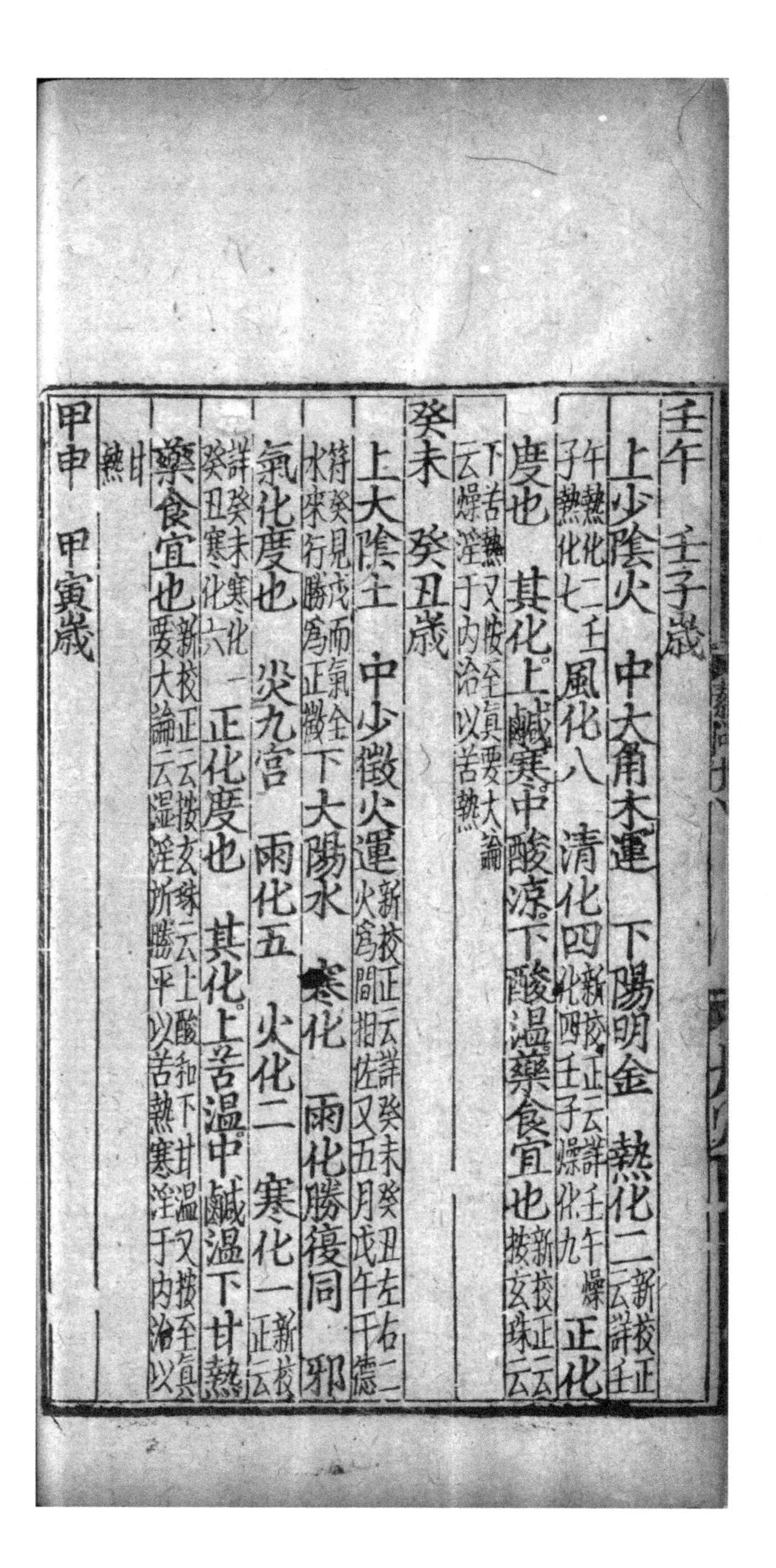

壬午　壬子歲

上少陰火　中太角木運　下陽明金　熱化二新校正云詳壬午熱化二壬子熱化七　風化八　清化四新校正云詳壬午燥化四壬子燥化九　正化度也　其化上鹹寒中酸涼下酸溫藥食宜也新校正云按玄珠云下苦熱又按至真要大論云燥淫于內治以苦熱

癸未　癸丑歲

上太陰土　中少徵火運新校正云詳癸未癸丑左右二火爲間相佐又五月戊午干德符癸見戊而氣全水來行勝爲正徵　下太陽水　寒化　雨化勝復同　邪氣化度也　災九宮　雨化五　火化二　寒化一新校正云詳癸未寒化一癸丑寒化六　正化度也　其化上苦溫中鹹溫下甘熱藥食宜也新校正云按玄珠云上酸和下甘溫又按至真要大論云濕淫所勝平以苦熱寒淫于內治以甘熱

甲申　甲寅歲

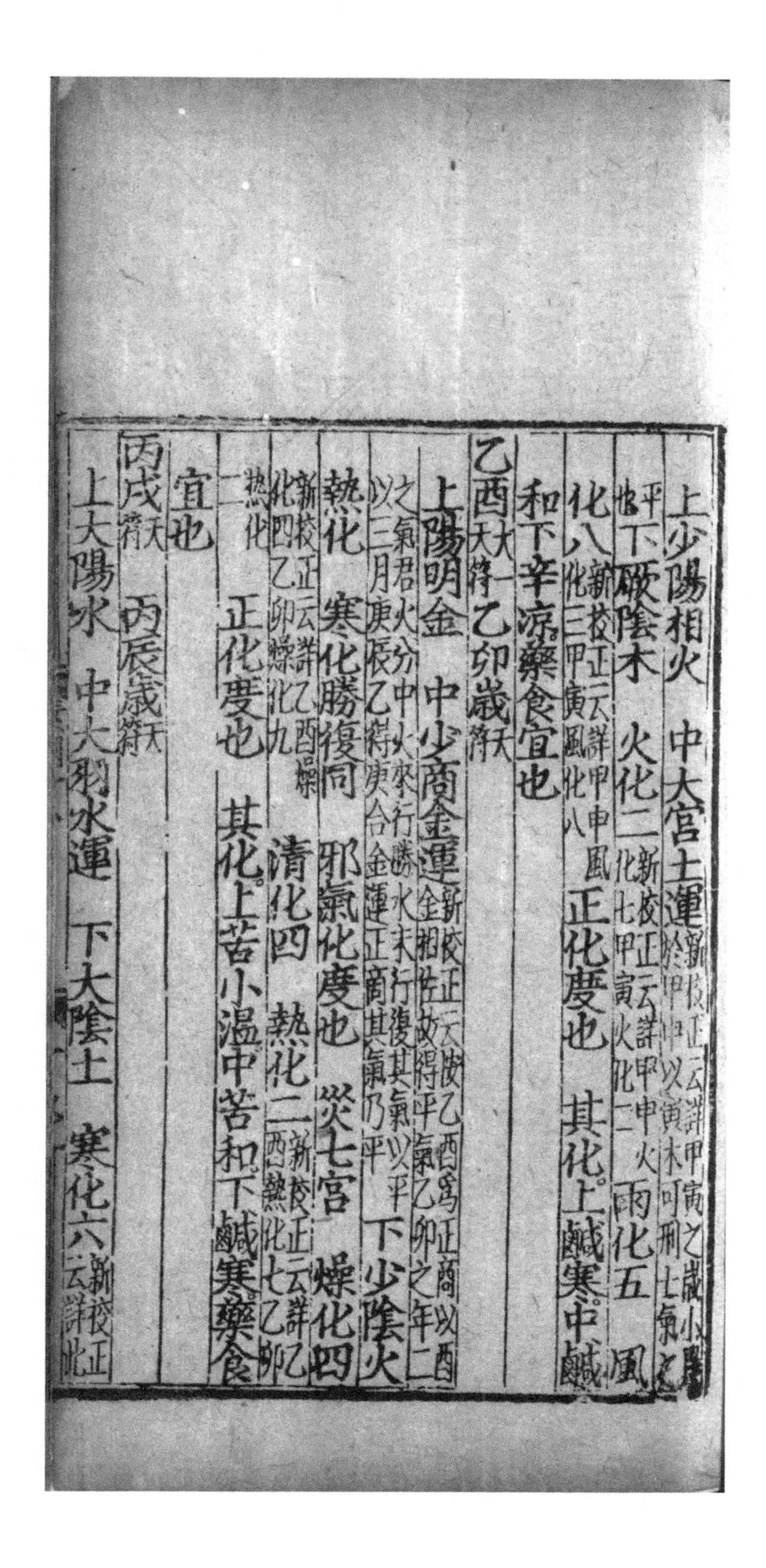

上少陽相火　中太宮土運新校正云詳甲寅之歲小宮於甲申以寅木可刑土氣之平也下厥陰木　火化二新校正云詳甲申火化七甲寅火化二雨化五　風化八新校正云詳甲申風化三甲寅風化八正化度也　其化上鹹寒中鹹和下辛涼藥食宜也

乙酉太一天符　乙卯歲天符

上陽明金　中少商金運新校正云按乙酉為正商以酉金相佐故得平氣乙卯之年二之氣君火分中火來行勝水未行復其氣以平以三月庚辰乙得庚合金運正商其氣乃平下少陰火　熱化　寒化勝復同　邪氣化度也　災七宮　燥化四新校正云詳乙酉燥化四乙卯燥化九清化四　熱化二新校正云詳乙酉熱化七乙卯熱化二正化度也　其化上苦小溫中苦和下鹹寒藥食宜也

丙戌天符　丙辰歲天符

上太陽水　中太羽水運　下太陰土　寒化六新校正云詳此

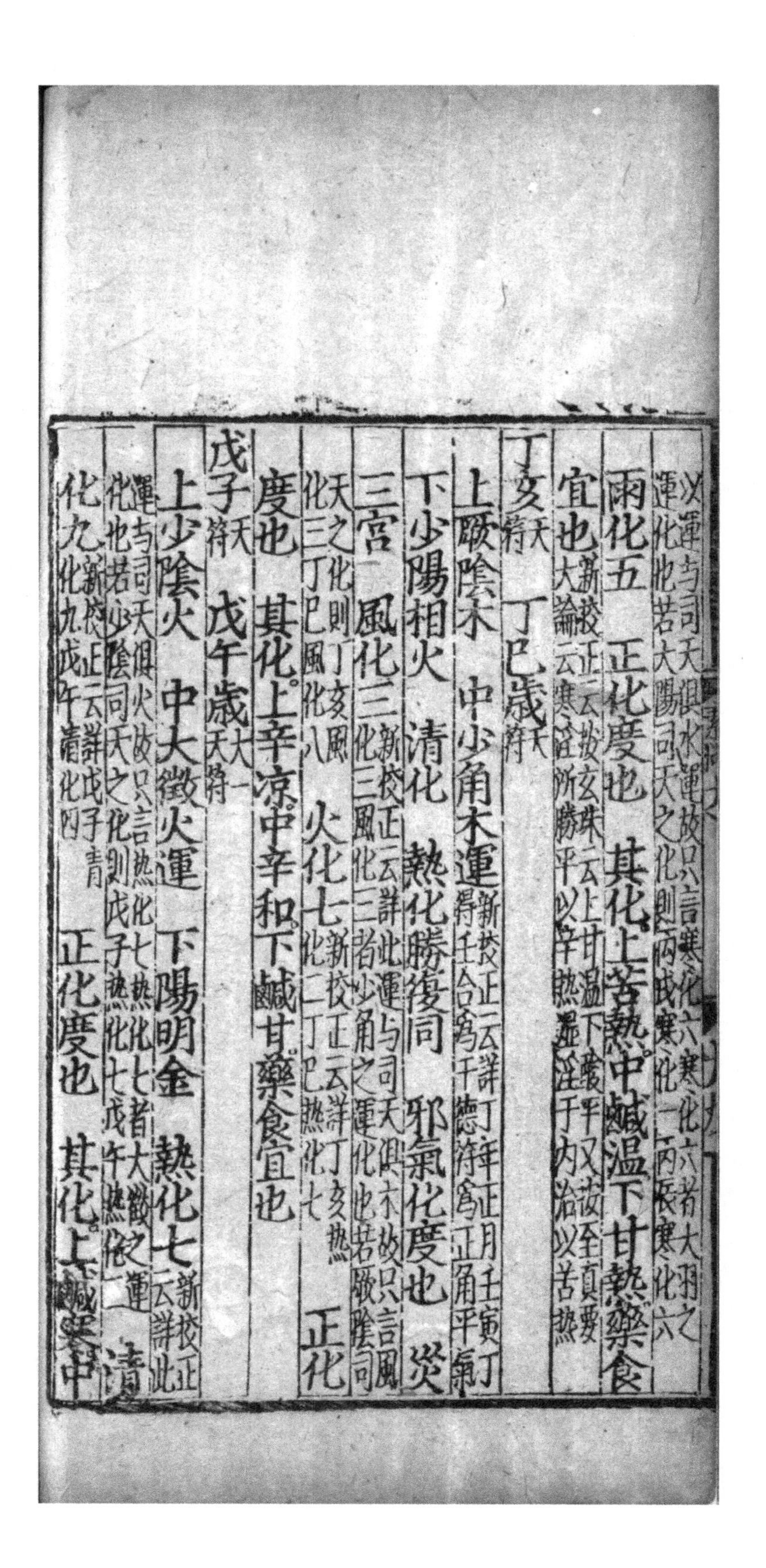

以運与司天俱水運故只言寒化六寒化六者大羽之運化也若大陽司天之化則丙戌寒化一丙辰寒化六

雨化五　正化度也　其化上苦熱中鹹溫下甘熱藥食宜也新校正云按玄珠云上甘溫下酸平又按至真要大論云寒淫所勝平以辛熱濕淫于內治以苦熱

丁亥天符　丁巳歲天符

上厥陰木　中少角木運新校正云詳丁年正月壬寅丁得壬合爲干德符爲正角平氣　下少陽相火　清化　熱化勝復同　邪氣化度也　災三宮　風化三新校正云詳此運与司天俱木故只言風化三風化三者少角之運化也若厥陰司天之化則丁亥風化三丁巳風化八　火化七新校正云詳丁亥熱化二丁巳熱化七　正化度也　其化上辛涼中辛和下鹹甘藥食宜也

戊子天符　戊午歲太一天符

上少陰火　中大徵火運　下陽明金　熱化七新校正云詳此運与司天俱火故只言熱化七熱化七者大徵之運化也若少陰司天之化則戊子熱化七戊午熱化二　清化九新校正云詳戊子清化九戊午清化四　正化度也　其化上鹹寒中

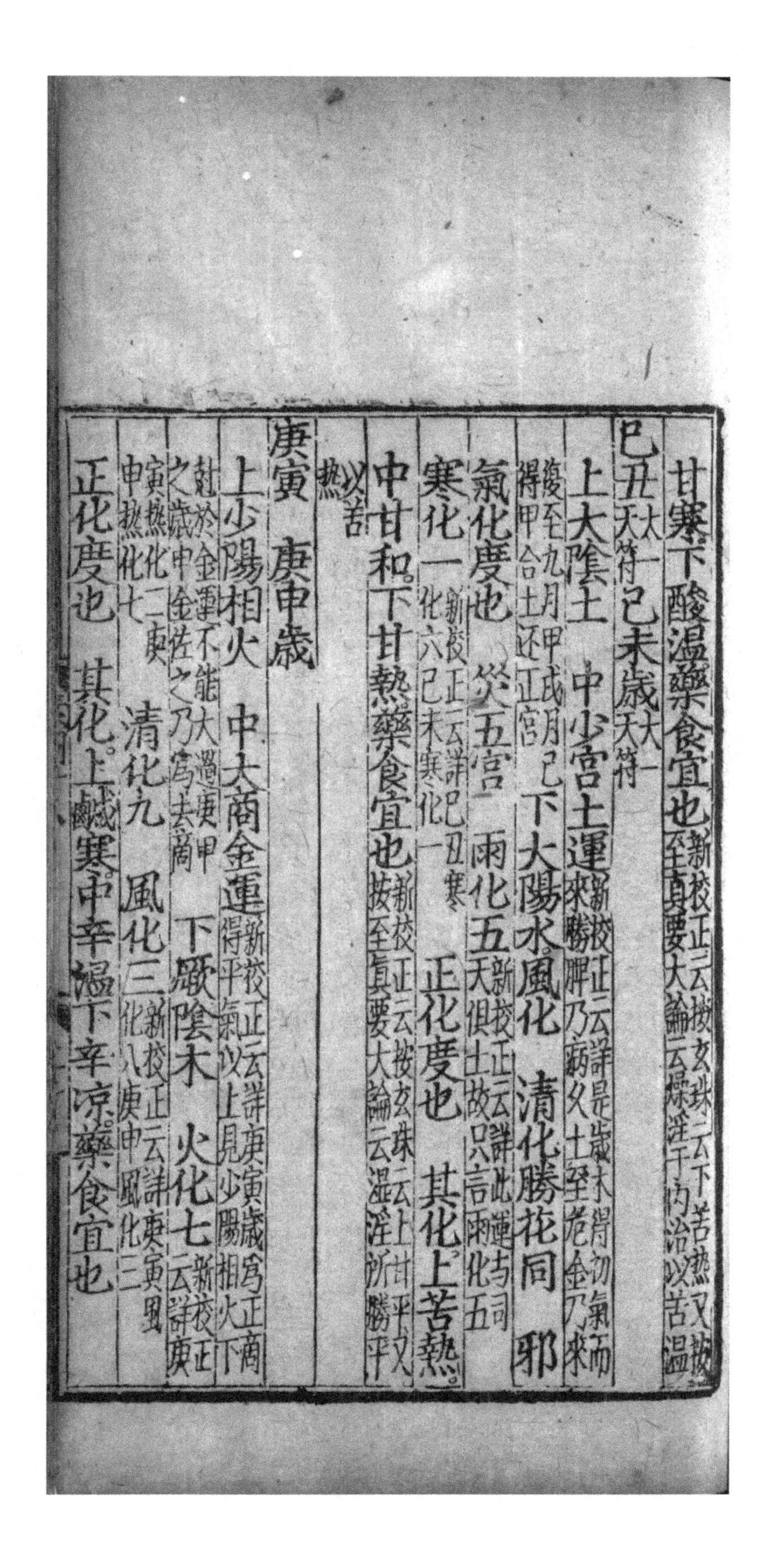
甘寒。下酸溫。藥食宜也。新校正云按玄珠云下苦熱又按至真要大論云燥淫于內治以苦溫

己丑太一天符　己未歲太一天符

上太陰土　中少宮土運新校正云詳是歲木不得初氣而來勝脾乃病久土至危金乃來復至九月甲戌月己得甲合土運正宮　下太陽水。風化　清化勝復同　邪氣化度也　災五宮　雨化五新校正云詳此運與司天俱土故只言雨化五

寒化一新校正云詳己丑寒化六己未寒化一　正化度也　其化上苦熱。中甘和。下甘熱。藥食宜也新校正云按玄珠云上甘平又按至真要大論云濕淫所勝平以苦熱

庚寅　庚申歲

上少陽相火　中太商金運新校正云詳庚寅歲爲正商得平氣以上見少陽相火下剋於金運不能大過庚申之歲中金佐之乃爲去商　下厥陰木　火化七新校正云詳庚寅熱化二庚申熱化七　清化九　風化三新校正云詳庚寅風化八庚申風化三

正化度也　其化上鹹寒。中辛溫。下辛涼。藥食宜也

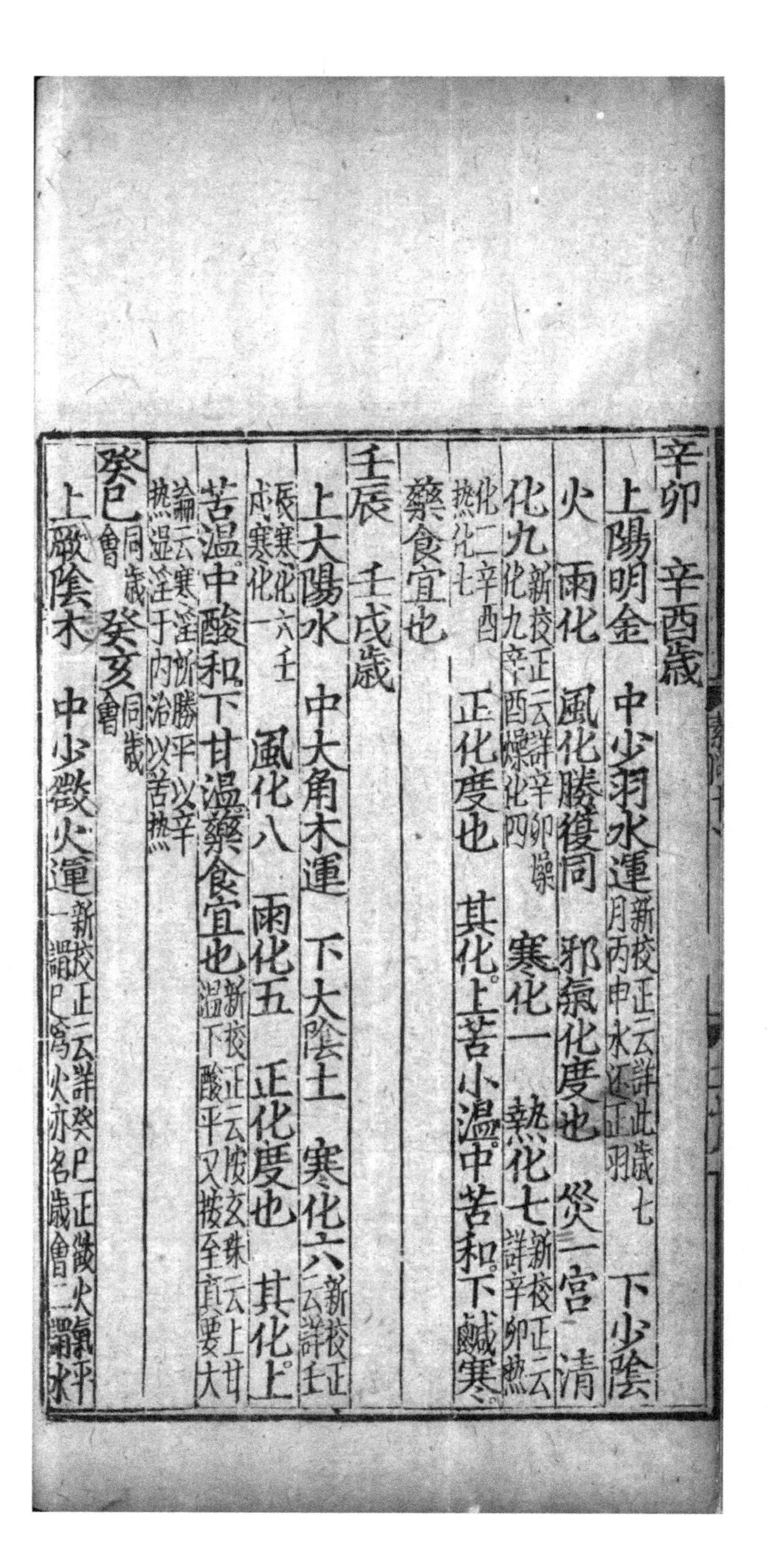

辛卯　辛酉歲

上陽明金　中少羽水運（新校正云詳此歲七月丙申水運正羽）　下少陰火　雨化　風化勝復同　邪氣化度也　災一宮　清化九（新校正云詳辛卯燥化九辛酉燥化四）　寒化一　熱化七（新校正云詳辛卯熱化二辛酉熱化七）　正化度也　其化上苦小溫中苦和下鹹寒藥食宜也

壬辰　壬戌歲

上大陽水　中大角木運　下大陰土　寒化六（新校正云詳壬辰寒化六壬戌寒化一）　風化八　雨化五　正化度也　其化上苦溫中酸和下甘溫藥食宜也（新校正云按玄珠云上甘溫下酸平又按至真要大論云寒淫所勝平以辛熱溼淫于內治以苦熱）

癸巳（同歲會）　癸亥（同歲會）

上厥陰木　中少徵火運（新校正云詳癸巳正徵火氣平一謂巳爲火亦名歲會二謂水

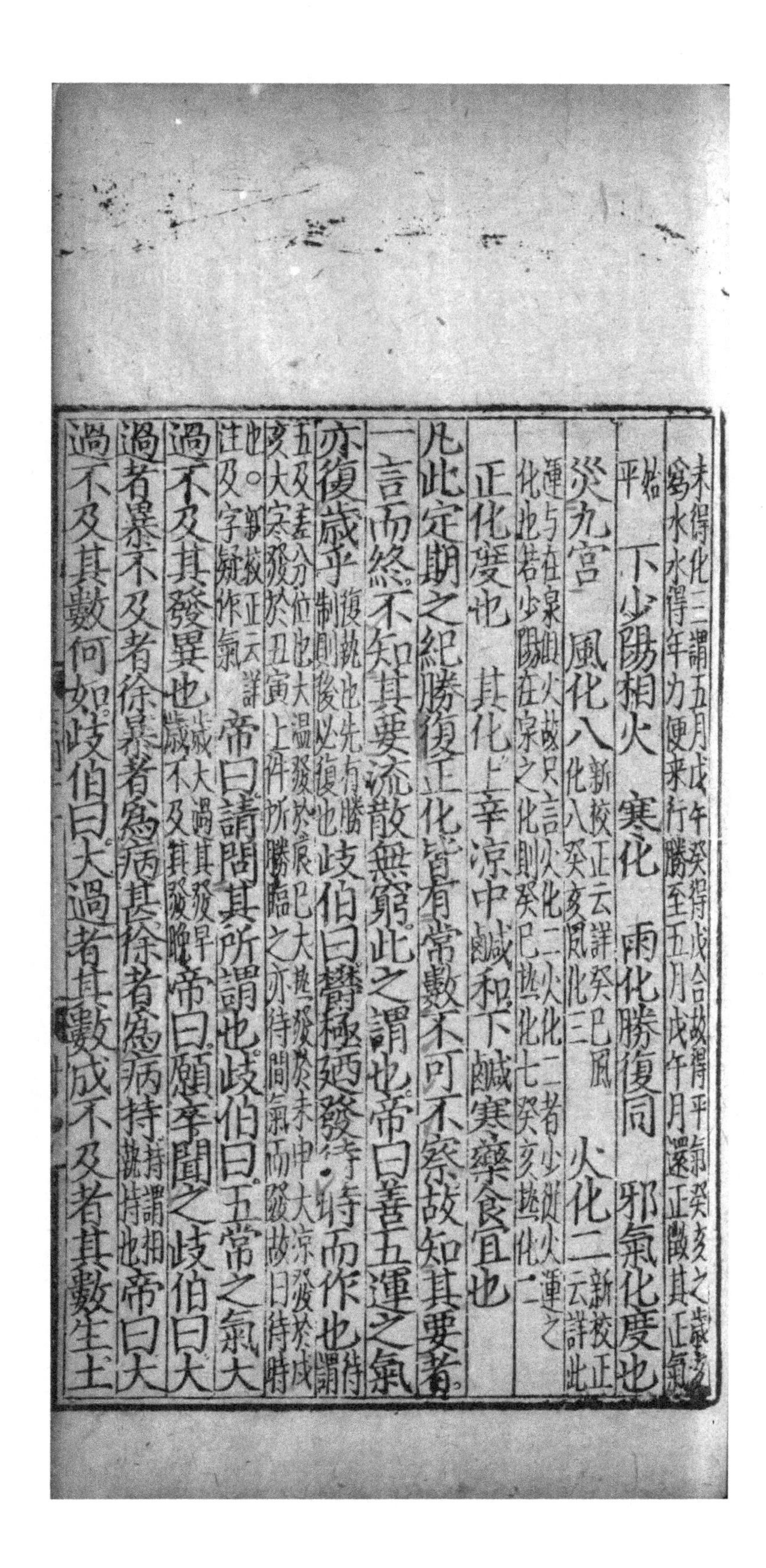

未得化二謂五月戊午癸得戊合故得平氣癸亥之歲多爲水水得年力便來行勝至五月戊午月還正徵其正氣始平 下少陽相火 寒化 雨化勝復同 邪氣化度也

災九宮 風化八 新校正云詳癸巳風化八癸亥風化三 火化二 新校正云詳此運與在泉俱火故只言火化二火化二者少陽火運之化也若少陽在泉之化則癸巳熱化七癸亥熱化二 正化度也 其化上辛涼中鹹和下鹹寒藥食宜也

凡此定期之紀勝復正化皆有常數不可不察故知其要者一言而終不知其要流散無窮此之謂也帝曰善五運之氣亦復歲乎 復報也先有勝制則後必復也 岐伯曰鬱極迺發待時而作也 謂待五及差八分位也大溫發於辰巳大熱發於申未大涼發於戌亥大寒發於丑寅上件所勝臨之亦待間氣而發故曰待時也○新校正云詳注及字疑作氣 帝曰請問其所謂也岐伯曰五常之氣大過不及其發異也 歲大過其發早歲不及其發晚 帝曰願卒聞之岐伯曰大過者暴不及者徐暴者爲病甚徐者爲病持 持謂相執持也 帝曰大過不及其數何如岐伯曰大過者其數成不及者其數生土

常以生也數謂五常化行之數也水數一火數二木數三金數四土數五成數謂水數六火數七木數八金數
九土數五也故曰土常以生也數生者各取其生數多少以占故政令德化勝復之休作日以尺寸分毫並以準之此盡
都明諸用者也帝曰其發也何如岐伯曰土鬱之發巖谷震驚雷殷
氣交埃昏黃黑化爲白氣飄驟高深鬱謂鬱抑天氣之甚也故雖天氣亦有涯也分
終則衰故雖鬱者怒發也土化不行炎亢无雨木盛過極故鬱怒發焉土性靜定至動也雷雨大作而木土相持之氣交
休解也易曰雷雨作解此之謂也土雖獨怒木尚制之故但震驚於氣交之中而声尚不能高遠也故曰雷殷氣交
謂土之上下山之高也詩云殷其雷也所謂雷雨生於山中者土既抑鬱天木制之平川上薄氣常乾燥故不能先發也
山原土厚濕化豐深土原氣深故先怒發也擊石飛空洪水迺從川流漫衍田牧
土駒疾氣驟雨岸落山化大水橫流石勢迸急高山空谷擊石先飛而洪水隨至也洪大也巨川衍溢流漫平陸漂
蕩瘞沒於粢盛大水去已石土危然若羣駒散牧於田野凡言土者沙石同也化氣迺敷善爲時雨
始生始長始化始成化土化也土被制化氣不敷否極則泰屈極則伸處屏之時化氣因之乃能敷
布於庶類以時而雨滋澤草木而成也善謂應時也化氣既少長氣已過故万物始生始長始化始成言是四始者明万
物化成之晚也故民病心腹脹腸鳴而爲數後甚則心痛脇䐜嘔吐

霍亂飲發注下胕腫身重脾熱之生雲奔雨府霞擁朝陽山澤埃
昏其廼發也以其四氣雨府太陰之所在也埃白氣似雲而薄也埃固有微甚微者如紗縠之騰
甚者如薄雲霧也甚者發近微者發遠四氣謂夏至後三十一日起盡至秋分日也雲橫天山浮游生
滅怫之先兆天際雲橫山猶冠帶岩谷叢薄乍滅乍生有土之見怫兆已彰皆平明占之浮游以午前候望
也金鬱之發天潔地明氣清氣切大涼廼舉草樹浮煙燥氣
以行霿霧數起殺氣來至草木蒼乾金廼有聲大涼次寒也舉用事也浮
烟燥氣也殺氣霜氛正殺氣者以丑時至長者亦卯時辰時也其氣之來色黃赤黑雜而至也物不勝殺故草木蒼乾蒼
薄青色也故民病欬逆心脅滿引少腹善暴痛不可反側嗌乾面
陳色惡金勝而木病也山澤焦枯土凝霜鹵怫廼發也其氣五夏火炎亢
時雨既愆故山澤焦枯土上凝白鹹鹵狀如霜也五氣謂秋分後至立冬後五十四日內也夜零白露林
莽聲淒怫之兆也夜濡白露曉聽風淒有是乃為金發徵也水鬱之發陽氣廼辟
陰氣暴舉大寒廼至川澤嚴凝寒雰結為霜雪寒雰白氣也其狀如霧而
不流行墜地如霜雪得日晞也甚則黃黑昏翳流行氣交廼為霜殺水廼見

祥黄黑小濁惡氣水氣也祥大祥亦謂泉出平也故民病寒客心痛腰脽痛大關節不利屈伸不便善厥逆痞堅腹滿陰勝陽故陽光不治空積沉陰白埃昏暝而廼發也其氣二火前後陰精與水皆上承火故其發也在君相二火之前後亦猶辰星迎隨日也大虛深玄氣猶麻散微見而隱色黑微黄怫之先兆也深玄言高遠而暗黑也氣似散麻薄微可見之兆也寅後卯時候之夏月兼辰前之時亦可候也木鬱之發大虛埃昏雲物以擾大風廼至屋發折木木有變屋發謂發鳴吻折木謂大樹摧拔摺落懸竿中拉也變謂土生異木奇狀也故民病胃脘當心而痛上支兩脇鬲咽不通食飲不下甚則耳鳴眩轉目不識人善暴僵仆筋骨強直而不用卒倒而无所知也大虛蒼埃天山一色或為濁色黄黑鬱若橫雲不起雨而廼發也其氣無常氣如塵如雲或黄黑鬱然猶在大虛之間而特異於常乃其候也長川草偃柔葉呈陰松吟高山虎嘯巖岫怫之先兆也草偃謂无風而自低柔葉謂白楊葉也无風而葉皆背見是謂呈陰如是者皆通微甚甚者發速微者發徐也山行之候則以松虎期之原行亦以麻黄為候秋冬則以梧桐蟬葉候之火鬱之發大虛腫翳

大明不彰瞳翳謂赤氣也大明日也○新校正云詳經注中瞳字疑誤炎火行大暑至山
澤燔燎材木流津廣厦騰煙土浮霜鹵止水迺減蔓草焦黃
風行惑言濕化迺後大陰大陽在上寒濕流於大虛心火應天鬱抑而莫能彰顯寒濕盛已火迺與
行陽氣火光故山澤燔燎井水減少妄作訛言雨已愆也濕化迺後謂陽亢主時氣不爭長故先旱而後雨也故
民病少氣瘡瘍癰腫脇腹胸背面首四支䐜憤臚脹瘍疿嘔
逆瘛瘲骨痛節迺有動注下溫瘧腹中暴痛血溢流注精液
迺少目赤心熱甚則瞀悶懊憹善暴死火鬱而怒為土水相持客主皆然悉無深
犯則無咎也但熱已勝寒則為摧斂而熱從心起是神氣孤絕不速救之天真將竭故死火之用速故善暴死憹音農
刻中大溫汗濡玄府其迺發也其氣四刻終謂晝刻水刻終盡之時也大溫次熱
也玄府謂汗空也汗濡玄府謂早行而身蒸熱也刻盡之時陰盛於此反無涼氣是陰不勝陽熱既已萌故當怒發也○
新校正云詳土火俱發四氣者何蓋火有二位為水發之所又大熱發於中未敢火鬱之發在四氣也動復則
靜陽極反陰濕令迺化迺成火怒爍金陽極過亢畏火求一土中土救熱金發為飄驟繼為
時雨氣迺和平故万物由是迺生長化成壯極則反盛亦何長也華發水凝山川冰雪焰陽

午澤怫之先兆也謂君火王時有寒至也故歲君火發亦待時也有怫之應而後報也皆觀其極而乃發也木發無時水隨火也應爲先兆發必後至故先應而後發也物不可以終壯觀其壯極則怫氣作焉有鬱則發氣之常也謹候其時病可與期失時反歲五氣不行生化收藏政無恒也人失其時則候无期準也帝曰水發而雹雪土發而飄驟木發而毀折金發而清明火發而曛昧何氣使然歧伯曰氣有多少發有微甚微者當其氣甚者兼其下徵其下氣而見可知也六氣之下各有承氣也則如火位之下水氣承之水位之下土氣承之土位之下木氣承之木位之下金氣承之金位之下火氣承之君位之下陰精承之各徵其下則象可見矣故發一其下則与本氣殊異帝曰善五氣之發不當位者何也言不當其正月也歧伯曰命其差謂差四時之正月位也。○新校正云按至真要大論云勝復之作動不當位或後時而至其故何也歧伯曰夫氣之生化与其衰盛異也寒暑溫涼盛衰之用其在四維故陽之動始於溫盛於暑陰之動始於清盛於寒春夏秋冬各差其分故大要曰彼春之暖為夏之暑彼秋之忿為冬之怒謹按四維斥候皆歸其終可見其始可知彼論勝復之不當位此論五氣之發不當位所論勝復五發之事則異而命其差之義則同帝曰差有數乎

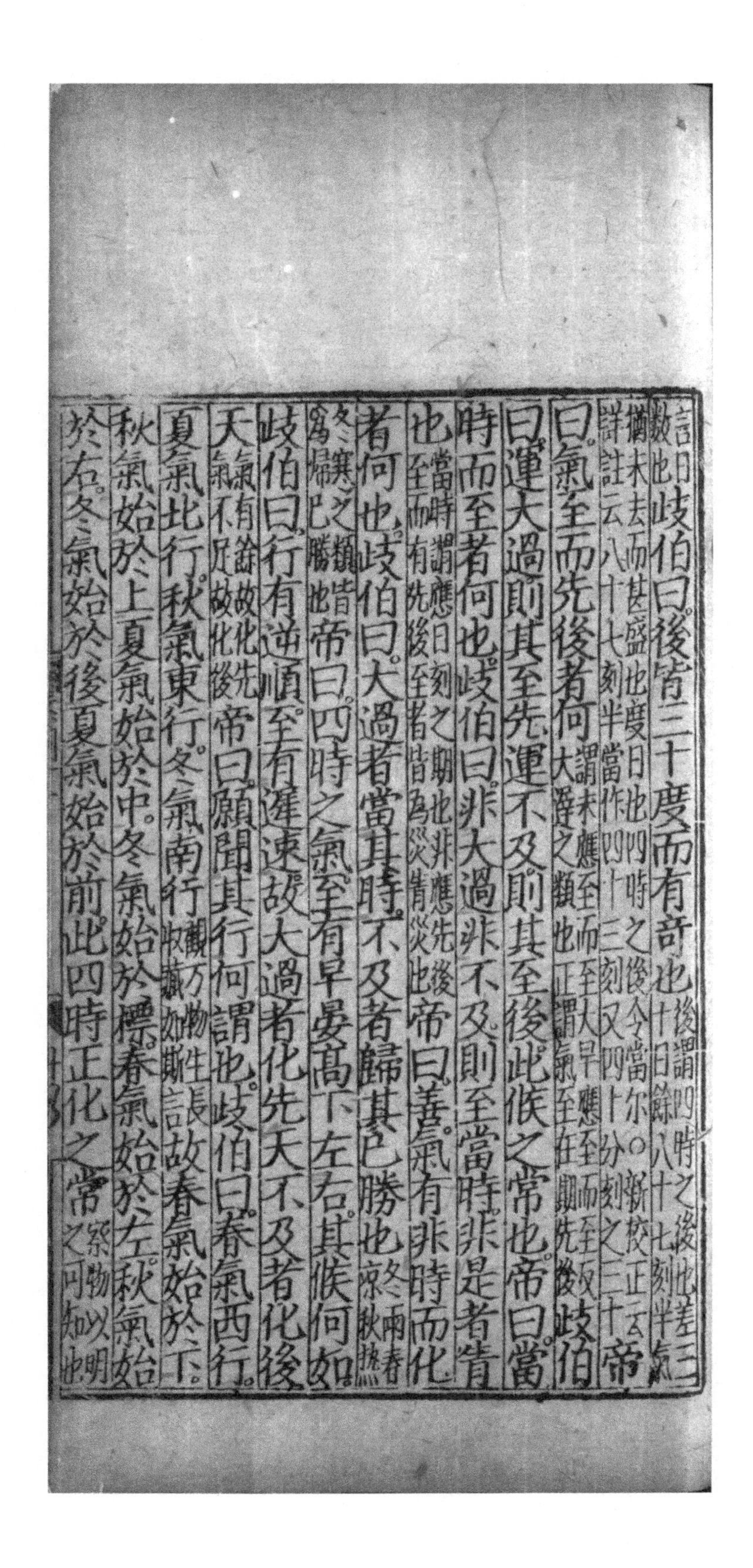

言日数也。岐伯曰。後皆三十度而有奇也。後謂四時之後也差三十日餘八十七刻半氣猶未去而甚盛也度日也四時之後今當尔。新校正云詳註云八十七刻半當作四十三刻又四十分刻之三十帝曰。氣至而先後者何謂未應至而至大早應至而至反大遲之類也正謂氣至在期先後岐伯曰。運大過則其至先運不及則其至後。此候之常也。帝曰。當時而至者何也。岐伯曰。非大過非不及則至當時。非是者眚也。當時謂應日刻之期也非應先後至而有先後至者皆為災眚也帝曰。善。氣有非時而化者何也。岐伯曰。大過者當其時。不及者歸其已勝也。冬雨春涼秋熱夏寒之類皆爲歸已勝也帝曰。四時之氣至有早晏高下左右。其候何如。岐伯曰。行有逆順。至有遲速。故大過者化先天。不及者化後天。氣有餘故化先氣不足故化後帝曰。願聞其行何謂也。岐伯曰。春氣西行。夏氣北行。秋氣東行。冬氣南行。觀万物生長收藏如斯言故春氣始於下。秋氣始於上。夏氣始於中。冬氣始於標。春氣始於左。秋氣始於右。冬氣始於後。夏氣始於前。此四時正化之常。察物以明之可知也

故至高之地冬氣常在至下之地春氣常在高山之巔盛夏冰雪污下川澤嚴冬草生常在之義足明矣新校正按五常政大論云地有高下氣有温涼高者氣寒下者氣熱必謹察之帝曰善天地陰陽視而可見何必思諸冥昧演法推求智極心勞而無所得耶黄帝問曰五運六氣之應見六化之正六變之紀何如岐伯對曰夫六氣正紀有化有變有勝有復有用有病不同其候帝欲何乎帝曰願盡聞之岐伯曰請遂言之遂盡也夫氣之所至也厥陰所至爲和平初之氣木之化少陰所至爲暄二之氣君火也太陰所至爲埃溽四之氣土之化少陽所至爲炎暑三之氣相火也陽明所至爲清勁五之氣金之化太陽所至爲寒雰終之氣水之化時化之常也四時氣正化之常候厥陰所至爲風府爲璺啓璺微裂也啓開坼也少陰所至爲大火府爲舒榮太陰所至爲雨府爲員盈物承土化質皆盈滿又雨界地緑文見如環爲員化明矣少陽所至爲熱府爲行出藏熱者出行也陽明所至爲司殺府爲庚蒼庚更也更代也易也太陽所至爲寒府爲歸藏物寒故歸藏也司化之常也厥陰所至爲

生為風搖木之化少陰所至為榮為形見火之化大陰所至為化
為雲雨土之化少陽所至為長為蕃鮮火之化陽明所至為收為
霧露金之化大陽所至為藏為周密水之化氣化之常也厥陰所
至為風生終為肅風化以生則風生也肅靜也○新校正云按六微旨大論云風位之下金氣承之故
厥陰為風生而終為肅也少陰所至為熱生中為寒熱化以生則熱生也陰精承上故中為寒
也○新校正云按六微旨大論云少陰之上熱氣治之中見大陽故為熱生而中為寒也又云君位之下陰精承之亦為
寒之義也大陰所至為濕生終為注雨濕化以生則濕生也大陰在上故終為注雨○新校
正云按六微旨大論云土位之下風氣承之王注云疾風之後雨乃零濕為風吹化而為雨故大陰為濕生而終為注雨
也少陽所至為火生終為蒸溽火化以生則火生也陽在上故終為蒸溽○新校正云按
六微旨大論云相火之下水氣承之故少陽為火生而終為蒸溽也陽明所至為燥生終為涼
燥化以生則燥生也陰在上故終為涼○新校正云詳此六氣俱先言本化次言所反之氣而獨陽明之化言燥生終為
涼未見所反之氣再詳上下文義當云陽明所至為涼生終為燥方与諸氣之義同貫蓋以金位之下火氣承之故陽明
為清生而終為燥也大陽所至為寒生中為溫寒化以生則寒生也陽在內故中為溫○新校

正云按五運行大論云大陽之上寒氣治之中見少陰故為寒生而中為溫德化之常也風生毛形熱生

翮形濕生倮形火生羽形燥生介形寒生鱗形六化皆為主歲及間氣所在而各化生常无替也然德化則无能化生也

翮胡華反厥陰所至為毛化形之有毛者少陰所至為羽化有羽翮飛行之類

大陰所至為倮化无毛羽鱗甲之類少陽所至為羽化薄明羽翼蜂蟬之類非翎

羽之羽也陽明所至為介化有甲之類大陽所至為鱗化身有鱗也德化之

常也厥陰所至為生化溫化也少陰所至為榮化暄化也大陰所

至為濡化溼化也少陽所至為茂化熱化也陽明所至為堅化凉化

也大陽所至為藏化寒化也布政之常也厥陰所至為飄怒大

凉飄怒木也大凉下承之金氣也少陰所至為大暄寒大暄君火也寒下承之陰精也大陰

所至為雷霆驟注烈風雷霆驟注土也烈風下承之木氣也少陽所至為飄風

燔燎霜凝飄風旋轉風也霜凝下承之水氣也陽明所至為散落溫散落金也溫下承之

火氣也大陽所至為寒雪冰雹白埃霜雪冰雹水也白埃下承之土氣也氣變之

常也變謂變常平之氣而為甚用也用甚不已則下承之氣兼行故皆非本氣也厥陰所至為撓

動爲迎隨（風之性也）。少陰所至爲高明焰，爲曛（焰，陽焰也。曛，赤黄色也）。大陰所至爲沉陰，爲白埃，爲晦暝（暗蔽不明也）。少陽所至爲光顯，爲彤雲，爲曛（光顯，電也，流光也，明也。彤，赤色也。彤陰氣同）。陽明所至爲煙埃，爲霜，爲勁切，爲悽鳴（殺氣也）。大陽所至爲剛固，爲堅芒，爲立（寒化也）。令行之常也（令行則庶物无違）。厥陰所至爲裏急（筋緛縮故急也）。少陰所至爲瘍胗身熱（火氣生也）。大陰所至爲積飲否隔（土氣也）。少陽所至爲嚏嘔，爲瘡瘍（火氣生也）。陽明所至爲浮虛（浮虛，薄腫，按之復起也）。大陽所至爲屈伸不利。病之常也。厥陰所至爲支痛。少陰所至爲驚惑，惡寒戰慄，譫妄（譫，乱言也。今詳慄字當作慄）。大陰所至爲稸滿。少陽所至爲驚躁，瞀昧，暴病。陽明所至爲鼽，尻陰股膝髀腨䯒足病。大陽所至爲腰痛。病之常也。厥陰所至爲緛戾。少陰所至爲悲妄衄衊（衊，汙血，亦脂也）。大陰所至爲中滿，霍亂吐下。少陽所至爲喉痺，耳鳴，嘔涌（涌，謂溢食不下也）。陽明所至爲脇痛，皴揭（身皮皴象）。大陽所至爲寢

風勝則動
熱勝則腫

汗痓寢汗謂睡中汗發於胷嗌頸掖之間也俗誤呼為盜汗痓巨郢切病之常也厥陰所至為脇痛嘔泄泄謂利也少陰所至為語笑太陰所至為重胕腫胕腫謂肉泥按之不起也少陽所至為暴注瞤瘛暴死陽明所至為鼽嚏太陽所至為流泄禁止病之常也凡此十二變者報德以德報化以化報政以政執令以令氣高則高氣下則下氣後則後氣前則前氣中則中氣外則外位之常也氣報德報化謂天地氣也高下前後中外謂生病所也手之陰陽其氣高足之陰陽其氣下足太陽氣在身後足陽明氣在身前足少陰太陰厥陰氣在身中足少陽氣在身側各隨所在言氣變生病象也故風勝則動不寧也○新校正云詳風勝則動至濕勝則濡泄五句与陰陽應象大論文重而注不同熱勝則腫熱勝氣則為丹熛勝血則為癰膿勝骨肉則為胕腫按之不起燥勝則乾乾於外則皮膚皴揭乾於內則精血枯涸乾於氣及津液則肉乾而皮著於骨寒勝則浮浮謂浮起按之起見也濕勝則濡泄甚則水閉胕腫濡泄水利也胕腫肉泥按之陷而不起也水閉則遂於皮中也隨氣所在以言其變耳帝曰願聞其用也岐伯曰夫六氣之用各歸不勝而為化用謂施其化氣故大陰雨化施

於太陽，太陽寒化施於少陰（新校正云：詳此當云少陰少陽），少陰熱化施於陽明，陽明燥化施於厥陰，厥陰風化施於太陰，各命其所在以徵之也。帝曰：自得其位何如？岐伯曰：自得其位，常化也。帝曰：願聞所在也。岐伯曰：命其位而方月可知也（隨氣所在以定其方，六分占之，則日及地分无差也）。帝曰：六位之氣盈虛何如？岐伯曰：太少異也，太者之至徐而常，少者暴而亡（力強而作，不能久長，故暴而无也。亡，无也）。帝曰：天地之氣盈虛何如？岐伯曰：天氣不足，地氣隨之；地氣不足，天氣從之；運居其中而常先也（運謂木火土金水各主歲者也。地氣勝則歲運上升，天氣勝則歲運下降。上升下降，運氣常先迁降也）。惡所不勝，歸所同和，隨運歸從而生其病也（非其位則變生，變生則病作）。故上勝則天氣降而下，下勝則地氣遷而上（勝謂多也。上多則自降，下多則自迁，多少相移，氣之常也。○新校正云：按《六微旨大論》云：升已而降，降者謂天；降已而升，升者謂地。天氣下降，氣流于地；地氣上升，氣騰于天。故高下相召，升降相因，而變作矣。此亦升降之義也）。勝多少而差其分（多則迁降多，少則迁降少，多少之應，有微有甚之異也），微者小差，甚者大差甚則位易氣交易則大變生而病作矣大要曰甚紀五分微紀七分其差可見此之謂也（以其五分七分之所以知天地陰陽過差矣）帝曰善論言熱無犯熱寒無犯寒余欲不遠寒不遠熱奈何岐伯曰悉乎哉問也發表不遠熱攻裏不遠寒（汗泄故用熱不遠熱下利故用寒不遠寒皆以其不住於中也如是則夏可用熱冬可用寒不發不泄而无畏忌是謂妄造法所禁也皆謂不獲已而用之也差秋冬亦同法○新校正云按至真要大論云發不遠熱无犯温凉）帝曰不發不攻而犯寒犯熱何如岐伯曰寒熱内賊其病益甚（以水濟水以火濟火適足以更生病豈唯本病之益甚乎）帝曰願聞無病者何如岐伯曰無者生之有者甚之（無病者犯禁猶能生病況有病者而求輕減不亦難乎）帝曰生者何如岐伯曰不遠熱則熱至不遠寒則寒至寒至則堅否腹滿痛急下利之病生矣（食已不饑吐利腥穢亦寒之疾也）熱至則身熱吐下霍亂癰疽瘡瘍瞀鬱注下瞤瘛腫脹嘔鼽衄頭痛骨節變肉痛血溢血泄淋閟之病生矣（暴瘖冒昧目不識人躁擾狂越妄見妄聞罵詈驚癇亦熱之病）帝曰治之奈何岐伯曰

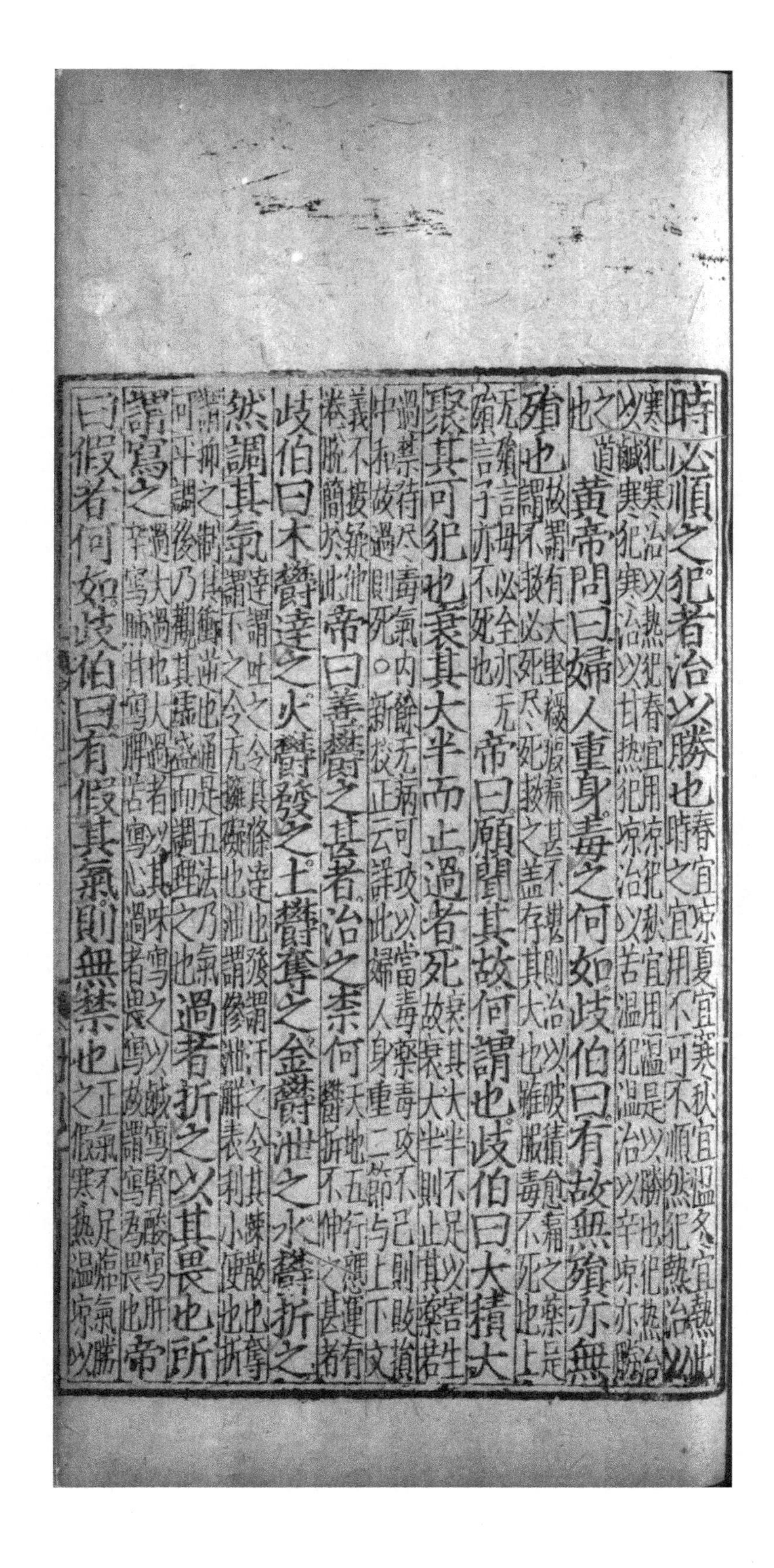

時必順之，犯者治以勝也。春宜凉，夏宜寒，秋宜温，冬宜熱，此時之宜，用不可不順。然犯熱治以
寒，犯寒治以熱，犯春宜用凉，犯秋宜用温，是以勝也。犯熱治以鹹寒，犯寒治以甘熱，犯凉治以苦温，犯温治以辛凉，亦勝
之道也。黃帝問曰：婦人重身，毒之何如？岐伯曰：有故無殞，亦無
殞也。故謂有大堅癥瘕，痛甚不堪，則治以破積愈痛之藥，是謂不救必死，尽死救之，蓋存其大也。雖服毒不死也。上
无殞，言母必全，亦无殞，言子亦不死也。帝曰：願聞其故何謂也？岐伯曰：大積大
聚，其可犯也，衰其大半而止，過者死。衰其大半不足以害生，故衰大半則止其藥，若
過禁待尽，毒氣内餘，无病可攻，以當毒藥，毒攻不已，則敗損中和，故過則死。○新校正云：詳此婦人身重一節，与上下文
義不接，疑此卷脱簡於此。帝曰：善。鬱之甚者治之奈何？天地五行應運有鬱，皆折不伸之甚者。
岐伯曰：木鬱達之，火鬱發之，土鬱奪之，金鬱泄之，水鬱折之，
然調其氣。達謂吐之，令其條達也。發謂汗之，令其疎散也。奪謂下之，令无擁礙也。泄謂滲泄，解表利小便也。折
謂抑之，制其衝逆也。通是五法，乃氣可平調，後乃觀其虛盛而調理之也。過者折之，以其畏也，所
謂寫之。過大過也。大過者，以其味寫之，以鹹寫腎，酸寫肝，辛寫肺，甘寫脾，苦寫心。過者畏寫，故謂寫為畏也。帝
曰：假者何如？岐伯曰：有假其氣，則無禁也。正氣不足，臨氣勝之假，寒熱温凉以

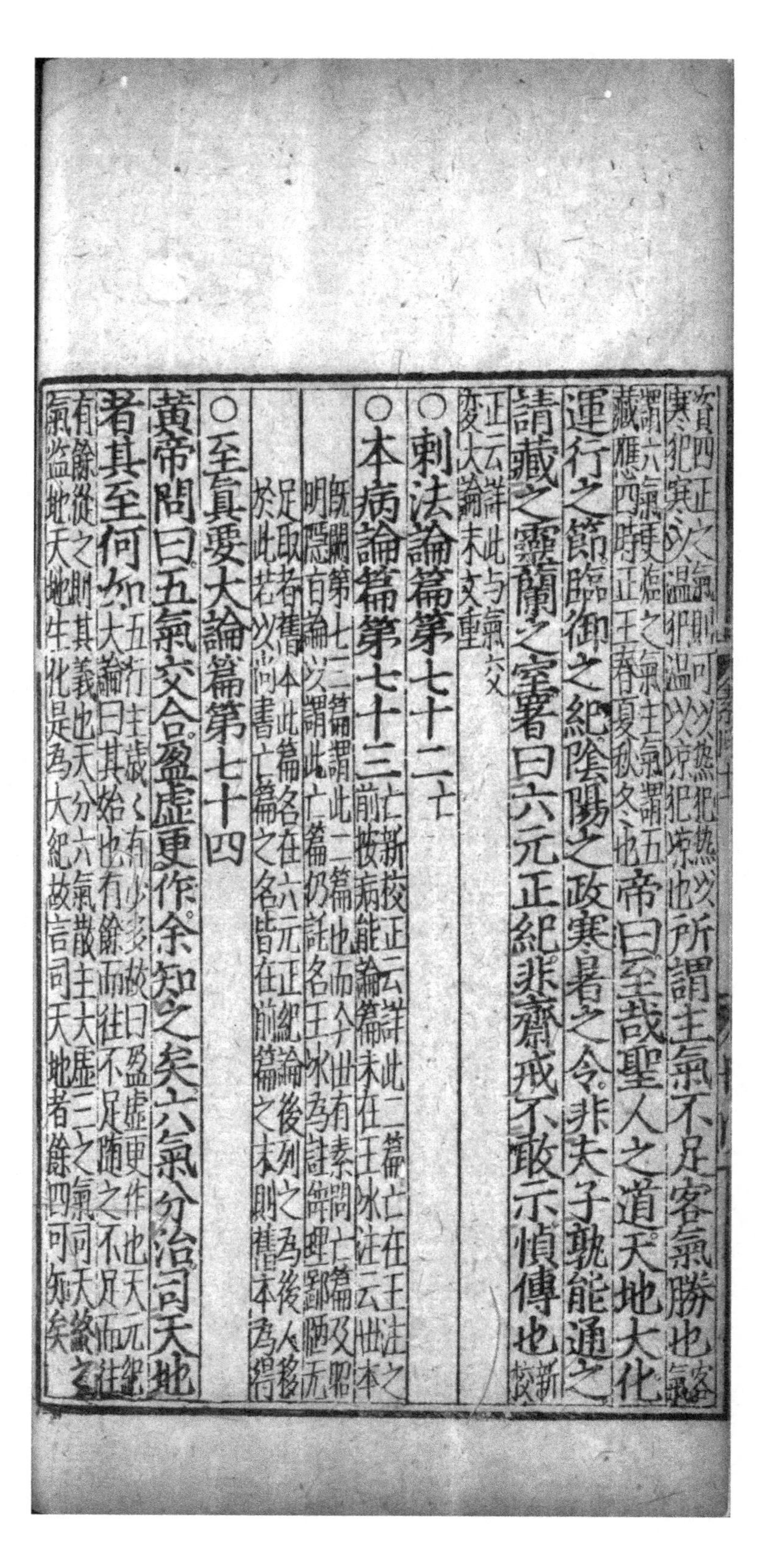

資四正之氣則可以熱犯熱以寒犯寒以溫犯溫以涼犯涼也所謂主氣不足客氣勝也客氣謂六氣更臨之氣主氣謂五藏應四時正王春夏秋冬也帝曰至哉聖人之道天地大化運行之節臨御之紀陰陽之政寒暑之令非夫子孰能通之請藏之靈蘭之室署曰六元正紀非齋戒不敢示慎傳也新校正云詳此與氣交變大論末文重

○刺法論篇第七十二亡

○本病論篇第七十三亡新校正云詳此二篇亡在王注之前按病能論篇末王冰注云世本既闕第七二篇謂此二篇也而今世有素問亡篇及昭明隱旨論以謂此亡篇仍託名王冰為注辭理鄙陋無足取者舊本此篇名在六元正紀論後列之為後人移於此若以尚書亡篇之名皆在前篇之末則舊本為得

○至真要大論篇第七十四

黄帝問曰五氣交合盈虛更作余知之矣六氣分治司天地者其至何如五行主歲歲有少多故曰盈虛更作也天元紀大論曰其始也有餘而往不足隨之不足而往有餘從之則其義也天分六氣散主太虛三之氣司天四之氣監地天地生化是為大紀故言司天地者餘四可知矣

岐伯再拜對曰：明乎哉問也。天地之大紀，人神之通應也。天地變化人神運爲中外雖殊然其通應則一也帝曰：願聞上合昭昭，下合冥冥奈何？岐伯曰：此道之所主，工之所疑也。不知其要流散無窮帝曰：願聞其道也。岐伯曰：厥陰司天，其化以風；飛揚鼓折和氣發生萬物榮枯皆因而化變成敗也少陰司天，其化以熱；炎蒸鬱燠故庶類蕃茂太陰司天，其化以濕；雲雨潤澤津液生成少陽司天，其化以火；炎熾赫烈以爍寒災陽明司天，其化以燥；乾化以行物無濕敗太陽司天，其化以寒。對陽之化也○新校正云詳注云對陽之化陽字疑誤以所臨藏位，命其病者也。肝木位東方心火位南方脾十位西方南方及四維肺金位西方腎水位北方是五藏定位然六氣御五運所至氣不相得則病相得則和故先以六氣所臨後言五藏之病帝曰：地化奈何？岐伯曰：司天同候，間氣皆然。六氣之本自有常性故雖位易而化治皆同帝曰：間氣何謂？岐伯曰：司左右者，是謂間氣也。六氣分化常以二氣司天地爲上下吉凶勝復客主之理歲中悔吝從而明之餘四氣散居左右也故陰陽應象大論曰天地者万物之上下左右者陰陽之道路此之謂也帝曰：何以異之？岐伯曰：主歲者紀歲，間氣者紀步也。

歲三百六十五日四分日之一步六十日餘八十七刻半也積步之日而成歲也帝曰善歲主奈何

岐伯曰厥陰司天爲風化巳亥之歲風高氣遠雲飛物揚風之化也在泉爲酸化寅申之歲木司地氣故物化從酸司氣爲蒼化木運之氣丁壬之歲化蒼青也間氣爲動化偏主六十日餘八十七刻半也○新校正云詳丑未之歲厥陰爲初之氣子午之歲爲二之氣辰戌之歲爲四之氣卯酉之歲爲五之氣少陰司天爲熱化子午之歲陽光熠耀暄暑流行熱之化也熠羊入切在泉爲苦化卯酉之歲火司地氣故物以苦生不司氣化君不主運○新校正云按天元紀大論云君火以名相火以位謂君火不主運也居氣爲灼化六十日餘八十七刻半也居本位君火爲居不當間之也○新校正云詳少陰不曰間氣而云居氣者蓋尊君火无所不居不當間之也王註云居本位爲居不當間之則居他位不爲居而可間也寅申之歲爲初之氣丑未之歲爲二之氣巳亥之歲爲四之氣辰戌之歲爲五之氣大陰司天爲濕化丑未之歲埃鬱曚昧雲雨潤濕之化也在泉爲甘化辰戌之歲也土司地氣故甘化先焉司氣爲黅化土運之氣甲己之歲黅黃也間氣爲柔化濕化行則庶物柔耎○新校正云詳大陰卯酉之歲爲初之氣寅申之歲爲二之氣子午之歲爲四之氣巳亥之歲爲五之氣少陽司天爲火化寅申之歲也炎光赫烈燔灼焦然火之化也在泉爲苦化巳亥之歲也火司地氣故苦化先焉司

氣爲丹化火運之氣戊癸歲也間氣爲明化明炳明也亦謂霞燒。新校正云詳少陽辰戌之歲爲初之氣卯酉之歲爲二之氣寅申之歲爲四之氣丑未之歲爲五之氣陽明司天爲燥化卯酉之歲清切高明霧露蕭瑟燥之化也在泉爲辛化子午之歲也金司地氣故辛化先焉司氣爲素化金運之氣乙庚歲也間氣爲清化風生高勁草木清冷清之化也。新校正云詳陽明巳亥之歲爲初之氣辰戌之歲爲二之氣寅申之歲爲四之氣丑未之歲爲五之氣大陽司天爲寒化辰戌之歲嚴肅峻整慘慄凝堅寒之化也在泉爲鹹化丑未之歲水司地氣故化從鹹司氣爲玄化水運之氣丙辛歲也間氣爲藏化陰凝而冷庶物斂容歲之化也。新校正云詳子午之歲大陽爲初之氣巳亥之歲爲二之氣卯酉之歲爲四之氣寅申之歲爲五之氣故治病者必明六化分治五味五色所生五藏所宜迺可以言盈虛病生之緒也孝不厭備習也帝曰厥陰在泉而酸化先余知之矣風化之行也何如岐伯曰風行于地所謂本也餘氣同法厥陰在泉風行于地少陰在泉熱行于地大陰在泉溼行于地少陽在泉火行于地陽明在泉燥行于地大陽在泉寒行于地故曰餘氣同法也本謂六氣之上元氣也本乎天者天之氣也本乎地者地之氣也化於天者爲天氣化於地者爲地氣。新校正云按易曰本乎天者親上本乎地者親下此之謂也天地合氣六節分而萬物化生矣万物居天地之間悉為六氣所生化陰陽之用未嘗有逃生化出陰陽也故曰謹候氣宜無失病機此之謂也病機下文具矣帝曰其主病何如言采藥之歲也岐伯曰司歲備物則無遺主矣謹候司天地所生化者則其味正當其歲也故彼藥上專司歲氣所收藥物則一歲二歲其所主用无遺畧也○今詳則字當作用帝曰先歲物何也岐伯曰天地之專精也專精之氣藥物肥濃又於使用當其正氣味也○新校正云詳先歲疑作司歲帝曰司氣者何如司運氣也岐伯曰司氣者主歲同然有餘不足也五運主歲者有餘不足比之歲物恐有薄有餘之歲藥專精也帝曰非司歲物何謂也岐伯曰散也非專精則散氣散氣則物不純也故質同而異等也形質雖同力用則異故不尚之氣味有薄厚性用有躁靜治保有多少力化有淺深此之謂也物與歲不同者何以此尔帝曰歲主藏害何謂岐伯曰以所不勝命之則其要也木不勝金金不勝火之類是也帝曰治之奈何岐伯曰上淫于下所勝平之外淫于内所勝治之淫謂行所不勝己者也上淫于下天之氣也外淫于内地之氣也隨所制勝而以平治之也制勝謂

五味寒熱溫凉隨勝用之下文備矣○新校正云詳天氣主歲雖有淫勝但當平調之故不曰治而曰平也帝曰善平氣何如平謂診平和之氣岐伯曰謹察陰陽所在而調之以平爲期正者正治反者反治知陰陽所在則知尺寸應与不應不知陰陽所在則以得爲失以逆爲從故謹察之也陰病陽不病陽病陰不病是爲正病則正治之謂以寒治熱以熱治寒也陰位已見陽脉陽位又見陰脉是謂反病則反治之謂以寒治寒以熱治熱也諸方之制咸悉不然故曰反者反治也帝曰夫子言察陰陽所在而調之論言人迎與寸口相應若引繩小大齊等命曰平新校正云詳論言至曰平本靈樞之文今出甲乙經云寸口主中人迎主外兩者相應俱往俱來若引繩小大齊等春夏人迎微大秋冬寸口微大者名曰平也陰之所在寸口何如陰之所在脉沉不應引繩齊等其候頗乖故問以明之岐伯曰視歲南北可知之矣帝曰願卒聞之岐伯曰北政之歲少陰在泉則寸口不應木火金水運面北受氣凡氣之在泉者脉悉不見唯其左右之氣脉可見之在泉之氣善則不見惡者可見病以氣及客主淫勝名之在天之氣其亦然矣厥陰在泉則右不應少陰在右故大陰在泉則左不應少陰在左故南政之歲少陰司天則寸口不應土運之歲面南行令故少陰司天則二手寸口不應

也厥陰司天則右不應。太陰司天，則左不應。亦左右義也諸不應
者，反其診則見矣。不應皆爲脉沉，脉沉下者仰手而沉，覆其手則沉爲浮，細爲大也帝曰：尺
候何如？岐伯曰：北政之歲，三陰在下，則寸不應；三陰在上，則
尺不應。司天曰上，在泉曰下南政之歲，三陰在天，則寸不應；三陰在泉，
則尺不應。左右同。尺不應寸左右悉与寸不應義同故曰：知其要者，一言而
終；不知其要，流散無窮，此之謂也。要謂知陰陽所在也，知則用之不惑，不知則尺寸之
氣沉浮小大常三歲一差，欲求其意，猶遶樹問枝，雖白首區區，尚未知所詣，況其旬月而可知乎帝曰：善。天
地之氣，內淫而病，何如？岐伯曰：歲厥陰在泉，風淫所勝，則地
氣不明，平野昧，草廼早秀。民病洒洒振寒，善呻數欠，心痛支
滿，兩脇裏急，飲食不下，鬲咽不通，食則嘔，腹脹善噫，得後與
氣則快然如衰，身體皆重。謂甲寅、丙寅、戊寅、庚寅、壬寅、甲申、丙申、戊申、庚申、壬申歲也。地氣不
明，謂天圍之際氣色昏暗，風行地上，故平野皆然。昧，謂暗也。脇，謂兩乳之下及胠外也。伸，謂以欲伸努筋骨也。○新校正
云：按《甲乙經》：洒洒二振寒，善伸數欠，爲胃病，食則嘔，腹脹善噫，
得後与氣則快然如衰，身休皆重，爲脾病，飲食不下，鬲咽不

通邪在胃管也。蓋厥陰在泉之歲，木王而尅脾胃，故病如是。又按脉解云：所謂食則嘔者，物盛滿而上溢，故嘔也。所謂得後与氣則快然如衰者，十二月陰氣下衰，而陽氣且出，故曰得後与氣則快然如衰也。

歲少陰在泉，熱淫所勝，則焰浮川澤，陰處反明。民病腹中常鳴，氣上衝胷，喘不能久立，寒熱皮膚痛，目瞑齒痛䪼腫，惡寒發熱如瘧，少腹中痛，腹大，蟄蟲不藏。謂乙卯、丁卯、己卯、辛卯、癸卯、乙酉、丁酉、己酉、辛酉、癸酉歲也。陰處，北方也。不能久立，足无力也。腹大，謂心氣不足也。金火相薄而為是也。○新校正云：按《甲乙經》齒痛䪼腫為大腸病，腹中雷鳴，氣上衝胷，喘不能久立，邪在大腸也。蓋少陰在泉之歲，火剋金，故大腸病也。

歲太陰在泉，草乃早榮，新校正云：詳此四字疑衍。濕淫所勝，則埃昏巖谷，黃反見黑，至陰之交。民病飲積心痛，耳聾渾渾焞焞，嗌腫喉痺，陰病血見，少腹痛腫，不得小便，病衝頭痛，目似脫，項似拔，腰似折，髀不可以回，膕如結，腨如別。謂甲辰、丙辰、戊辰、庚辰、壬辰、甲戌、丙戌、戊戌、庚戌、壬戌歲也。太陰為土，色見應黃於天中，而反見於北方黑處也。水土同見，故曰至陰之交，合其氣色也。衝頭痛，謂腦後眉間痛也。膕，謂膝後曲脚之中也。腨，胻後軟肉處也。○新校正云：按《甲乙經》耳聾渾渾焞焞，嗌腫喉痺，為三焦病；為病衝頭痛，目似脫，項似拔，腰似折，髀不可以回，膕如結，腨如別為膀胱足太陽病又少腹腫痛不得小便邪在三焦蓋太陰在泉之歲土王剋太陽故病如是也䐜弋麥切歲少陽在泉。火淫所勝。則焰明郊野。寒熱更至。民病注泄赤白。少腹痛溺赤。甚則血便。少陰同候。謂乙巳丁巳己巳辛巳癸巳乙亥丁亥己亥辛亥癸亥歲也。馭寒之時熱更其氣熱氣既往寒氣後來故云更至也餘候與少陰在泉證同歲陽明在泉。燥淫所勝。則霿霧清瞑。民病喜嘔。嘔有苦。善大息。心脇痛。不能反側。甚則嗌乾面塵。身無膏澤。足外反熱。謂甲子丙子戊子庚子壬子甲午丙午戊午庚午壬午歲也。霿霧謂霿暗不分似霧也清薄寒也言霧起霿暗不辨物形而薄寒也心脇痛謂心之傍脇中痛也面塵謂面上如有觸冒塵土之色也○新校正云按甲乙經病喜嘔嘔有苦善大息心脇痛不能反側甚則面塵身无膏澤足外反熱為膽病嗌乾面塵為肝病蓋陽明在泉之歲金王剋木故病如是又按脉解云少陽所謂心脇痛者言少陽盛也盛者心之所表也九月陽氣盡而陰氣盛故心脇痛所謂不可反側者陰氣藏物也物藏則不動故不可反側也歲大陽在泉。寒淫所勝。則凝肅慘慄。民病少腹控睪。引腰脊。上衝心痛。血見。嗌痛頷腫。謂乙丑丁丑己丑辛丑癸丑乙未丁未己未辛未癸未歲也凝肅謂寒氣靄空凝而不動萬物静肅其義形也慘慄寒甚也控引也睪陰丸也頷頰車前牙之下也○新校正云按甲乙經嗌痛頷腫為小腸病又少腹控睪引要脊上衝心肺邪在小腸也盖大腸在泉之歲木尅火故病如是帝曰善治之柰何岐伯曰諸氣在泉風淫于内治以辛涼佐以苦以甘緩之以辛散之風性喜温而惡清故治之凉是以勝氣治之也佐以苦隨其所利也木苦急則以甘緩之若抑則以辛散之藏氣法時論曰肝苦急〻食甘以緩之肝欲散急食辛以散之此之謂也食亦音飼已曰食他曰飼也大法正味如此諸為方者不必盡用之佐一佐三佐病已則止餘氣皆然熱淫于内治以鹹寒佐以甘苦以酸收之以苦發之熱性惡寒故治以寒也熱之大盛甚於表者以苦發之不盡復寒制之寒制不盡復苦發之以酸收之甚者再方微者一方可使必已時發時止亦以酸收之濕淫于内治以苦熱佐以酸淡以苦燥之以淡泄之濕與燥反故治以苦熱佐以酸淡也燥除濕故以苦燥其濕也淡利竅故以淡滲泄也藏氣法時論曰脾苦濕急食苦以燥之靈樞經曰淡利竅也生氣通天論曰味過於苦脾氣不濡胃氣乃厚明苦燥也○新校正按天元正紀大論曰下太陰其化下甘温火淫于内治以鹹冷佐以苦辛以酸收之以苦發之火氣大行心腹心怒之以所生也鹹性柔耎故以治之以酸收之大法候其須汗者以辛佐之不必要資苦味令其汗也欲柔耎者以鹹治之藏氣法時論曰心欲耎急食鹹以耎之心苦緩急食酸以收之此之謂也燥淫于内治以苦温佐以甘辛以苦

下之温利凉性故以苦治之下謂利之使不得也新校正云按藏氣法時論曰肺苦氣上逆急食苦以泄之以辛寫之酸補之又按下文司天燥淫所勝佐以酸辛此云甘辛者甘字疑當作酸天元正紀大論云下酸熱与苦温之治又異又云以酸收之而安其下甚則以苦泄之寒淫于内治以甘熱佐以苦辛以鹹寫之以辛潤之以苦堅之以熱治寒是爲摧勝折其氣用令不滋繁也苦辛之佐通事行之○新校正云按藏氣法時論曰腎苦燥急食辛以潤之腎欲堅急食苦以堅之用苦補之鹹寫之舊注引此在濕淫于内之下无義今移於此帝曰善天氣之變何如岐伯曰厥陰司天風淫所勝則大虚埃昏雲物以擾寒生春氣流水不冰民病胃脘當心而痛上支兩脇鬲咽不通飲食不下舌本強食則嘔冷泄腹脹溏泄瘕水閉蟄蟲不出病本于脾謂乙巳丁巳己巳辛巳癸巳乙亥丁亥己亥辛亥癸亥歲也是歲民病集於中也風自天行故大虚埃起風動飄蕩故雲物擾也埃青塵也不分遠物是爲埃昏土之爲病其善泄利若病水則小便閉而不下若大泄利則經水亦多閉絶也○新校正云按甲乙經舌本強食則嘔腹脹溏泄瘕水閉爲脾病又胃病者腹脹胃管當心而痛上支兩脇鬲咽不通食飲不下蓋厥陰司天之歲木勝土故病如是衝陽絶死不治衝陽在足跗上動脉應手胃之氣也衝陽脉微則食飲減少絶則藥食不入亦下嗌還出

也攻之不入養之不生邪氣日強真氣內絕故其必死不可復也少陰司天熱淫所勝怫熱至火行其政民病胷中煩熱嗌乾右胠滿皮膚痛寒熱欬喘大雨且至唾血血泄鼽衂嚏嘔溺色變甚則瘡瘍胕腫肩背臂臑及缺盆中痛心痛肺䐜腹大滿膨膨而喘欬病本于肺謂甲子丙子戊子庚子壬子甲午丙午戊午庚午壬午歲也怫熱至是火行其政乃尓是歲民病集於右蓋以小腸通心故也病自肺生故曰病本于肺也○新校正云按甲乙經溺色變肩背臂臑及缺盆中痛腹䐜脹滿膨膨而喘欬為肺病鼽衂為人腸病盖少陰司天之歲火𠫇金故病如是又王注民病集於右以小腸通心故按甲乙經大腸附脊左環回腸附脊右環所說不應得非火盛剋金而大腸病歟尺澤絕死不治尺澤在肘內廉大文中動脈應手肺之氣也火爍於金承天之命金氣內絕故必危亡尺澤不至肺氣已絕榮衛之氣宣行无主真氣內竭生之何有哉大陰司天濕淫所勝則沉陰且布雨變枯槁胕腫骨痛陰痺陰痺者按之不得腰脊頭項痛時眩大便難陰氣不用飢不欲食欬唾則有血心如懸病本于腎謂乙丑丁丑己丑辛丑癸丑乙未丁未己未辛未癸未歲也沉久也腎氣受邪水无能潤下焦枯涸故大便難也○新校正云按甲乙經飢不用食欬唾則有血心懸如飢狀為腎

病又邪在腎則骨痛陰痺陰痺者按之而不得腹脹腰痛大便難肩背頸項強痛時眩蓋大陰司天之歲土剋水故病如是大谿絕死不治大谿在足內踝後跟骨上動脈應手腎之氣也土邪勝水而腎氣內絕邪甚正微故方无所用矣少陽司天火淫所勝則溫氣流行金政不平民病頭痛發熱惡寒而瘧熱上皮膚痛色變黃赤傳而為水身面胕腫腹滿仰息泄注赤白瘡瘍欬唾血煩心胸中熱甚則鼽衄病本于肺謂甲寅丙寅戊寅庚寅壬寅甲申丙申戊申庚申壬申歲也火來用事則金氣受邪故曰金政不平也火炎於上金肺受邪客熱內燔水无能救故化生諸病也制火之客則已矣○新校正云按甲乙經邪在肺則皮膚痛發寒熱蓋少陽司天之歲火剋金故病如是天府絕死不治天府在肘後內側上腋下同身寸之三寸動脈應手肺之氣也火勝而金脈絕故死陽明司天燥淫所勝則木迺晚榮草迺晚生筋骨內變民病左胠脅痛寒清于中感而瘧大涼革候欬腹中鳴注泄鶩溏名木斂生菀于下草焦上首心脇暴痛不可反側嗌乾面塵腰痛丈夫㿗疝婦人少腹痛目昧眥瘍瘡痤癰蟄蟲來見病本于肝謂乙卯丁卯己卯辛卯癸卯乙酉丁酉己酉辛酉癸酉歲也金

勝故草木晚生榮也配於人身則筋骨內應而不用也大凉之氣交易時候則人寒清發於中內感寒氣則為痎瘧也大
陽居右肺氣通之今肺氣內淫肝居下左故左胠脅痛如刺割也其歲民自注泄則无淫勝之疾也大凉次寒也大凉且
甚陽氣不行故木不容收斂草榮悉晚生氣已升陽不布令故行積生氣而稸於下也在人之應則少腹之內痛氣居之發
於於仲夏發瘡瘍之疾猶及秋中瘡癰之患生於上癰腫之類生於下瘡色黜赤中心正白物氣之常也○新校正云按甲
乙經云腰痛不可以俛仰丈夫癩疝婦人少腹腫甚則嗌乾面塵為肝病又脊痛洞泄為脾病又心脅痛不能反側目兊皆
痛缺盆中腫痛掖下腫馬刀挾癭汗出振寒瘧為膽病善陽明司天之歲金尅木故病如是又按脈解云厥陰所謂癲疝
婦人少腹腫者厥陰者辰也三月陽中之陰邪在中故曰癩疝少腹腫也經孤木切大衝絕死不治大衝
在足大指本節後二寸脈動應手肝之氣也金來伐木肝氣內絕真不勝邪其死宜也太陽司天寒淫
所勝則寒氣反至水且冰血變于中發為癰瘍民病厥心痛
嘔血血泄鼽衄善悲時眩仆運火炎烈雨暴廼雹胷腹滿手
熱肘攣掖腫心澹澹大動胷脇胃脘不安面赤目黃善噫嗌
乾甚則色炲渴而欲飲病本于心謂甲辰丙辰戊辰庚辰壬辰甲戌丙戌戊戌庚戌壬
戌歲也太陽司天寒氣布化故水且冰而血變於皮膚之間衛氣鬱聚故為癰也若乘火運而火炎烈與水交戰故暴雨半

疾形寒也心氣為意故善意是歲民病集于心脅之中也陽氣內鬱溫氣下蒸故心厥痛而嘔血血泄鼽衄面赤目黃也善噫手熱肘攣掖腫嗌乾甚則寒氣勝陽水行凌火火氣內鬱故渴而欲飲也病始心生為陰凌犯故云病本于心也〻〇新校正云按甲乙經手熱肘攣掖腫甚則胷脇支滿心澹〻大動面赤目黃為手心主病又邪在心則病心痛善悲時眩仆蓋大陽司天之歲水剋火故病如是**神門絕死不治**神門在手之掌後銳骨之端動脈應手真心氣也水行勝火而心氣內絕神氣已亡不死何待善知其診故不治也**所謂動氣知其藏也**所以診視而知死者何以皆是藏之經脈動氣知神藏之存亡尔**帝曰善治之柰何**謂可攻治者**岐伯曰**

司天之氣風淫所勝平以辛涼佐以苦甘以甘緩之以酸寫之厥陰之气未為盛热故以涼藥平之夫氣之用也積凉為寒積溫為热以热少之其則溫也以寒少之其則涼也以溫多之其則热也以涼多之其則寒也各當其分則寒〻也溫〻也热〻也涼〻也方書之用可不務乎故寒热溫涼迸降多少善為方者意以精通餘气皆然從其制也〇新校正云按本論上文云上淫于下所勝平之外淫于內所勝治之故在泉曰治司天曰平也**熱淫所勝平以鹹寒佐以苦甘以酸收之**热气已退時發動者是為心虛氣散不斂以酸收之雖以酸收亦兼寒助乃能殄除其源本矣热見大甚則以苦發之汗已便涼是邪氣尽勿寒水之汗已猶热是邪气未尽則以酸收之已又热則復汗之已汗復热是藏虛也則補其心可矣法則治

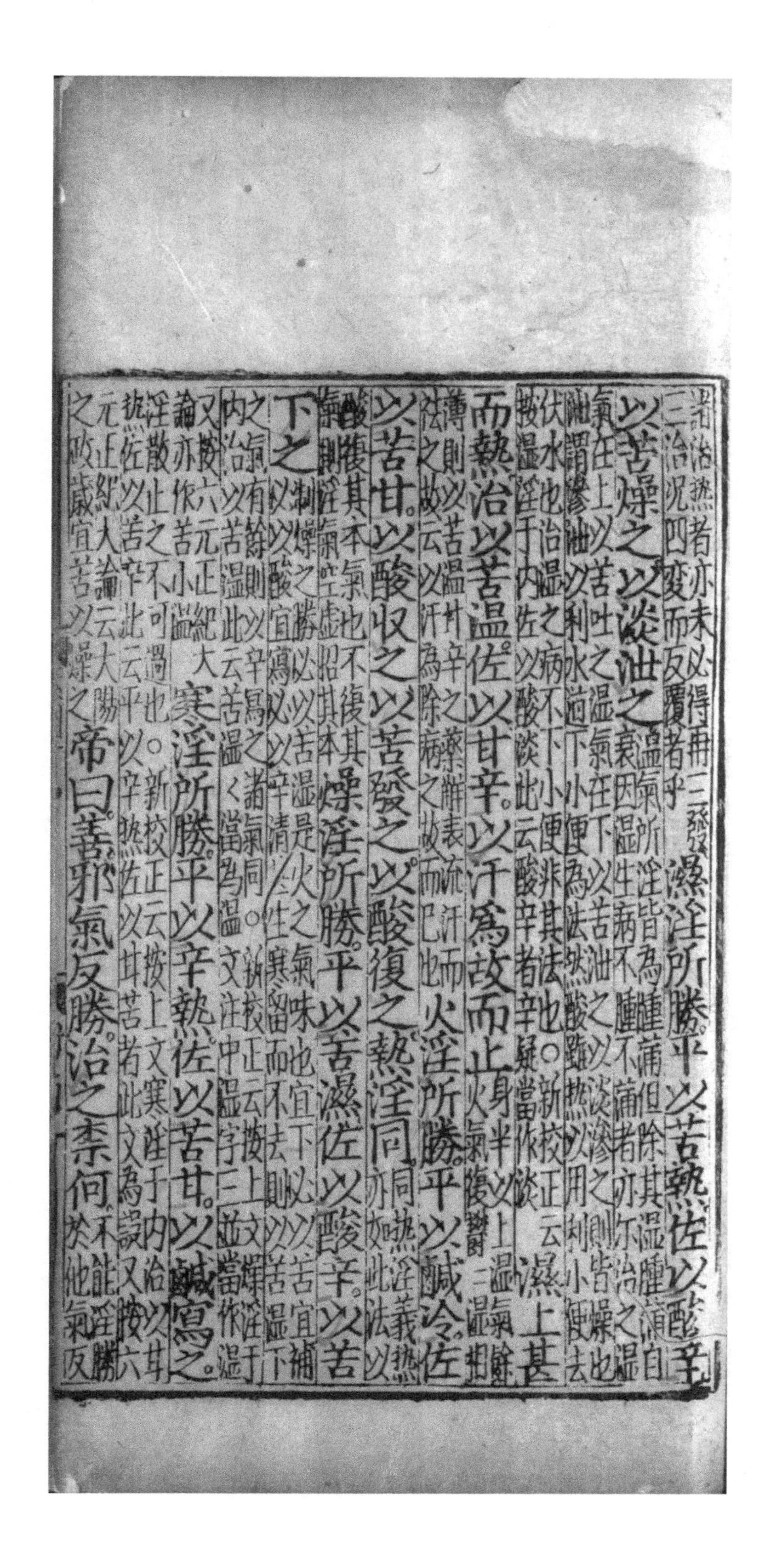

若治熱者亦未必得再三發三治況四變而反覆者乎濕淫所勝平以苦熱佐以酸辛以苦燥之以淡泄之濕氣所淫皆為腫滿但除其濕腫滿自衰因濕生病不腫不滿者亦爾治之濕氣在上以苦吐之濕氣在下以苦泄之以淡滲之則皆燥也泄謂滲泄以利水道下小便為法然酸雖熱以用利小便去伏水也治濕之病不下小便非其法也○新校正云按濕淫于內佐以酸淡此云酸辛者辛疑當作淡濕上甚而熱治以苦溫佐以甘辛以汗為故而止身半以上濕氣餘火氣復鬱〻濕相薄則以苦溫甘辛之藥解表流汗而祛之故云以汗為除病之故而已也火淫所勝平以鹹冷佐以苦甘以酸收之以苦發之以酸復之熱淫同同熱淫義熱亦如此法以酸復其本氣也不復其氣則淫氣空虛招其損燥淫所勝平以苦濕佐以酸辛以苦下之制燥之勝必以苦溫是火之氣味也宜下必以苦宜補必以酸宜瀉必以辛清甚生寒留而不去則以苦溫下之氣有餘則以辛寫之諸氣同○新校正云按上文燥淫于內治以苦溫此云苦濕〻當為溫文注中濕字三並當作溫又按六元正紀大論亦作苦小溫寒淫所勝平以辛熱佐以苦甘以鹹寫之淫散止之不可過也○新校正云按上文寒淫于內治以甘熱佐以苦辛此云平以辛熱佐以甘苦者此文為誤又按六元正紀大論云太陽之政歲宜苦以燥之帝曰善邪氣反勝治之奈何不能淫勝於他氣反

爲不勝之氣爲邪以勝之岐伯曰。風司于地。清反勝之治以酸溫。佐以苦甘。以辛平之厥陰在泉則風司于地謂五寅五申歲邪氣勝盛故先以酸寫佐以苦甘邪氣退則正氣虚故以辛補養而平之熱司于地。寒反勝之治以甘熱。佐以苦辛。以鹹平之少陰在泉則熱司于地謂五卯五酉歲也先寫其邪而後平其正氣也濕司于地。熱反勝之治以苦冷。佐以鹹甘。以苦平之大陰在泉則濕司于地謂五辰五戌歲也補寫之義餘氣皆同火司于地。寒反勝之治以甘熱。佐以苦辛。以鹹平之少陽在泉則火司于地謂五巳五亥歲也燥司于地。熱反勝之治以平寒。佐以苦甘。以酸平之以和爲利陽明在泉則燥司于地謂五子五午歲也燥之性惡熱而畏寒故以冷熱和平爲方治也寒司于地。熱反勝之治以鹹冷。佐以甘辛。以苦平之太陽在泉則寒司于地謂五丑五未歲也此六氣方治與前之勝法殊異其云治者寫客邪之勝氣也云左者皆所利所宜也云平者補已弱之正氣也帝曰。其司天邪勝何如。岐伯曰。風化於天。清反勝之治以酸溫。佐以甘苦。巳亥歲也熱化於天。寒反勝之治以甘溫佐以苦酸辛。子午歲也濕化於天。熱反勝之治以苦寒。佐以苦酸丑未歲也火化於天寒反勝之治以甘熱佐以苦辛寅申歲也燥化於天熱反勝之治以辛寒佐以苦甘卯酉歲也寒化於天熱反勝之治以鹹冷佐以苦辛辰戌歲也帝曰六氣相勝柰何岐伯曰厥陰之勝耳鳴頭眩憒憒欲吐胃鬲如寒大風數舉倮蟲不滋胠脇氣并化而為熱小便黃赤胃脘當心而痛上支兩脇腸鳴飧泄少腹痛注下赤白甚則嘔吐鬲咽不通五巳五亥歲也心下齊上謂之分胃鬲謂胃脘之上及大鬲之下風寒氣所生也氣并謂偏着一邊鬲咽謂食飲入而復出也○新校正云按甲乙經胃病者胃脘當心而痛上支兩脇鬲咽不通少陰之勝心下熱善飢齊下反痛氣遊三焦炎暑至木迺津草迺萎嘔逆躁煩腹滿痛溏泄傳為赤沃五子五午歲也沃沫也大陰之盛火氣內鬱瘡瘍於中流散於外病在胠脇甚則心痛熱格頭痛喉痹項強獨勝則濕氣內鬱寒迫下焦痛留頂互引眉間胃滿雨數至燥化迺見少腹滿腰脽重強內不便善注泄足下溫頭重足脛胕腫飲發

於中。胕腫於上五丑五未歲也濕勝於上則火氣內鬱勝於中則寒迫下焦水溢河渠則鱗虫離水也脽謂臀肉也不便謂腰重內強直屈伸不利也獨勝謂不兼鬱火也胕腫於上謂首面也足脛腫是火鬱所生也○新校正云詳注云水溢河渠則鱗虫離水也王作此注於經文無所解又按大陰之復云大雨時行鱗見於陸則此文於雨數至下脘少鱗見於陸四字未然則王注無因為解也

少陽之勝。熱客於胃。煩心。心痛。目赤。欲嘔。嘔酸。善飢。耳痛。溺赤。善驚。譫妄。暴熱消爍。草萎水涸。介蟲迺屈。少腹痛。下沃赤白。五寅五申歲也熱暴甚故草萎水涸陰氣消爍介虫金化也火氣大勝故介虫屈伏酸醋水也

陽明之勝。清發於中。左胠脇痛。溏泄。內為嗌塞。外發癲疝。大涼肅殺。華英改容。毛蟲迺殃。胷中不便。嗌塞而欬。五卯五酉歲也大涼肅殺金氣勝木故草木華英為殺氣損削改易形容而焦其上首也毛蟲木化氣不宜金故金政大行而毛虫死耗也肝木之氣下主於陰故大涼行而癩疝發也胷中不便謂呼吸回轉或痛或緩急而不利便也氣大盛故嗌塞而欬也嗌謂喉之下接連胷中肺兩葉之間也

大陽之勝。凝溧且至。非時水冰。羽迺後化。痔瘧發。寒厥入胃則內生心痛。陰中迺瘍。隱曲不利。互引陰股。筋肉拘苛。血脈凝泣。絡滿色變。或為血泄

皮膚否，腹滿食減，熱反上行，頭項囟頂腦戶中痛，目如脫，寒入下焦，傳為濡寫。五辰五戌歲也。寒氣凌逼，陽不勝之，故非寒時而止冰。冰，水結也。水氣大勝，陽火不行，故諸羽虫生化而後也。拘，急也。苛，重也。絡，絡脈也。太陽之氣，標在於巔，故熱反上行於頭也。以其脈起於目內眥，上額交巔上，入絡腦，還出別下項，故囟頂及腦戶中痛，目如發脫也。濡，謂水利也。○新校正云：按甲乙經脣瘖頭項囟頂及腦戶中痛，目如脫，為太陽經病。帝曰：治之奈何？岐伯曰：厥陰之勝，治以甘清，佐以苦辛，以酸寫之。少陰之勝，治以辛寒，佐以苦鹹，以甘寫之。太陰之勝，治以鹹熱，佐以辛甘，以苦寫之。少陽之勝，治以辛寒，佐以甘鹹，以甘寫之。陽明之勝，治以酸溫，佐以辛甘，以苦泄之。太陽之勝，治以甘熱，佐以辛酸，以鹹寫之。六勝之至，皆先歸其不勝己者，故不勝者當先寫之，以通其道，次寫所勝之氣，令其退釋也。治諸勝而不寫遣之，則勝氣浸盛，內生諸病也。○新校正云：詳此為治，皆先寫其不勝，而後寫其來勝，獨太陽之勝，治以甘熱為疑，甘字苦之誤也。若云治以苦熱，則六勝之治，皆一貫也。帝曰：六氣之復何如？復，謂報復，報其勝也。凡先有勝，後必復。○新校正云：按玄珠云：六氣分正化、對化。厥陰正司於亥，對化於巳；少陰正司於午，對化於子；太陰正司於未，對化於丑；少陽正司於寅，對化於申陽明正司於酉對化於卯大陽正司於戌對化於辰正司化令之實對司化令之虚對化勝而有復正化勝而不復此註云凡先有勝後必復後豫未然岐伯曰悉乎哉問也厥陰之復少腹堅滿裏急暴痛偃木飛沙倮蟲不榮厥心痛汗發嘔吐飲食不入入而復出筋骨掉眩清厥甚則入脾食痺而吐裏腹脇之中也木偃沙飛風之大也風爲木勝故土不榮氣厥謂氣衝胸脅而凌及心也胃受逆氣而上攻心痛也痛甚則汗發泄掉謂肉中動也清厥手足冷也食痺謂食已心下痛陰陰然不可名也不可忍也吐出乃止此爲胃氣逆而不下流也食飲不入入而復出肝乘脾胃故令不也衝陽絕死不治衝陽胃脉氣也少陰之復燠熱內作煩躁鼽嚏少腹絞痛火見燔焫嗌燥分注時止氣動於左上行於右欬皮膚痛暴瘖心痛鬱冒不知人迺洒淅惡寒振慄譫妄寒已而熱渴而欲飲少氣骨痿隔腸不便外爲浮腫噦噫赤氣後化流水不冰熱氣大行介蟲不福病痱胗瘡瘍癰疽痤痔甚則入肺欬而鼻淵火熱之氣自小腸從齊下之左入大腸上行至左脅甚則上行於右而入肺故動於左上行於右皮膚痛也分注謂大小俱下也骨痿言骨弱无力也隔腸謂腸如隔絕而不便瀉也寒熱甚

則然陽明先勝故赤氣後出流水不冰乃陰之本司於地也在人之應則冬脉不凝若冱山窮谷已是至高之處水亦當[illegible]冰平下川流則如經矣火氣內蒸金氣外拒陽熱內鬱故為痱胗瘡瘍甚則亦為瘡也熱少則外生痱胗熱多則內結癰瘥小腸有熱則戶外為痔出兵復熱之變皆病於身後及外側也瘡瘍痱胗生於上癰疽瘡痔生於下反其如者皆為逆也

天府絕死不治天府肺脉氣也○新校正云按上文少陰司天熱淫所勝尺澤絕死不治少陽司天火淫所勝天府絕死不治此云少陰之復天府絕死不治下文少陽之復尺澤絕死不治此文如相反者蓋尺澤天府俱手大陰脉之所發動故此互文也

大陰之復濕變廼舉體重中滿食飲不化陰氣上厥胷中不便飲發於中欬喘有聲大雨時行鱗見於陸頭頂痛重而掉瘛尤甚嘔而密默唾吐清液甚則入腎竅瀉無度濕氣內逆寒氣不行大陽上流故為是病頭頂痛重則腦中掉瘛尤甚腸胃寒濕熱无所行熏灼胃府故胃中不便食飲不化嘔而密默靜究也喉中惡冷故唾吐冷水也寒氣易位上入肺喉則息道不利故欬喘而喉中有声也水居平澤則魚遊於市頭頂囟痛女人亦兼痛於眉間也○新校正云按上文大陰在泉頭痛項似拔又大陰司天云頭頂痛頂疑當作項

大谿絕死不治大谿腎脉氣也

少陽之復大熱將至枯燥燔爇介蟲廼耗驚瘛欬衄心熱煩躁便數憎風厥氣上行面如

浮埃目廼瞤瘛火氣內發上爲口糜嘔逆血溢血泄發而爲瘧惡寒鼓慄寒極反熱嗌絡焦槁渴引水漿色變黃赤少氣脈萎化而爲水傳爲胕腫甚則入肺欬而血泄（火氣專暴枯燥草木燔焫自生故燔爇也火內熾故驚惑欬衄心熱煩燥便数憎風也火炎於上則熏物失色故如塵埃浮於面而目瞤動也火燥於內則口舌糜爛嘔逆及爲血溢血泄風火相薄則爲溫瘧氣蒸熱化則爲水病傳爲胕腫腫謂皮肉俱腫按之陷下泥而不起也如是之證皆火氣所生也）尺澤絕死不治（尺澤肺脈氣也）陽明之復清氣大舉森木蒼乾毛蟲廼厲病生胠脇氣歸於左善大息甚則心痛否滿腹脹而泄嘔苦欬噦煩心病在鬲中頭痛甚則入肝驚駭筋攣（殺氣大舉木不勝之故蒼青之葉不及黃而乾燥也厲謂疵厲疫癘死也清甚於內熱鬱於外故也）太衝絕死不治（太衝肝脈氣也）大陽之復厥氣上行水凝雨冰羽蟲廼死心胃生寒胷中不利心痛否滿頭痛善悲時眩仆食減腰脽反痛屈伸不便地裂冰堅陽光不治少腹控睾引腰脊上衝心唾出清水及爲噦噫甚則入心善忘善悲（雨冰謂雹也寒而過）

霰死亦其宜寒化於地其上復土故地体分裂水積冰堅久而不釋是陽光之氣不治寒凝之物也太陽之復与不相持
上湿下寒火无所往心氣内鬱熱由是生火熱内蕃故生斯病○新校正云詳注云与不相持不字疑作土神門
絶死不治神門真心脉氣帝曰善治之柰何復氣倍勝故先闘以治之岐伯曰厥
陰之復治以酸寒佐以甘辛以酸寫之以甘緩之不大緩之夏猶不已
復重於勝故治以辛寒也○新校正云按別本治以酸寒作治以辛寒少陰之復治以鹹寒佐
以苦辛以甘寫之以酸收之以苦發之以鹹耎之不大發汗以寒攻之
持至仲秋熱内伏結而為心熱少氣少力而不能起矣熱伏不散歸於骨也大陰之復治以苦熱
佐以酸辛以苦寫之燥之泄之不燥泄之久而為身腫腹滿關節不利腨及伏兎怫滿内
作膝腰脛内側附腫病少陽之復治以鹹冷佐以苦辛以鹹耎之以酸
收之辛苦發之發不遠熱無犯溫涼少陰同法不發汗以奪盛陽則熱内
淫於四支而為觧㑊不可名也謂熱不甚謂寒不甚謂強不甚請弱不甚不可以名言故謂之觧㑊粗醫呼為鬼氣惡病
也久二不已則骨熱髓涸齒乾乃為骨熱病也發汗奪陽故无留熱故發汗者雖熱生病夏月及差亦用熱藥以發之當
春秋時纖火熱盛亦不得以熱藥發汗汗不發而藥熱内甚助病為瘧逆犯神靈故曰无犯温涼少陰氣熱為療則同故

一云與少陰同法也數奪其汗則津液竭涸故以酸收以陽明燥潤也。新校正云按六元正紀大論云發表不遠熱
之復治以辛溫佐以苦甘以苦泄之以苦下之以酸補之泄謂
滲泄汗及小便湯浴皆是也秋分前後則亦發之春有勝則依勝法或不已亦湯清和其中外也怒復之後其氣皆虛故
補之以安全其氣餘復治同大陽之復治以鹹熱佐以甘辛以苦堅之不堅
則寒氣內變止而復發發而復止綿歷年歲生大寒疾治諸勝復寒者熱之熱者寒之
溫者清之清者溫之散者收之抑者散之燥者潤之急者緩
之堅者耎之脆者堅之衰者補之強者寫之各安其氣必清
必靜則病氣衰去歸其所宗此治之大體也大陽氣寒少陰少陽氣熱厥陰
氣溫陽明氣清大陰氣濕有勝復則各倍其氣以調之故可使平也宗屬也調不失理則餘之氣自歸其所屬少之氣自
安其所居勝復衰已則各補養而平定之必清必靜無妄撓之則六氣循環五神安泰若運氣之寒熱治之平之亦各歸
同天地氣也帝曰善氣之上下何謂也岐伯曰身半以上其氣三
矣天之分也天氣主之身半以下其氣三矣地之分也地氣
主之以名命氣以氣命處而言其病半所謂天樞也身之半正謂齊

中也或以腰為身半是以居中為義過天中也中原之人悉如此矣當伸臂指天舒足指地以繩量之中正當齊也故又曰半所謂天樞也天樞正當齊兩傍同身寸之二寸也其氣三者假如少陰司天則上有熱中有大陽兼之三也六氣皆然司天者其氣三司地者其氣三故身半以上三氣身半以下三氣也以名言其氣以氣言其處以氣處寒熱而言其病之形證也則如足厥陰氣居足及股脛之內側上行於少腹循脇足陽明氣在足之上胕之外股之前上行腹齊之傍循胷乳上面足大陽氣起於目上頞絡頭下項背過腰橫過髀樞股後下行入膕貫腨出外踝之後足小指外側足大陰氣循足及股脛之內側上行腹脇之前足少陰同之足少陽氣循脛外側上行腹脇之側循頰耳至目銳眥在首之側此足六氣之部主也手厥陰少陰大陰氣從心胷橫出循臂內側至中指小指大指之端手陽明少陽大陽氣並起手表循臂外側上肩及甲上頭此手六氣之部主也欲知病診當隨氣所在以言之當陰之分冷病歸之當陽之分熱病歸之故勝復之作先言病生寒熱者必依此物理也○新校正云按六微旨大論云天樞之上天氣主之天樞之下地氣主之氣交之分人氣從之

故上勝而下俱病者以地名之下勝而上俱病者以天名之

彼氣既勝此未能復抑鬱不勝而无所行進則困於雖勝退則窮於拂塞故上勝至則下與俱病下勝至則上與俱病上勝下病地氣鬱也故從地鬱以名地病下勝則上病天氣塞也故從天塞以名天病夫以天名者方順天氣為制逆地氣而攻之以地名者方從天氣為制則可假如陽明司天少陰在泉上勝而下俱病者是拂於下而生也天氣

正勝天可逆之故順天之氣方同諸也少陰等司天上下勝同法○新校正云按六元正紀大論云上勝則天氣降而下
下勝則地氣迁而上此之謂也所謂勝至報氣屈伏而未發也復至則不以
天地異名皆如復氣為法也勝至未復而病生以天地異名為式復氣已發則所生无問上
下勝悉皆依復氣為病寒熱之主也帝曰勝復之動時有常乎氣有必乎岐
伯曰時有常位而氣無必也雖位有常而發動有无不必定之也帝曰願聞其
道也岐伯曰初氣終三氣天氣主之勝之常也四氣盡終氣
地氣主之復之常也有勝則復無勝則否帝曰善復已而勝
何如岐伯曰勝至則復無常數也衰乃止耳勝微則復微故復已而又勝勝
甚則復甚故復已則少有再勝者也假有勝者亦隨微甚而復之尔然勝復之道雖无常數至其衰謝則勝復皆自止也
復已而勝不復則害此傷生也有勝无復是復氣已衰衰不能復是天真之氣已傷敗甚
而主意尽帝曰復而反病何也岐伯曰居非其位不相得也大復
其勝則主勝之故反病也捨已宮觀適於他邦已力已衰主不相得怨隨其後雖便是求放力
極而復主反襲之故自病者也所謂火燥熱也少陽火也陽明燥也少陰熱也少陰少陽在泉為火居水

立陽明司天為金居火位金復其勝則火主勝之火復其勝則水主勝之餘氣勝復則无主勝之病氣也故又曰所謂火燥熱也帝曰治之柰何岐伯曰夫氣之勝也微者隨之甚者制之氣之復也和者平之暴者奪之皆隨勝氣安其屈伏無問其數以平為期此其道也隨謂隨之安謂順勝氣以和之也制謂制止平謂平調奪謂奪其勝氣也治此者不以數之多少但以氣平和為準度尒帝曰善客主之勝復柰何客謂天之六氣主謂五行之位也氣有宜否故各有勝復之者岐伯曰客主之氣勝而無復也客主自有多少以其為勝与常勝殊帝曰其逆從何如岐伯曰主勝逆客勝從天之道也客承天命部統其方主為之下固宜祗奉天命不順而勝則天命不行故為逆也客勝於主承天而行理之道故為順也帝曰其生病何如岐伯曰厥陰司天客勝則耳鳴掉眩甚則欬主勝則胷脇痛舌難以言五巳五亥歲也少陰司天客勝則鼽嚔頸項強肩背瞀熱頭痛少氣發熱耳聾目瞑甚則胕腫血溢瘡瘍欬喘主勝則心熱煩躁甚則脇痛支滿五子五午歲也大陰司天客勝則首面胕腫呼吸氣喘主勝則胷腹滿食已而

胕五丑五未歲也少陽司天客勝則丹胗外發及爲丹熛瘡瘍嘔逆
喉痹頭痛嗌腫耳聾血溢内爲瘛瘲主勝則胷滿欬仰息甚
而有血手熱五寅五申歲也陽明司天清復内餘則欬衄嗌塞心鬲
中熱欬不止而白血出者死復謂復舊居也白血謂欬出淺紅色血似肉似肺者五卯五酉
歲也○新校正云詳此不言客勝主勝者以金居火位无客勝之理故不言也大陽司天客勝則胷
中不利出清涕感寒則欬主勝則喉嗌中鳴五辰五戌歲也厥陰在
泉客勝則大關節不利内爲痙強拘瘛外爲不便主勝則筋
骨繇併腰腹時痛五寅五申歲也大關節腰膝也少陰在泉客勝則腰痛尻
股膝髀腨䯒足病瞀熱以酸胕腫不能久立溲便變主勝則
厥氣上行心痛發熱鬲中衆痺皆作發於胠脇魄汗不藏四
逆而起五卯五酉歲也大陰在泉客勝則足痿下重便溲不時濕客
下焦發而濡寫及爲腫隱曲之疾主勝則寒氣逆滿食飲不
下甚則爲疝五辰五戌歲也隱曲之疾謂隱蔽委曲之處病也少陽在泉客勝則[illegible]

腹痛而反惡寒。甚則下白溺白。主勝則熱反上行。而客於心。心痛發熱。格中而嘔。少陰同候。（五巳五亥歲也）陽明在泉。客勝則清氣動下。少腹堅滿而數便寫。主勝則腰重腹痛。少腹生寒。下爲鶩溏。則寒厥於腸。上衝胸中。甚則喘不能久立。（五子五午歲也。鶩，鴨也。言如鴨之後也）大陽在泉。寒復內餘。則腰尻痛。屈伸不利。股脛足膝中痛。（五丑五未歲也。○新校正云：詳此不言客主勝者，蓋大陽以水居水位，故不言也）帝曰：善。治之奈何。岐伯曰：高者抑之。下者舉之。有餘者折之。不足者補之。佐以所利。和以所宜。必安其主客。適其寒溫。同者逆之。異者從之。（高者抑之，制其勝也。下者舉之，濟其弱也。有餘者折之，屈其銳也。不足者補之，全其氣也。雖制勝扶弱，而客主須安，一氣失所，則矛楯更作，榛棘互興，各伺其便，不相得志，內淫外併，而危敗之由作矣。同，謂寒熱溫清氣相比和者；異，謂水火金木土不比和者。氣相得者，則逆所勝之氣以治之；不相得者，則順所不勝氣以治之。治火勝負，欲益者以其味，欲寫者亦以其味。勝与不勝，皆折其氣也。何者？以其性躁動也。治熱亦然）帝曰：治寒以熱。治熱以寒。氣相得者逆之。不相得者從之。余已知之矣。其於正味何如岐伯曰木位之主其寫以酸其補以辛 木位春分前六十一日初之氣也 火位之主其寫以甘其補以鹹 君火之位春分之後六十一日二之氣也相火之位夏至前後各三十日三之氣也二火之氣則殊然其氣用則一矣 土位之主其寫以苦其補以甘 土之位秋分前六十一日四之氣也 金位之主其寫以辛其補以酸 金之位秋分後六十一日五之氣也 水位之主其寫以鹹其補以苦 水之位冬至前後各三十日終之氣也 厥陰之客以辛補之以酸寫之以甘緩之少陰之客以鹹補之以甘寫之以鹹收之 新校正云按藏氣法時論云心苦緩急食酸以收之心欲耎急食鹹以耎之此云以鹹收之者誤也 太陰之客以甘補之以苦寫之以甘緩之少陽之客以鹹補之以甘寫之以鹹耎之陽明之客以酸補之以辛寫之以苦泄之太陽之客以苦補之以鹹寫之以苦堅之以辛潤之開發腠理致津液通氣也 客之部主各六十日居無常所隨歲遷移客勝則寫客而補主主勝則寫主而補客應當緩當急以治之 帝曰善願聞陰陽之三也何謂岐伯曰氣有多少異用也 太陰為正陰太陽為正陽次少者為少陰次少者為少陽

少陽又次為陽明又次為厥陰厥陰為盡義具靈樞繫日月論中新校正云按天元紀大論云何謂氣有多少鬼臾區曰陰陽之氣各有多少故曰三陰三陽也帝曰陽明何謂也岐伯曰兩陽合明也靈樞繫日月論曰辰者三月主左足之陽明巳者四月主右足之陽明兩陽合於前故曰陽明也帝曰厥陰何也岐伯曰兩陰交盡也靈樞繫日月論曰戌者九月主右足之厥陰亥者十月主左足之厥陰兩陰交盡故曰厥陰也帝曰氣有多少病有盛衰新校正云按天元紀大論云形有盛衰治有緩急方有大小願聞其約柰何岐伯曰氣有高下病有遠近證有中外治有輕重適其至所為故也藏位有高下府氣有遠近病證有表裏藥用有輕重調其多少和其緊慢令藥氣至病所為故勿太過與不及也大要曰君一臣二奇之制也君二臣四偶之制也君二臣三奇之制也君二臣六偶之制也奇謂古之單方偶謂古之複方也單複一制皆有小大故奇方云君一臣二君二臣三偶方云君二臣四君二臣六也病有小大氣有遠近治有輕重所宜故云制也故曰近者奇之遠者偶之汗者不以奇下者不以偶補上治上制以緩補下治下制以急急則氣味厚緩則氣味薄適其至所此之謂也汗藥不以偶方

氣不可以外發泄下藥不以奇制藥毒攻而致過治上補上方迅急則上不住而迫下治下補下方緩慢則滋道路而力又微制急方而氣味薄則力与緩等制緩方而氣味厚則勢与急同如是為緩不能緩急不能急厚而不厚薄而不薄則大小非制輕重无度則虛實寒熱藏府紛撓无由致理豈神灵而可望安哉 病所遠而中道氣味之者食而過之無越其制度也假如病在腎而心之氣味飼而冷足仍急過之不飼以氣味腎藥凌心心復益衰餘上下遠近不同 是故平氣之道近而奇偶制小其服也遠而奇偶制大其服也大則數少小則數多多則九之少則二之湯丸多少凡如此也近遠謂府藏之位也心肺為近肝腎為遠脾胃居中三陽胞脏膽亦有遠近身三分之上為近下為遠也或識見高遠權以合宜方奇而分兩偶方偶而分兩奇如是者近而偶制多數服之遠而奇制少數服之則肺服九心服七脾服五肝服三腎服一為常制矣故曰小則數多七則數少○新校正云詳注云三陽胞脏膽一本作二陽胞脏膽再詳三陽无義二陽亦未為得二陽有大小井脏陽為三今已云胞脏則不得云三陽三當作二遒之力切 奇之不去則偶之是謂重方偶之不去則反佐以取之所謂寒熱溫涼反從其病也方与其重也寧輕与其毒也寧善与其大也寧小是以奇方不去偶方主之偶方病在則反其一佐以同病之氣而取之也夫熱与寒背寒与熱違纖小之熱為寒所折纖小之冷為熱所消甚大

寒熱則以能与違性者爭旃能与畏氣者相格吉不同不相應氣不同不相合如是則且憚而不敢攻之攻之則病氣与藥氣抗衡而自為寒熱以關閉固守矣是以聖人反其佐以同其氣令身氣應合復令其熱參合使其終異始同燥潤而敗堅剛必折柔脆同消尔脆清歲切帝曰善病生於本余知之矣生於標者治之奈何岐伯曰病反其本得標之病治反其本得標之方言少陰太陽之二氣与四氣標本同帝曰善六氣之勝何以候之岐伯曰乘其至也清氣大來燥之勝也風木受邪肝病生焉流於膽熱氣大來火之勝也金燥受邪肺病生焉流於迴腸大腸○新校正云詳注云迴腸大腸按甲乙經迴腸即大腸也寒氣大來水之勝也火熱受邪心病生焉流於三焦小腸濕氣大來土之勝也寒水受邪腎病生焉流於膀胱風氣大來木之勝也土濕受邪脾病生焉流於胃所謂感邪而生病也外有其氣而內惡之中外不喜因而遂病是謂感也乘年之虛則邪甚也年木不足外有清邪年火不足外有寒邪年土不足外有風邪年金不足外有熱邪年水不足外有濕邪是年之虛也歲氣不足外邪湊甚也失時之和亦邪甚也六氣臨統与位氣相剋感之而病亦随所不勝而与內藏相應邪復甚也遇月之空

亦邪甚也。謂上弦前下弦後月輪中空也重感於邪則病危矣。年巳不足邪氣大至是一感也年巳不足天氣尅之此時感邪是重感也內氣召邪天氣不祐欲病之不危可乎有勝之氣其必來復也。天地之氣不能相无故有勝之氣其必來復也

帝曰：其脉至何如？岐伯曰：厥陰之至其脉弦，耎虛而滑端直以長是謂弦實而強則病不實而微亦病不端直長亦病不當其位亦病位不能弦亦病

少陰之至其脉鉤，來盛去衰如偃帶鉤是謂鉤來不盛去反盛則病來盛去盛亦病來不盛去不盛亦病不當其位亦病位不能鉤亦病

大陰之至其脉沈，沈下也按之乃得下諸位脉也沈甚則病不沈亦病不當其位亦病位不能沈亦病

少陽之至大而浮，浮高也大謂稍大諸位脉也大浮甚則病浮而不大亦病大而不浮亦病不大不浮亦病不當其位亦病位不能大浮亦病

陽明之至短而濇，往來不利是謂濇也往來不遠是謂短也短甚則病濇甚則病不短不濇亦病不當其位亦病位不能短濇亦病

大陽之至大而長，往來遠是謂長大甚則病長甚則病長而不大亦病大而不長亦病不當其位亦病位不能長大亦病

至而和則平，不大甚則爲平調不弱不強是爲和也

至而甚則病，弦以張弓弦滑如連珠沈而附骨浮高於皮濇而止住短如麻黍大如帽簪長如引繩皆謂至而大甚也

至而反者病，應弦反濇應大反細應沈反浮應浮反沈應短濇反長滑應耎虛反強實應細反大是皆爲氣反常平之候過

病乃如此見也至而不至者病氣位已至而脉氣不應也未至而至者病按曆占之凡得節氣當年六位之分當如南北之歲脉象改易而應之氣序未移而脉先變易是先天而至故病陰陽易者危不應天常氣見交錯失其常位更易見之陰位見陽脉陽位見陰脉是易位而見也二氣錯亂故氣危○新校正云按六微旨大論云帝曰其有至而至有至而不至有至而大過何也岐伯曰至而至者和至而不至來氣不及也未至而至來氣有餘也帝曰至而不至未至而至何如岐伯曰應則順否則逆逆則變生變生則病帝曰請言其應岐伯曰物生其應也氣脉其應也所謂脉應即此脉應也帝曰六氣標本所從不同柰何岐伯曰氣有從本者有從標本者有不從標本者也帝曰願卒聞之岐伯曰少陽太陰從本少陰太陽從本從標陽明厥陰不從標本從乎中也少陽之本火太陰之本濕本末同故從本也少陰之本熱其標陰太陽之本寒其標陽本末異故從本從標陽明之中太陰厥陰之中少陽本末與中不同故不從標本從乎中也從本從標從中皆以其為化生之用也故從本者化生於本從標本者有標本之化從中者以中氣為化也化謂氣化之元主也有病以元主氣用寒熱治之○新校正云按六微旨大論云少陽之上火氣治之中見陽明厥陰之上燥氣治之中見大陰大陽之上寒氣治之中見少陰厥陰之上風氣治之中見少陽少

陰之上熱氣治之中見太陽太陰之上濕氣治之中見陽明所謂本也本之下中之見也見之下氣之標也本標不同氣應異象此之謂也帝曰脈從而病反者其診何如岐伯曰脈至而從按之不鼓諸陽皆然言病熱而脈數按之不動乃寒盛格陽而致之非熱也帝曰諸陰之反其脈何如岐伯曰脈至而從按之鼓甚而盛也形證是寒按之而脈氣鼓擊於手下盛者此為熱盛拒陰而生病非寒也是故百病之起有生於本者有生於標者有生於中氣者有取本而得者有取標而得者有取中氣而得者有取標本而得者有逆取而得者有從取而得者反佐取之是為逆取奇偶取之是為從取寒病治以寒熱病治以熱是為逆取從順也逆正順也若順逆也寒盛格陽治熱以熱熱盛拒陰治寒以寒時謂之逆外雖用逆中乃順也此逆乃正順也若寒格陽而治以寒熱拒寒而治以熱外則雖順中氣乃逆故方若順是逆也故曰知標與本用之不殆明知逆順正行無問此之謂也不知是者不足以言診足以亂經故大要曰粗工嘻嘻以為可知言熱未已寒病復始同氣異形迷診亂經此之謂也嘻嘻言悅也言心意怡悅以為知道終盡也六氣之用

粗之与工得其半也厥陰之化粗以為寒其乃是溫大陽之化粗以為熱其乃是寒由此差互用失其道故其學問識用不達工之道半矣夫大陽少陰各有寒化熱量其標本應用則正反矣何以言之大陽本為寒標為熱少陰本為熱標為寒方之用亦如是也厥陰陽明中氣亦尒厥陰之中氣為熱陽明之中氣為溫此二氣亦反其類大陽少陰也然大陽与少陰有標本用与諸氣不同故曰同氣異形也夫一經之標本寒熱既殊言本當究其標論標合尋其本言氣不窮其標本論病未辨其陰陽雖同一氣而主且阻寒溫之候故心迷正理治益亂經呼曰粗工允膺其稱

夫標本之道要而博小而大可以言一而知百病之害言標與本易而勿損察本與標氣可令調明知勝復為萬民式天之道畢矣

天地變化尚可尽知況一人之診而云冥昧得經之要持法之宗為天下師尚卑其道万民之式豈曰大哉○新校正云按標本病傳論云有其在標而求之於標有其在本而求之於本有其在本而求之於標有其在標而求之於本故治有取標而得者有取本而得者有逆取而得者有從取而得者故知逆与從正行無問知標本者万舉万當不知標本是為妄行夫陰陽逆從標本之為道也小而大言一而知百病之害少而多淺而博可以言一而知百也以淺而知深察近而知遠言標与本易而勿及治反為逆治得為從先病而後逆者治其本先逆而後病者治其本先寒而後生病者治其本先熱而後生病者治其本先熱而後生中滿者治其標先病而復泄者治其本先也而後生他病者治其本必且調之乃

治其他病先病而後生中滿者治其標先中滿而後煩心者治其本人有客氣有司氣小大不利治其標小大利治其本病發而有餘本而標之先治其本後治其標病發而不足標而本之先治其標後治其本謹察間甚以意調之間者并行甚者獨行先小大不利而後生病者治其本此經論標本尤詳

帝曰：勝復之變，早晏何如？岐伯曰：夫所勝者，勝至已病，病已慍慍，而復已萌也。復心之慍不息而有

天所復者，勝盡而起，得位而甚，勝有微甚，復有少多，勝和而和，勝虛而虛，天之常也。帝曰：勝復之作，動不當位，或後時而至，其故何也？言陽盛於夏陰盛於冬清盛於秋溫盛於春天之常候然其勝復氣用四序不同其何由哉

岐伯曰：夫氣之生，與其化衰盛異也。寒暑溫涼盛衰之用，其在四維。故陽之動，始於溫，盛於暑；陰之動，始於清，盛於寒。春夏秋冬，各差其分。言春夏秋冬四正之氣在於四維之分也即事驗之春之溫正在辰巳之月夏之暑正在未申之月秋之涼正在戌亥之月冬之寒正在丑寅之月春始於仲春夏始於仲夏秋始於仲秋冬始於仲冬故丑之月陰結層冰於厚地未之月陽焰電掣於天垂戌之月霜清肅殺而庶物堅辰之月風扇和舒而陳柯榮秀此則氣差其分昭然而不可蔽也然陰陽之氣生發收藏与常法相會其氣化及在人之應則四時每差其日數与常法相違從

差法乃正當之也。故大要曰。彼春之暖。為夏之暑。彼秋之忿。為冬之怒。謹按四維。斥候皆歸。其終可見。其始可知。此之謂也。言氣之少壯也。陽之少為暖。其壯也為暑。陰之少為壯。其壯也為怒。此悉謂少壯之異氣。證用之盛衰。但立盛衰於四維之位。則陰陽終始應用皆可知矣。帝曰。差有數乎。岐伯曰。又凡三十度也。度。日也。○新校正云。按六元正紀大論云。差有數乎。曰。後皆三十度而有奇也。此云三十度也者。此文為略。帝曰。其脈應皆何如。岐伯曰。差同正法。待時而去也。脈亦差。以隨氣應也。待差日足。應王氣至而乃去也。脈要曰。春不沉。夏不弦。冬不濇。秋不數。是謂四塞。天地四時之氣閉塞而無所運行也。沉甚曰病。弦甚曰病。濇甚曰病。數甚曰病。但應天和氣。是則為平。形見大甚。則為力致。以力而致。安能久乎。故甚皆病。參見曰病。復見曰病。未去而去曰病。去而不去曰病。參謂參和諸氣來見。復見謂再見已衰已死之氣也。去謂王已而去者也。日行之度未出於差。是為天氣未出。日度過差。是為天氣已去。而脈尚在。既非得應。故曰病。反者死。夏見沉。秋見數。冬見緩。春見濇。是謂反也。犯違天命。生其能久乎。○新校正云。詳上文秋不數是謂四塞。此注云秋見數是謂反。蓋以脈差只在仲月。差之度尽而數不去。謂秋之季月而脈尚數。則為反也。故曰。氣之相守司也。

如權衡之不得相失也權衡秤也天地之氣寒暑相對溫清相望如持秤也高者否下者否兩者齊等無相奪倫則清靜而生化各得其分也夫陰陽之氣清靜則生化治動則苛疾起此之謂也動謂變動常平之候而為灾眚也苛重也○新校正云按六微旨大論云成敗倚伏生乎動動而不已則變作矣帝曰幽明何如岐伯曰兩陰交盡故曰幽兩陽合明故曰明幽明之配寒暑之異也兩陰交盡於戌亥兩陽合明於辰巳灵樞繫日月論云亥十月左足之厥陰戌九月右足之厥陰此兩陰交盡故曰厥陰辰三月左足之陽明巳四月右足之陽明此兩陽合於前故曰陽明然陰交則幽陽合則明幽明之象當由是也寒暑位西南東北幽明位西北東南幽明之配寒暑之位誠斯異也○新校正云按大始天元冊文云幽明既位寒暑弛張帝曰分至何如岐伯曰氣至之謂至氣分之謂分至則氣同分則氣異所謂天地之正紀也因幽明之問而形斯義也言冬夏二至是天地氣主歲至其所在也春秋二分是間氣初二四五四氣各分其政於主歲左右也故曰至則氣同分則氣異也所言二至二分之氣配者此所謂是天地氣之正紀也帝曰夫子言春秋氣始于前冬夏氣始于後余已知之矣然六氣往復主歲不常也其補寫奈何以分至明六氣分位則初氣四氣始於立春立秋前各一十五

日爲紀法三氣六氣始於立夏立冬後各一十五日爲紀法
由是四氣前後之紀則三氣六氣之中正當二至日也故曰
春秋氣始于前冬夏氣始于後也然以三百六十五日易一
氣一歲已往氣則改新新氣既來舊氣復去所宜之味天地
不同補寫之方應知
先後故復以問之也岐伯曰上下所主隨其攸利正其味則
其要也左右同法大要曰少陽之主先甘後鹹陽明之主先
辛後酸太陽之主先鹹後苦厥陰之主先酸後辛少陰之主
先甘後鹹太陰之主先苦後甘佐以所利資以所生是謂得
氣主謂主歲得謂得其性用也得其性用則舒卷由人不得
性用則動生乖忤豈袪邪之可望乎適足以伐天真之妙
氣爾如是先後之味皆謂
有病先寫之而後補之也帝曰善夫百病之生也皆生於風
寒暑濕燥火以之化之變也風寒暑濕燥火天之六氣也靜
而順者爲化動而變者爲變故
日之化
之變也經言盛者寫之虛者補之余錫以方士而方士用之
尚未能十全余欲令要道必行桴鼓相應由拔刺雪汙工巧
神聖可得聞乎鍼曰工巧藥曰神聖○新校正云按難經云
望而知之謂之神聞而知之謂之聖問而知
之謂之工切脉而知之謂之巧
以外知之曰聖以內知之曰神岐伯曰審察病機無失氣宜

此之謂也［得其機要則動小而功大用淺而功深也］帝曰。願聞病機何如。岐伯曰。諸風掉眩皆屬於肝［風性動木氣同之］諸寒收引皆屬於腎［收謂歛也引謂急也寒物收縮水氣同也］諸氣膹鬱皆屬於肺［高秋氣凉霧氣煙集凉至則氣熱復甚則氣殫徵其物象屬可知矣膹謂膹滿鬱謂奔迫也氣之為用金氣同之］諸濕腫滿皆屬於脾［土薄則水淺土厚則水深土平則乾土高則濕〻氣之有土氣同之］諸熱瞀瘛皆屬於火［火象徵］諸痛痒瘡皆屬於心［心寂則痛微心躁則痛甚百端之起皆自心生痛痒瘡瘍生於心也］諸厥固泄皆屬於下［下謂下焦肝腎氣也夫守司於下腎之氣也門户束要肝之氣也故諸厥固泄皆屬下也厥謂氣逆固謂禁固諸有氣逆上行及固不禁出入无度燥濕不恒皆由下焦之主守也］諸痿喘嘔皆屬於上［上謂上焦心肺氣也炎熱薄爍心之氣也承熱分化肺之氣也熱鬱化上故病屬上焦○新校正云詳痿之為病似非上病王注不解所以屬上之由使後人疑議今按痿論云五藏使人痿者因肺熱葉焦發為痿躄故云屬於上也痿又謂肺痿也］諸禁鼓慄。如喪神守。皆屬於火［熱之內作］諸痙項強皆屬於濕［太陽傷濕］諸逆衝上皆屬於火［炎上之性用也］諸脹腹大皆屬於熱［熱鬱於內肺脹所生］諸躁狂越皆屬於火［熱盛於胃及四末也］諸暴強直皆屬於風［陽內鬱而

陰行於內諸病有聲鼓之如鼓皆屬於熱謂有声也諸病胕腫疼酸驚
駭皆屬於火諸氣多也諸轉反戾水液渾濁皆屬於熱反戾筋轉也水液小
便也諸病水液澄澈清冷皆屬於寒上下所出及吐出溺出也諸嘔吐酸暴
注下迫皆屬於熱酸酸水及味也故大要曰謹守病機各司其屬有
者求之無者求之盛者責之虛者責之必先五勝踈其血氣
令其調達而致和平此之謂也深乎聖人之言理宜然也有无求之虛盛責之言悉由也
夫如大寒而甚熱之不熱是无火也熱來復去晝見夜伏夜
發晝止時節而動是无火也當助其心又如大熱而甚寒之
不寒是无水也熱動復止倏忽往來時動時止是无水也當
助其腎內格嘔逆食不得入是有火也病嘔而吐食入反出
是无火也暴速注下食不及化是无水也溏泄而久止發无
恒是无水也故心盛則生熱腎盛則生寒腎虛則寒動於中
心虛則熱收於內又熱不得寒是无火也寒不得熱是无水
也夫寒之不寒責其无水熱之不熱責其无火熱之不久責
心之虛寒之不久責腎之少有者寫之无者補之虛者補之
盛者寫之居其中間踈者壅塞令上下无礙氣血通調則寒
熱自和陰陽調達矣是以方有治熱以寒寒之而水食不入
攻寒以熱熱之而昏躁以生此則氣不踈通壅而為是也紀
於水火餘氣可知故曰有者求之无者求之盛者責之虛者
責之令氣通調妙之道也五勝謂五行更勝也先以五行寒

暑溫涼溫酸鹹甘辛苦相勝為法也。帝曰：善。五味陰陽之用何如？岐伯曰：辛甘發散為陽，酸苦涌泄為陰，鹹味涌泄為陰，淡味滲泄為陽。六者或收或散，或緩或急，或燥或潤，或耎或堅，以所利而行之，調其氣使其平也。涌吐也，泄利也，滲泄小便也，言水液自迴腸泌別汁滲入膀胱之中，胞氣化之而為溺以泄出也。新校正云：按藏氣法時論云：辛散，酸收，甘緩，苦堅，鹹耎。又云：辛酸甘苦鹹各有所利，或散或收，或緩或急，或堅或耎，四時五藏病，隨五味所宜也。帝曰：非調氣而得者，治之奈何？有毒無毒，何先何後，願聞其道。夫病生之類，其有四焉：一者始因氣動而內有所成，二者因氣動而外有所成，三者不因氣動而病生於內，四者不因氣動而病生於外。夫因氣動而內成者，謂積聚癥瘕，瘤氣癭起，結核癲癇之類也。外成者，謂癰腫瘡瘍，痂疥疽痔，掉瘛浮腫，目赤瘭胗，胕腫痛痒之類也。不因氣動而病生於內者，謂留飲癖食，飢飽勞損，宿食霍亂，悲恐喜怒，想慕憂結之類也。生於外者，謂瘴氣賊魅，蟲蛇蠱毒，蜚尸鬼擊，衝薄墜墮，風寒暑濕，斫射刺割，捶扑之類也。如是四類，有獨治內而愈者，有兼治內而愈者，有獨治外而愈者，有兼治外而愈者，有先治內後治外而愈者，有先治外後治內而愈者，有須齊毒而攻擊者，有須無毒而調引者。凡此之類，方法所施，或重或輕，或緩或急，或收或散，或潤或燥，或耎或堅，方士之用，見解不同，各擅己心，好用非素，故復問之。岐伯曰：有毒無毒，所治所治為主適大小為制也言但能破積愈疾解急脫死則為良方非必要言以先毒為是後毒為非無毒為非有毒為是必量病輕重大小制之也帝曰請言其制岐伯曰君一臣二制之小也君一臣三佐五制之中也君一臣三佐九制之大也寒者熱之熱者寒之微者逆之甚者從之夫病之微小者猶人火也遇草而焫得木而燔可以濕伏可以水滅故逆其性氣以新之攻之病之大甚者猶龍火也得濕而焰遇水而燔不知其性以水濕折之適足以光焰詣天物窮方止矣識其性者反常之理以火逐之則燔灼自消焰火撲滅然逆之謂以寒攻熱以熱攻寒從之謂攻以寒熱雖從其性用不必皆同是以下文曰逆者正治從者反治從少從多觀其事也此之謂乎○新校正云按神農云藥有君臣佐使以相宣攝合和宜用一君二臣三佐五使又可一君三臣九佐使也堅者削之客者除之勞者溫之結者散之留者攻之燥者濡之急者緩之散者收之損者益之逸者行之驚者平之上之下之摩之浴之薄之劫之開之發之適事為故量病證候適事用之帝曰何謂逆從岐伯曰逆者正治從者反治從少從多觀其事也言逆者正治也從者反治也逆病氣而正治則以寒攻熱以熱攻寒雖從順病氣乃反治法也從少謂一同而二異從多謂二同而三異

也言盡同者是奇制也帝曰反治何謂岐伯曰熱因寒用寒因熱用塞因塞用通因通用必伏其所主而先其所因其始則同其終則異可使破積可使潰堅可使氣和可使必已夫大寒內結稸聚疝瘕以熱攻除寒格熱反縱反縱之則痛發尤甚攻之則熱不得前方以蜜煎烏頭佐之以熱蜜多其藥服已便消是則張公從此而以熱因寒用也有火氣動服冷已過熱為寒格而身冷嘔噦嗌乾口苦惡熱好寒衆議攸同咸呼為熱冷治則甚其如之何逆其好則拒治順其心則加病若調寒熱逆冷熱必行則熱物冷服下嗌之後冷體既消熱性便發由是病氣隨愈嘔噦皆除情且不違而致大益醇酒冷飲則其類矣是則熱因寒用也所謂惡熱者凡諸食餘氣主於生者○新校正云詳主字疑誤上見之已嘔也又病熱者寒攻不入惡其寒勝熱乃消除從其氣則熱增寒攻之則不入以豉豆諸冷藥酒清或溫而服之酒熱氣同固無違忤酒熱既盡寒藥已行從其服食熱便隨散此則寒因熱用也或以諸冷物熱齊和之服之食之熱復圍解是亦寒因熱用也又熱餼豬肉及粉葵乳以拔姜橘熱齊和之亦其類也又熱在下焦治亦然假如下氣虛乏中焦氣壅胠脇滿甚食已轉增粗工之見无能斷也欲散滿則恐虛其下補下則滿甚於中散氣則下焦轉虛補虛則中滿甚醫病參議言意皆同不救其虛且攻其滿藥入則減藥過依然故中滿下虛其病常在乃不知踈啓其中峻補於下少服則資壅多服則宣通由是而療中滿自除下虛斯實此則塞因塞用也又大熱內結注泄不止熱宜

寒療結復二除以寒下之結散利止此則通因通用也又大寒凝內久利溏泄愈而復發綿歷歲年以熱下之寒去利止亦其類也投寒以熱涼而行之投熱以寒溫而行之始同終異斯之謂也諸如此等其徒寔繁略舉宗兆猶是反治之道斯其類也。新校正云按五常政大論云治熱以寒溫而行之治寒以熱涼而行之亦熱因寒用寒因熱用之義也帝曰善氣調而得者何如岐伯曰逆之從之逆而從之從而逆之疏氣令調則其道也逆謂逆病氣以正治從謂從病氣而反療逆其氣以正治使其從順從其病以反取令彼和調故曰逆從也下疏其氣令道路開通則氣感寒熱而為變始生化多端也帝曰善病之中外何如岐伯曰從內之外者調其內從外之內者治其外各絕其源從內之外而盛於外者先調其內而後治其外從外之內而盛於內者先治其外而後調其內皆謂先除其根屬後削其枝條中外不相及則治主病中外不相及自各一病也帝曰善火熱復惡寒發熱有如瘧狀或一日發或間數日發其故何也岐伯曰勝復之氣會遇之時有多少也陰氣多而陽氣少則其發日遠陽氣多而陰氣少則其發日近此勝復相薄盛衰之節瘧亦同法陰陽齊等則一日之中寒熱相半陽多陰少則一日之發而但熱不寒陽少陰多則隔日發而先寒後熱雖勝復之氣若氣微則一發後六七日乃發時謂之愈而復發或頻三日發而六七日止或隔十日發而四五日止者皆由氣之多少會遇與不會遇也俗見不遠乃謂鬼神暴疾而久祈禱避匿病勢已過旋至其斃病者殞殁自謂其分致令冤魂塞於冥路夭死盈於曠野仁愛鑒茲能不傷楚習俗既久難卒厘革非復可改末如之何悲哉悲哉

帝曰論言治寒以熱治熱以寒而方士不能廢繩墨而更其道也有病熱者寒之而熱有病寒者熱之而寒二者皆在新病復起奈何治

謂治之而病不衰退反因藥寒熱而隨生寒熱病之新者也亦有止而復發者亦有藥在而除藥去而發者亦有全不息者方士若廢此繩墨則无更新之法欲依標格則病熱不除捨之則阻彼凡情治之則藥无能驗心迷意惑无由通悟不知其道何恃而為因藥病生新舊相對欲求其愈安可奈何

岐伯曰諸寒之而熱者取之陰熱之而寒者取之陽所謂求其屬也

言益火之源以消陰翳壯水之主以制陽光故曰求其屬也夫粗工褊淺學未精深以熱攻寒以寒療熱治熱未已而冷疾已生攻寒日深而熱病更起熱起而中寒尚在寒生而外熱不除欲攻寒則懼熱不前欲療熱則思寒又止進退交戰危亟已臻豈知藏府之源有寒熱温凉之主哉夫取心者不必齊以熱取腎者不必齊以寒但益心之陽寒亦通行強腎之陰熱之猶可觀斯之故或治熱以熱治寒以寒而

辛万生孰知其意思方智極理尽辞窮鳴呼人之死者豈謂命不謂方士愚昧而殺之耶帝曰善服寒而反
熱服熱而反寒其故何也岐伯曰治其王氣是以反也物躰有寒熱氣
性有陰陽觸王之氣則強其用也夫肝氣温和心氣暑熱肺氣清凉腎氣寒冽脾氣兼并之故也春以清治肝而反温夏以冷
治心而反熱秋以温治肺而反清冬以熱治腎而反寒蓋由補益王氣大甚也補王大甚則臓之寒熱氣自多矣帝曰
不治王而然者何也岐伯曰悉乎哉問也不治王味屬也夫
五味入胃各歸所喜攻酸先入肝苦先入心甘先入脾辛先
入肺鹹先入腎新校正云按宦明五氣篇云五味所入酸入肝辛入肺苦入心鹹入腎甘入脾是謂五入
久而增氣物化之常也氣增而久夭之由也夫入肝為温入心為熱入肺為
清入腎為寒入脾為至陰而四氣兼之皆為增其味而益其氣故各從本藏之氣用尔故久服黃連苦參而反熱者此其類也
余味皆然但人意踈忽不能精候耳故曰久而增氣物化之常也氣增不已益歲年則藏氣偏勝氣有偏勝則有偏絕藏有偏
絕則有暴夭者故曰氣增而久夭之由也是以正理觀化藥集商較服餌曰藥不具五味不備四氣而久服之雖且獲勝益久
必致暴夭此之謂也絕粒服餌則不暴亡斯何由哉无五谷味資助故也復令食谷其亦夭焉帝曰善方制君
臣何謂也岐伯曰主病之謂君佐君之謂臣應臣之謂使非

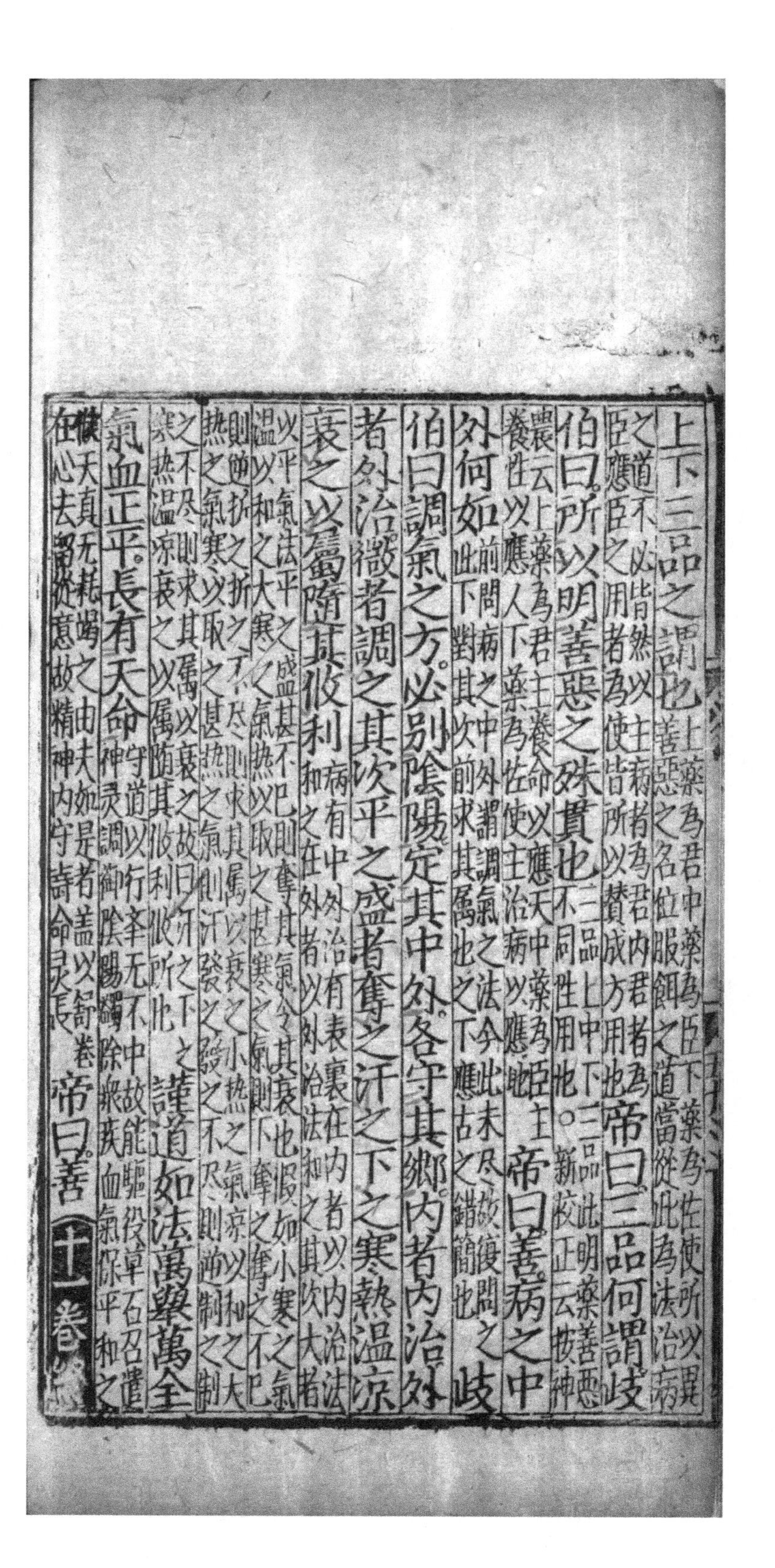

上下三品之謂也上藥為君中藥為臣下藥為佐使所以異善惡之名位服餌之道當從此為法治病
之道不必皆然以主病者為君佐君者為臣應臣之用者為使皆所以贊成方用也帝曰三品何謂岐
伯曰所以明善惡之殊貫也三品上中下三品此明藥善惡不同性用也○新校正云按神
農云上藥為君主養命以應天中藥為臣養性以應人下藥為佐使主治病以應地也帝曰善病之中
外何如前問病之中外謂調氣之法今此未盡故復問之此下對其次前求其屬也之下應古之錯簡也岐
伯曰調氣之方必別陰陽定其中外各守其鄉內者內治外
者外治微者調之其次平之盛者奪之汗之下之寒熱溫涼
衰之以屬隨其攸利病有中外治有表裏在內者以內治法和之在外者以外治法和之其次大者
以平氣法平之盛甚不已則奪其氣令其衰也假如小寒之氣溫以和之大寒之氣熱以取之甚寒之氣則下奪之奪之不已
則逆折之折之不盡則求其屬以衰之小熱之氣涼以和之大熱之氣寒以取之甚熱之氣則汗發之發之不盡則逆制之制
之不盡則求其屬以衰之故曰汗之下之寒熱溫涼衰之以屬隨其攸利所此謹道如法萬舉萬全
氣血正平長有天命守道以行舉无不中故能驅役草石召遣神靈調御陰陽蠲除眾疾血氣保平和之
極天真无耗竭之由夫如是者蓋以舒卷在心去留從意故精神內守壽命靈長帝曰善

十五 卷

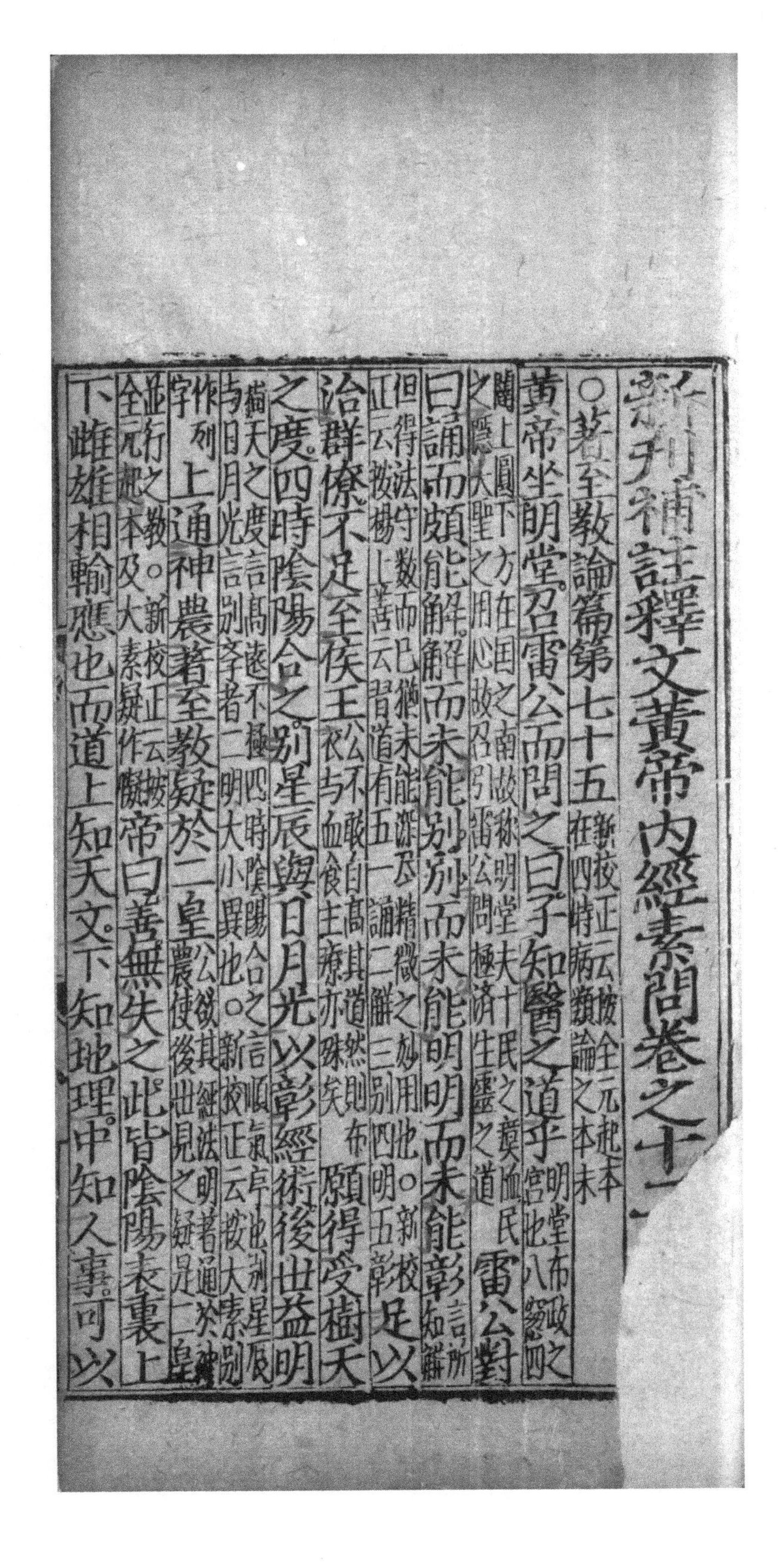

新刊補註釋文黄帝内經素問卷之十[illegible]

○著至教論篇第七十五 新校正云：按全元起本在四時病類論之本末

黄帝坐明堂，召雷公而問之曰：子知醫之道乎？明堂，布政之宫也。八窻四闥，上圓下方，在国之南，故稱明堂。夫求民之瘼，恤民之隱，大聖之用心，故召引雷公，問極濟生靈之道。雷公對曰：誦而頗能解，解而未能别，别而未能明，明而未能彰。言所知解但得法守數而已，猶未能深尽精微之妙用也。○新校正云：按楊上善云：習道有五，一誦，二解，三别，四明，五彰。足以治群僚，不足至侯王。公不敢自高其道，然則布衣与血食，主療亦殊矣。願得受樹天之度，四時陰陽合之，别星辰與日月光，以彰經術，後世益明。樹天之度，言高遠不極。四時陰陽合之，言順氣序也。別星辰与日月光，言别學者二明大小異也。○新校正云：按大素别作列字。上通神農，著至教疑於二皇。公欲其經法明著，通於神農，使後世見之，疑是二皇並行之教。○新校正云：按全元起本及大素疑作擬。帝曰：善。無失之，此皆陰陽表裏上下雌雄相輸應也。而道上知天文，下知地理，中知人事，可以

長久以教衆庶亦不疑殆醫道論篇可傳後世可以為寶眇以
著故雷公曰請受道諷誦用解論亦諭也諷諭者所以比切近而令解也帝曰子不
聞陰陽傳乎。曰不知。曰夫三陽天為業天為業言三王之氣在人身形所行居上
也陰陽傳上古書名化者新校正云按大素天作大○上下無常合而病至偏害陰陽
上下无常言氣乘通不定在上下也合而病至謂手足三陽氣相合而為病至也陽并至則精氣微故偏損害陰陽之用
也雷公曰三陽莫當請聞其解莫當言氣并至而不可當帝曰三陽獨至
者是三陽并至并至如風雨上為巔疾下為漏病并至謂手三陽足三
陽氣并合而至也足太陽脈起於目內眥上額交巔上其支別者從巔至耳上角其直行者從巔入絡腦還出別下項從
肩髆內俠脊抵腰中入循膂絡腎屬膀胱手太陽脈起於手循臂上行交肩上入缺盆絡心循咽下鬲抵胃屬小腸故上
為巔疾下為漏病也漏血膿出所謂并至如風雨者言无常準也故下文曰○新校正云按楊上善云漏病謂膀胱漏泄
大小便數不禁守也外無期內無正不中經紀診無上下以書別言三陽并
至上下无常外无色氣可期內无正經常尔所至之時皆不中經脈綱紀所病之證又復止下无常以書記銓量乃應分
別尔雷公曰臣治踈愈說意而已雷公言臣之所治稀得痊愈請言深意而已疑心乃止也

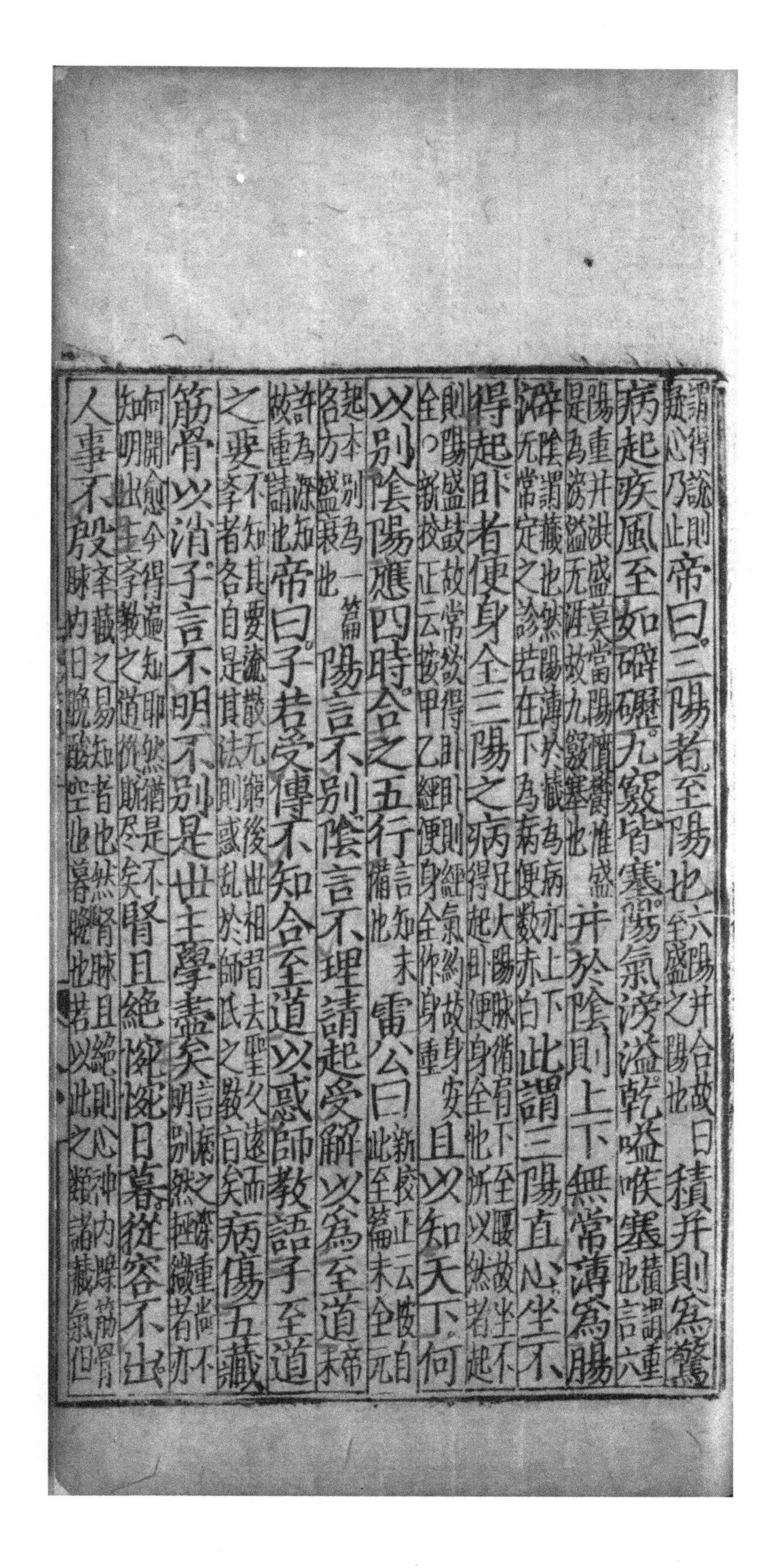
謂得說則疑心乃止。帝曰：三陽者，至陽也，六陽并合故曰至盛之陽也。積并則為驚，
病起疾風，至如礔礰，九竅皆塞，陽氣滂溢，乾嗌喉塞。積謂重也，言六
陽重并，洪盛莫當，陽憤鬱惟盛，是為滂溢無涯，故九竅塞也。并於陰，則上下無常，薄為腸
澼。陰謂藏也。然陽薄於藏為病，亦上下無常定之診，若在下為病，便數赤白。此謂三陽直心，坐不
得起，臥者便身全。三陽之病。足太陽脈循背下至腰，故坐不得起，臥便身全也。所以然者，起
則陽盛鼓，故常欲得臥，臥則經氣均，故身安全。○新校正云：按《甲乙經》「便身全」作「身重」。且以知天下，何
以別陰陽，應四時，合之五行。言知未備也。雷公曰：新校正云：按自此至篇末，全元
起本別為一篇，名《方盛衰》也。陽言不別，陰言不理，請起受解，以為至道。帝未
許為深知，故重請也。帝曰：子若受傳，不知合至道以惑師教，語子至道
之要。不知其要，流散無窮，後世相習，去聖久遠，而學者各自是其法，則惑亂於師氏之教亡矣。病傷五藏，
筋骨以消，子言不明不別，是世主學盡矣。言病之深重，尚不明別，然輕微者亦
何開愈，令得遍知耶？然猶是不知，明世主學教之道，從斯盡矣。腎且絕，惋惋日暮，從容不出，
人事不殷。腎至藏之易知者也，然腎脈且絕，則心神內爍，筋骨脈肉日晚酸空也。暮，晚也。若以此之類諸藏氣但

少不出者當人事萎弱不復殷多所以尔者是則腎不足非傷損故也○新校正云按大素作腎且絕惋二日莫惋烏貫切

○示從容論篇第七十六新校正云按全元起本在第八卷名從容別白黑

黃帝燕坐。召雷公而問之曰。汝受術誦書者。若能覽觀雜學。及於比類。通合道理。爲余言子所長。五藏六府。膽胃大小腸脾。胞膀胱腦髓涕唾。哭泣悲哀。水所從行。此皆人之所生治之過失。五藏別論黃帝問曰余聞方士或以腦髓爲藏或以腸胃爲藏或以爲府敢問更相反皆自謂是不知其道願聞其說歧伯曰腦髓骨脉膽女子胞此六者地氣所生也皆藏於陰而象於地故藏而不寫名曰奇恒之府夫胃大腸小腸三焦膀胱此五者天氣之所生也其氣象天寫而不藏此受五藏濁氣故名曰傳化之府是以古之治病者以爲過失也子務明之。可以十全。即不能知。爲世所怨。不能知之動陽生者故人聞議論多有怨咎之心焉雷公曰。臣請誦脉經上下篇。甚衆多矣。別異比類。猶未能以十全。又安足以明之。言臣所請誦脉經兩篇衆多別異比類例猶未能以義而會見十全又何足以心明至理乎安猶何也帝曰。子別試通五藏之過。六府之所不和。鍼石之敗。毒藥所宜。湯液滋味。具言其狀。悉言以對。

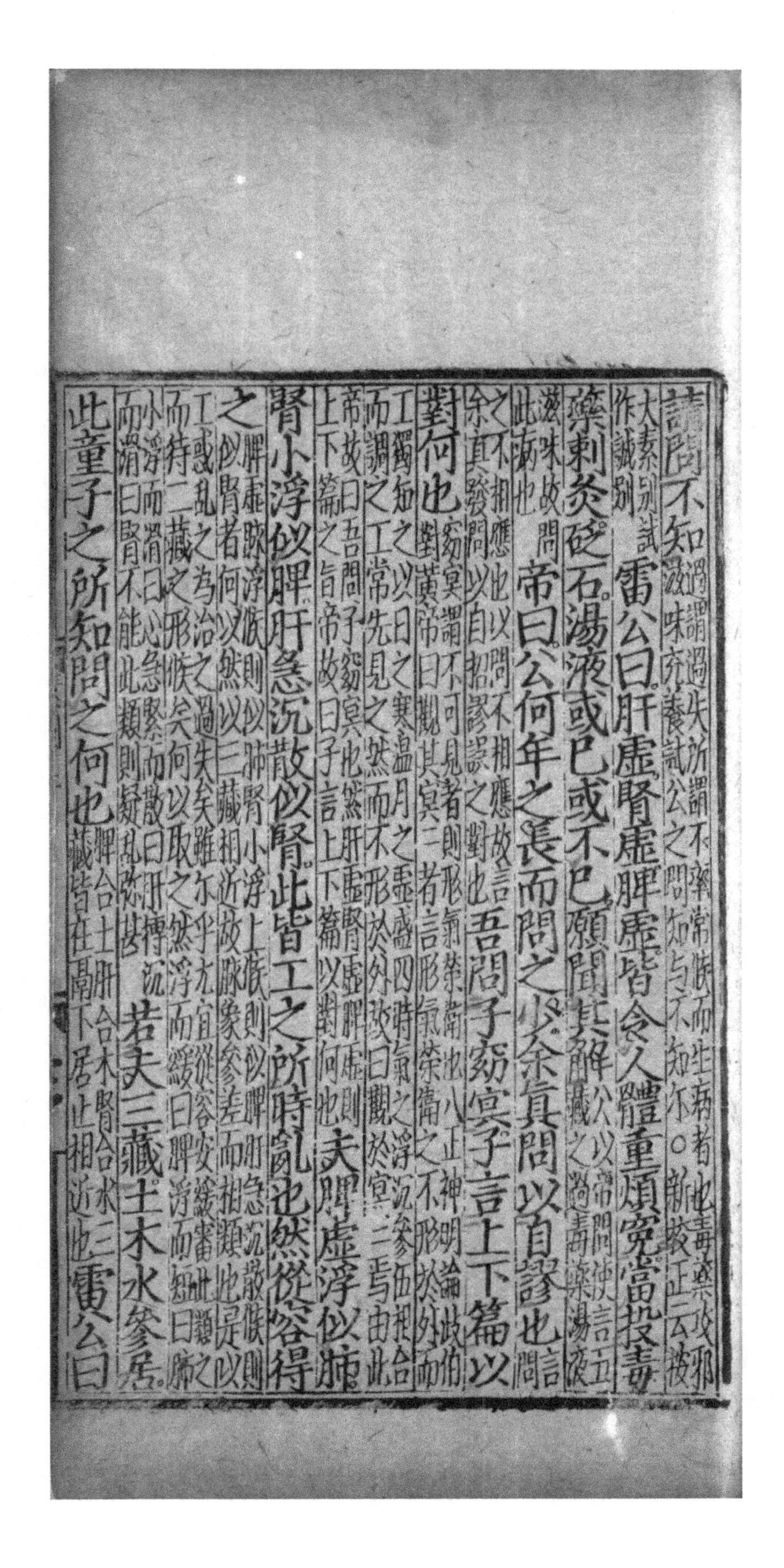

請問不知謂過失所謂不率常候而生病者也毒藥攻邪滋味充養試公之問知与不知○新校正云按
太素別試作誠別雷公曰肝虛腎虛脾虛皆令人體重煩冤當投毒
藥刺灸砭石湯液或已或不已願聞其解公以帝問欲言五藏之過毒藥湯液
滋味故問此病也帝曰公何年之長而問之少余真問以自謬也言問
之不相應也以問不相應故言余真發問以自招謬誤之對也吾問子窈冥子言上下篇以
對何也窈冥謂不可見者則形氣榮衛也八正神明論岐伯對黃帝曰觀其冥冥者言形氣榮衛之不形於外而
工獨知之以日之寒溫月之虛盛四時氣之浮沉參伍相合而調之工常先見之然而不形於外故曰觀於冥冥焉由此
帝故曰吾問子窈冥也然肝虛腎虛脾虛則上下篇之旨帝故曰子言上下篇以對何也夫脾虛浮似肺
腎小浮似脾肝急沉散似腎此皆工之所時亂也然從容得
之脾虛脈浮候則似肺腎小浮上候則似脾肝急沉散候則似腎者何以然以三藏相近故脈象參差而相類也是以
工惑乱之為治之過失矣雖尔乎尤宜從容安緩審比類之而待二藏之形候矣何以取之然浮而緩曰脾浮而短曰肺
小浮而滑曰心急緊而散曰肝搏沉而滑曰腎不能比類則疑乱彌甚若夫三藏土木水參居
此童子之所知問之何也脾合土肝合木腎合水三藏皆在鬲下居止相近也雷公曰

於此有人頭痛筋攣骨重怯然少氣噦噫腹滿時驚不嗜臥此何藏之發也脉浮而弦切之石堅不知其解復問所以三藏者以知其比類也脉有浮弦石堅故云問所以三藏者以知其比類也帝曰夫從容之謂也言比類也夫年長則求之於府年少則求之於經年壯則求之於藏年之長者甚於味年之少者勞於使年之壯者過於內過於內則耗傷精氣勞於使則經中風邪恣於味則傷於府故求之異也今子所言皆失八風菀熟五藏消爍傳邪相受夫浮而弦者是腎不足也脉浮為虛弦為肝氣以腎氣不足故脉浮弦也[illegible]胡阮切沉而石者是腎氣內著也石之言堅也著謂腎氣內薄著而不行也怯然少氣者是水道不行形氣消索也腎氣不足故水道不行肺藏被衝故形氣消散索盡也欬嗽煩寃者是腎氣之逆也腎氣內著上歸於母也一人之氣病在一藏也若言三藏俱行不在法也經不然也雷公曰於此有人四支解墮喘欬血泄而愚診之以為傷肺切脉浮大而緊愚不敢治粗工下砭石病愈多出血血止身輕此何物也帝曰子所能治知

亦衆多。與此病失矣以為傷肺而不敢治是乃狂見法所失矣[illegible]方会切譬以鴻飛亦沖於天鴻飛沖天偶然而得豈其羽翮之所能哉粗工下砭石亦尤是矣夫聖人之治病循法守度。援物比類化之冥冥循上及下。何必守經經謂經脈非經法也今夫脈浮大虛者是脾氣之外絶去胃外歸陽明也足太陰絡支別者入絡腸胃是以脾氣外絶不至胃外歸陽明也夫二火不勝三水是以脈亂而無常也二火謂二陽藏三水謂三陰藏二陽藏者心肺也以在鬲上故三陰藏者肝脾腎也以在鬲下故然三陰之氣上勝二陽〻不勝陰故脈亂而无常也四支解墮此脾精之不行也土主四支故四支解墮脾精不化故使之然喘欬者是水氣幷陽明也腎氣逆入於胃故水氣幷於陽明血泄者脈急血無所行也泄謂泄出也然脈氣數急血溢於中血不入經故為血泄以脈奔急而血溢故曰血无所行也若夫以為傷肺者由失以狂也不引比類是知不明也言所識不明不能比類以為傷肺由失狂言耳夫傷肺者脾氣不守胃氣不清經氣不為使眞藏壞決經脉傍絶五藏漏泄不衄則嘔此二者不相類也肺氣傷則脾外救故云脾氣不守肺藏損則氣不行氣〻不行則胃滿故云胃氣不清肺者主行

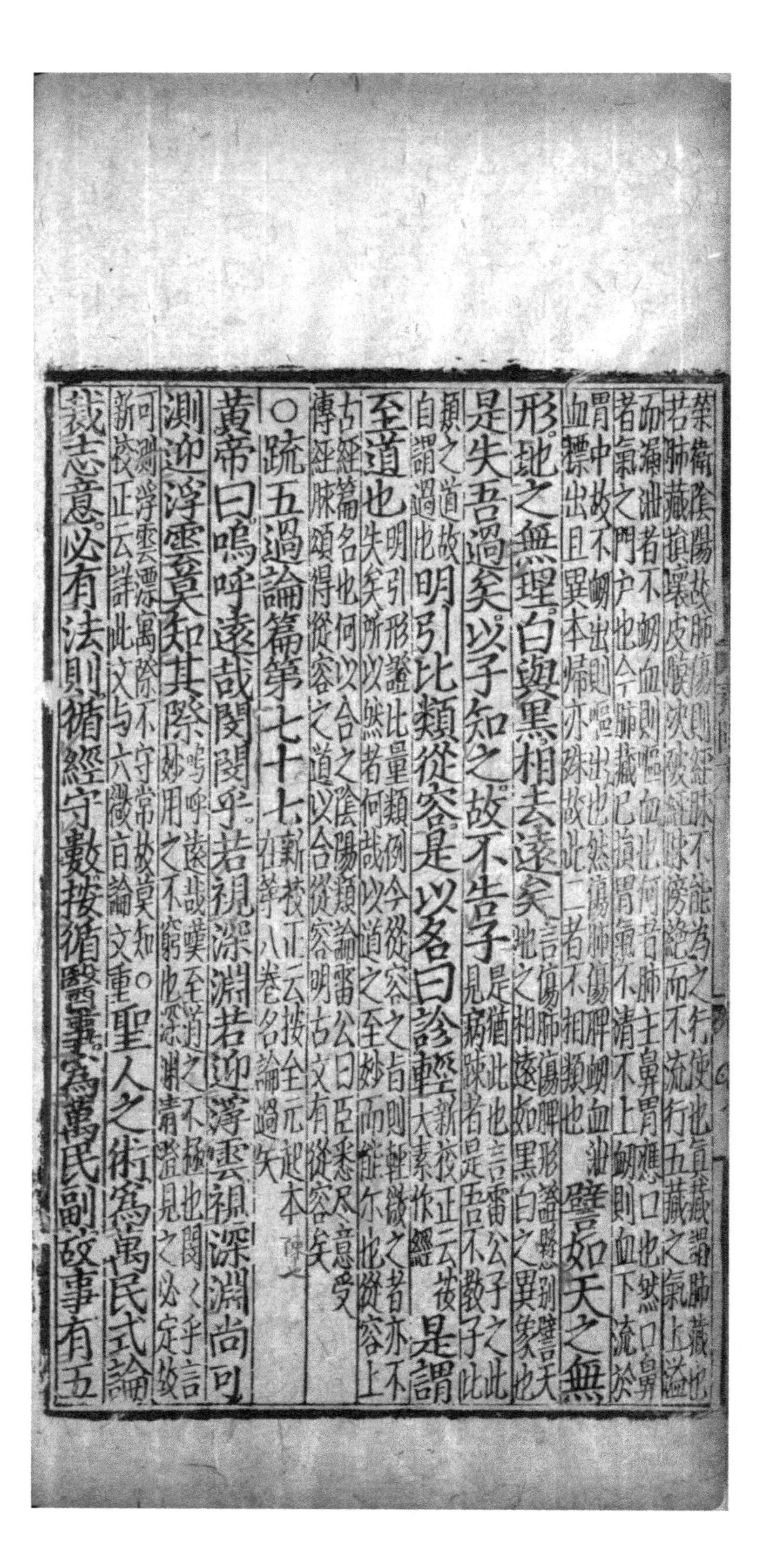

榮衛陰陽故肺傷則經脉不能為之行使也真藏謂肺藏也若肺藏損壞皮膜決破經脉傍絕而不流行五藏之氣上溢

而漏泄者不衄血則嘔血也何者肺主鼻胃應口也然口鼻者氣之門户也今肺藏已損胃氣不清不上衄則血下流於

胃中故不衄出則嘔出也然傷肺傷脾衄血泄血標出且異本歸亦殊故此二者不相類也譬如天之無

形地之無理白與黑相去遠矣言傷肺傷脾形證懸別譬天地之相遠如黑白之異象也

是失吾過矣以子知之故不告子是猶此也言雷公子之比見病脉者是吾不數子比

類之道故自謂過也明引比類從容是以名曰診輕新校正云按大素作經是謂

至道也明引形證比量類例今從容之旨則輕微之者亦不失矣所以然者何哉以道之至妙而能尔也從容上

古經篇名也何以合之陰陽類論雷公曰臣悉尽意受傳經脉頌得從容之道以合從容明古文有從容矣

○䟽五過論篇第七十七新校正云按全元起本在第八卷名論過失

黃帝曰嗚呼遠哉閔閔乎若視深淵若迎浮雲視深淵尚可

測迎浮雲莫知其際嗚呼遠哉歎至道之不極也閔閔乎言妙用之不窮也深淵清澄見之必定故

可測浮雲漂寓際不守常故莫知○新校正云詳此文与六微旨論文重聖人之術為萬民式論

裁志意必有法則循經守數按循醫事為萬民副故事有五

過四德，汝知之乎？慎五過則敬順四時之德氣矣。然德者，道之用，生之主，故不可不敬順之也。上古天真論曰：所以能年皆度百歲而動作不衰者，以其德全不危也。靈樞經曰：天之在我者德也。由此則天降德氣，人賴而生，主氣抱神，上通於天。生氣通天論曰：夫自古通天者，生之本。此之謂也。○新校正云：按為万民副，楊上善云：副，助也。

雷公避席再拜曰：臣年幼小，蒙愚以惑，不聞五過與四德，比類形名，虛引其經，心無所對。經未師授，心匪生知，功業微薄，故卑辭也。

帝曰：凡未診病者，必問嘗貴後賤，雖不中邪，病從內生，名曰脫營。神屈故也。貴之尊榮，賤之屈辱，心懷眷慕，志結憂惶，故雖不中邪，而病從內生，血脈虛減，故曰脫營。

嘗富後貧，名曰失精，五氣留連，病有所并。富而從貧，奪財內結，憂煎外悲，過物，然則心從想慕，神隨往計，榮衛之道，閉以遲留，氣血不行，積并為病。

醫工診之，不在藏府，不變軀形，診之而疑，不知病名。言病之初也。病由想戀所為，故未居藏府；事因情念所起，故不變軀形。醫不悉之，故診而疑也。

身體日減，氣虛無精，言病之次也。氣血相迫，形肉消爍，故身體日減。陰陽應象大論曰：氣歸精，精食氣。今氣虛不化，精无所滋故也。

病深無氣，洒洒然時驚。言病之深也。病氣深谷，氣尽陽氣內薄，故惡寒而驚。洒洒，寒貌。

病深者，以其外耗於衛，內奪於榮。血為憂煎，氣隨悲臧，故外耗於衛，內

奪於榮病深者何以此耗奪故不新校正云按大素病深者以其作病深以良工所失不知病情

此亦治之一過也失謂失問其所始也凡欲診病者必問飲食居處飲食居處五方不同故問之也異法方宜論曰東方之域天地之所始生魚鹽之地海濱傍水其民食魚而嗜鹹安其處美其食西方金玉之域沙石之處天地之所收引其民陵居而多風水土剛強其民不衣而褐薦其民華食而脂肥北方者天地所閉藏之域其地高陵居風寒冰冽其民樂野處而乳食南方者天地所長養陽之所盛處其地下水土弱霧露之所聚其民嗜酸而食胕中央者其地平以濕天地所以生万物也衆其民食雜而不勞由此則診病之道當先問焉故聖人雜合以法各得其所宜此之謂矣

暴樂暴苦始樂後苦新校正云按大素作始苦皆傷精氣精氣竭絕形體毀沮喜則氣緩悲則氣消然悲哀動中者竭絕而失生故精氣竭絕形体殘毀心神沮喪矣暴怒傷陰暴喜傷陽怒則氣逆故傷陰喜則氣緩故傷陽厥氣上行滿脉去形厥氣逆也逆氣上行滿於經絡則神氣憚散去離形骸矣愚醫治之不知補寫不知病精精華日脫邪氣迺并此治之二過也不知喜怒哀樂之殊情槩為補寫而同貫則五藏精華之氣日脫邪氣薄蝕而乃并於正真之氣矣善為脉者必以比類奇恒從容知之為工而不知道此診之不足貴此治之三過也奇恒

謂氣候奇異於恒常之候也從容謂分別藏氣虛実脉見高下幾相似也示從容論曰脾虛浮似肺腎小浮似脾肝急沉散似腎此皆工之所時乱然從容分別而得之矣診有三常。必問貴賤封君敗傷及欲侯王貴則形樂志樂賤則形苦志苦〻樂殊貫故先問也封君敗傷降君之位封公卿也及欲侯王謂情慕尊貴而妄為不已也○新校正云按太素欲作公故貴脫勢雖不中邪精神內傷身必敗亡。憂惶煎迫怫結所為始富後貧雖不傷邪皮焦筋屈痿躄為攣以五藏氣留連病有所并而為是也醫不嚴不能動神外為柔弱亂至失常病不能移。則醫事不行此治之四過也嚴謂戒所以禁非也所以令從命也外為柔弱言委隨而順從也然戒不足以禁非動不足以從令委隨任物乱失天常病且不移何醫之有也凡診者。必知終始有知餘緒切脉問名。當合男女終始謂氣色也脉要精微論曰知外者終而始之明知五色氣象終而復始也餘緒謂病發端之餘緒也切謂以指按脉也問名謂問病證之名也男子陽氣多而左脉大為順女子陰氣多而右脉大為順故宜以脉常先合之也離絕菀結憂恐喜怒五藏空虛血氣離守。工不能知何術之語離謂離間親愛絕謂絕念所懷菀謂菀積思慮結謂結固餘怨夫間親愛者魂遊絕所懷者意喪積所慮者神勞結餘怨者志苦憂愁者閉塞而不行恐懼者蕩憚而失

守盛怒者迷惑而不治喜樂者憚散而不藏由是八者故五藏空虛血氣離守工不思曉又何言哉○新校正云按湯液
而失守甲乙經作不收憚音但嘗富大傷斬筋絕脈身體復行令澤不息斬筋
絕脈言非分之過損也身体雖已復舊而行且令澤液不為滋息也何者精氣耗減也澤液也故傷敗結留
薄歸陽膿積寒炅陽謂諸陽脈及六府也炅謂熱也言非分傷敗筋脈之氣血氣內結留而不去薄於
陽脈則化為膿久積腹中而外為寒熱也粗工治之亟刺陰陽身體解散四支轉
筋死日有期不知寒熱為膿積所生以為常熱之疾槩施其法數刺陰陽經脈氣奪病甚故身体解散而不
用四支廢運而轉筋如是故死日有期豈謂命不謂醫耶醫不能明不問所發唯言死日
亦為粗工此治之五過也言粗工不必謂解不備文者猶備尽三世經法診不偹二常療不順
五過不求餘緒不問持身亦足為粗略之醫爾凡此五者皆受術不通人事不明也
言是五者粗名受術之徒未足以通悟精微之理人間之事尚猶懵然故曰聖人之治病也必
知天地陰陽四時經紀五藏六府雌雄表裏刺灸砭石毒藥
所主從容人事以明經道貴賤貧富各異品理問年少長勇
怯之理審於部分知病本始八正九候診必副矣聖人之備識也如此

工宜勉之治病之道氣内爲寶循求其理求之不得過在表裏工之治病必在於形氣之内求有過者是爲聖人之宝也求之不得則以藏府之氣陰陽表裏而察之○新校正云按全元起本及大素作氣内爲实揚上善云天地間氣爲外氣人身中氣爲内氣外氣裁成萬物是爲外实内氣榮衛裁生故爲内实夫治病能求内氣之理是治病之要也守數據治無失俞理能行此術終身不殆守數謂血氣多少及刺深淺之數也據治謂據穴俞所治之旨而用之也但守數據治而用之則不失穴俞之理矣殆者危也不知俞理五藏菀熟癰發六府菀積也熟熱也五藏積熱六府受之陽熱相薄熱之所過則爲癰診病不審是謂失常謂失常經術正用之道也謹守此治與經相明謂前氣内循求俞會之理也上經下經揆度陰陽奇恒五中決以明堂審於終始可以横行所謂上經者言氣之通天也下經者言病之變化也言此二經揆度陰陽之氣奇恒五中者皆决於明堂之部分也揆度者度病之深淺也奇恒者言奇病也五中者謂五藏之氣色也夫明堂者所以視萬物別白黑審長短故曰決以明堂也審於終始者謂審察五色囚王終而復始也夫道循如是應用不窮目牛无全万舉万當由斯高遠故可以横行於世間矣

○徵四失論篇第七十八新校正云按全元起本在第八卷名方論得失明著

黄帝在明堂雷公侍坐黄帝曰夫子所通書受事衆多矣試
言得失之意所以得之所以失之雷公對曰循經受業皆言
十全其時有過失者願聞其事解也言循斈經師受傳事業皆謂十全於人無及乎
施用正術宣行至道或得失之於世中故請聞其辭說也帝曰子年少智未及邪將言以
雜合邪言謂年少智未及而不得十全耶為復且以言而雜合衆人之用耶帝疑先知而反問也夫經脉
十二絡脉三百六十五此皆人之所明知工之所循用也謂循
斈而用也所以不十全者精神不專志意不理外内相失故時疑
殆外謂色内謂脉也然精神不專於循用志意不從於條理所謂粗略揆度失常故色脉相失而時自疑殆也診
不知陰陽逆從之理此治之一失矣脉要精微論曰冬至四十五日陽氣微上陰氣
微下夏至四十五日陰氣微上陽氣微下陰陽有時与脉為期又曰微妙在脉不可不察察之有紀從陰陽始由此故診
不知陰陽逆從之理為一失矣受師不卒妄作雜術謬言為道更名自功新校
正云按太素功作巧妄用砭石後遺身咎此治之二失也不終師術惟妄是為易古
變常自功循己遺身之咎不亦宜乎故為失二也老子曰无遺身殃是謂襲常蓋嫌其妄也不適貧富貴

賤之居，坐之薄厚，形之寒溫，不適飲食之宜，不別人之勇怯，不知比類，足以自亂，不足以自明，此治之三失也。貧賤者勞，富貴者佚。佚則邪不能傷，易傷以勞；勞則易傷以邪。其於勞也，則富者如貴者之半；其於邪也，則貧者居賤者之半。例率如此。然世祿之家，或此殊矣。夫勇者雖感，怯者易傷，二者不同，蓋以其神氣有壯弱也。觀其貧賤富貴之義，則坐之薄厚，形之寒溫，飲食之宜，理可知矣。不知比類，用必乖衷，則適足以汩亂心緒，豈通明之可望乎？故為失三也。診病不問其始，憂患飲食之失節，起居之過度，或傷於毒，不先言此，卒持寸口，何病能中？妄言作名，為粗所窮，此治之四失也。憂謂憂懼也，患謂患難也。飲食失節，言甚飽也。起居過度，言潰耗也。或傷於毒，謂病不可拘於藏府相乘之法而為療也。卒持寸口，謂不先持寸口之脉和平与不平也。然工巧偹識四術，猶疑故診，不能中病之形名，言不能合經而妄作。粗略醫者，尚能中妄謬之違背，況深明者見而不謂非乎？故為失四也。是以世人之語者，馳千里之外，不明尺寸之論，診無人事。言工之得失毀譽，在世人之言語，皆可至千里之外，然其不明尺寸之診論，當以何事知見於人耶？治數之道，從容之葆。治，王也。葆，平也。言診數當王之氣，皆以氣高下而為比類之原本也。故下文曰。葆音保。坐持寸口，診不中五脉，百病所起，始以自怨遺師其咎（自不能深學道術而致診差違，始上申怨謗之詞，遺過咎於師氏者，未之有也。）是故治不能循理，棄術於市，妄治時愈，愚心自得。（不能修學至理，乃衒賣於市廛，人不信之，謂乎虛謬，故云棄術於市也。然愚者百慮而一得，何自功之有哉。○新校正云：按全元起本作"自巧"，大素作"自功"。）嗚呼！窈窈冥冥，孰知其道？（今詳熟當作孰。）道之大者，擬於天地，配於四海，汝不知道之諭，受以明為晦。（嗚呼，歎也。窈窈冥冥，言玄遠也。至道玄遠，誰得知之？孰，誰也。擬於天地，言高下之不可量也。配於四海，言深廣之不可測也。然不能曉諭於道，則受明道而成暗昧也。晦，暗也。）

○陰陽類論篇第七十九（新校正云：按全元起本在第八卷。）

孟春始至，黃帝燕坐，臨觀八極，正八風之氣，而問雷公曰：陰陽之類，經脈之道，五中所主，何藏最貴？（孟春始至，謂立春之日也。燕，安也。觀八極，謂視八方遠際之色。正八風，謂候八方所至之風，朝會於太一者也。五中，謂五藏。○新校正云：詳八風朝太一，具天元玉冊中。又按楊上善云：夫天為陽，地為陰，人為和。陰无其陽，衰殺而已；陽无其陰，生長不止。生長不止則傷於陰，陰傷則陰災起；衰殺不已則傷於陽，陽傷則陽禍生矣。故須聖人在天地間和陰陽氣，令万物生也。和氣之道，謂先脩身為德，則陰陽氣和，陰陽氣和則八節風調，八節風調則八虛風止，於是疵癘不起，嘉祥皆集，此亦不知所以然而然也。故黃帝問身之經脉貴賤依之調節修德於身以正八風之氣雷公對曰。春甲乙青中主肝，治七十二日。是脉之主時，臣以其藏最貴。東方甲乙春气主之自然青色內通肝也金匱眞言論曰東方青色入通於肝故曰青中主肝也然五行之氣各主七十二日五七二五積而陳之則終一歲之數三百六十日故云治七十二日也夫四時之气以春爲始五藏之應肝藏合之公故以其藏爲最貴藏或爲道行也帝曰。却念上下經陰陽從容。子所言貴，最其下也。從容謂安緩比類也帝念脉經上下篇陰陽比類形氣不以肝藏爲貴故謂公之所貴最其下也雷公致齋七日，旦復侍坐。悟非致齋以洗心願益故坐而復請帝曰。三陽爲經。二陽爲維。一陽爲游部。經謂經綸所以濟成務維謂維持所以繫天貞游謂游行部謂身形部分也故主氣者濟成務化谷者繫天貞主色者散布精微游行諸部也新校正云按楊上善云三陽足大陽脉也從目內背上頭分爲四道下項并正別脉上下六道以行於持与身爲經二陽足陽明脉也從鼻而起下咽分爲四道并正別脉六道上下行腹綱維於身一陽足少陽脉也起目外背絡頭分爲四道下缺盆并正別脉六道上下主經營百節流氣三部故曰游部此知五藏終始。觀其經綸維繫游部之義則五藏之終始可謂知矣三陽爲表，二陰爲裏。三陽大陽也二陰少陰也少陰与大陽爲表裏故曰三陽爲表二陰爲裏一陰至絕作朔晦，却具合以正其理。一陰厥陰也厥充尽也靈樞經曰亥為左足之厥陰戌為右足之厥陰兩陰俱尽故曰厥陰夫陰尽為晦陰生為朔厥陰者以陰尽為義也徵其氣王則朔適言其氣尽則晦既見其朔又當其晦故曰一陰至絕作朔晦也然徵彼俱尽之陰合此發生之木以正應五行之理而无替循環故云却具合以正其理也○新校正云按注言陰尽為晦陰生為朔疑是陽生為朔

雷公曰受業未能明言未明氣候之應見帝曰所謂三陽者大陽為經陽氣盛大故曰大陽三陽脉至手大陰而弦浮而不沉決以度察以心合之陰陽之論大陰為寸口也寸口者手大陰也脉氣之所行故脉皆至於寸口也大陽之脉洪大以長今弦浮不沉則當約以四時高下之度而斷决之察以五藏異同之候而參合之以應陰陽之論知其臧否耳所謂二陽者陽明也靈樞經曰辰為左足之陽明巳為右足之陽明兩陽合明故曰二陽者陽明也至手大陰弦而沉急不鼓炅至以病皆死鼓謂鼓動炅熱也陽明之脉浮大而短今弦而急沉不鼓者是陰氣勝陽木來乘土也然陰气勝陽木脉乘土而反熱病至者是陽氣之衰敗也猶灯之焰欲滅反明故皆死也一陽者少陽也陽氣未大故曰少陽至手大陰上連人迎弦急懸不絕此少陽之病也人迎謂結喉兩傍同身寸之一寸五分脉動應手者也弦為少陽之脉今急懸不絕是經氣不足故曰少陽之病也懸者謂如懸物動搖者也專陰則死專獨也言其独有陰气而无陽

氣則死三陰者。六經之所主也。三陰者大陰也言所以諸脉皆至手大陰者何耶以是六經之主故也。六經謂三陰三陽之經脉也所以至手大陰者何以肺朝百脉之氣皆交會於氣口也故下文曰交於大陰。此正發明肺朝百脉之義也經脉別論云肺朝百脉伏鼓不浮。上空志心。脉伏鼓擊而不上浮者是心氣不足故上控引於心而為病也志心謂小心也剌禁論曰七節之旁中有小心此之謂也。新校正云按楊上書云肺脉浮濇此為平也今見伏鼓是腎脉也足少陰脉貫脊屬腎上入肺中從肺出絡心肺氣下入腎志上入心神也王氏謂志心為小心義未通二陰至肺。其氣歸膀胱。外連脾胃。二陰謂足少陰腎之脉少陰之脉別行者入跟中以上至股內後廉貫脊屬腎絡膀胱其直行者從腎上貫肝鬲入肺中故上至於肺其氣歸於膀胱外連於脾胃一陰獨至。經絕氣浮。不鼓鈎而滑。若一陰獨至肺經氣內絕則氣浮不鼓於手若經不內絕則鈎而滑。新校正云按楊上善云一陰厥陰也此六脉者。乍陰乍陽。交屬相并。繆通五藏。合於陰陽。或陰見陽脉陽見陰脉故云乍陰乍陽也所以然者以氣交會故尔當審比類以知陰陽也先至為主。後至為客。脉氣乍陰見陽乍陽見陰何以別之當以先至為主後至為客也至謂至寸口也雷公曰。臣悉盡意。受傳經脉。頌得從容之道。以合從容。不知陰陽。不知雌雄。頌謂今誦也公言臣所頌今從容之妙道以

合上古從容而比類形名借不知陰陽尊卑之次不知雌雄殊目之義請行其白以明著至數陰陽雌雄相輸應也帝
曰三陽為父父所以督濟群小言高尊也二陽為衛衛所以却傺諸邪言扶生也一陽
為紀紀所以綱紀形氣言其平也三陰為母母所以育養諸子言滋生也二陰為雌雌者
陰之目也一陰為獨使一陰之藏外合三焦三焦主謂導諸氣名為使者故云獨使也二陽一陰
陽明主病不勝一陰脉耎而動九竅皆沉一陰厥陰肝木氣此二陽陽明胃土
氣也木土相薄故陽明主病也木伐其土土不勝不故一云不勝一陰脉耎而動者耎為胃氣動謂本刑土才相特則胃氣
不轉故九竅沉滿而不通利也三陽一陰太陽脉勝一陰不能止內亂五藏
外為驚駭三陽是太陽之氣故曰太陽勝也木生火今盛陽燔木木復受之陽氣洪盛內為狂熱故內亂五藏
也肝主驚故外形驚駭之狀也二陰二陽病在肺少陰脉沉勝肺傷脾外
傷四支二陰謂手少陰心之脉也二陽亦胃脉也心胃合病相上下并故內傷脾外勝肺也所以然者胃為脾府
心火勝金故爾脾主四支故脾傷則外傷於四支矣少陰脉謂手掌後同身寸之五分當小指神門之脉也○新校正云
詳此二陽乃手陽明大腸肺之府也少陰心火勝金之府故云病在肺王氏以二陽為胃義未甚通況又以見胃病腎之
說此乃是心病肺也又全元起本及甲乙經大素等並云二陰一陽二陰二陽皆交至病在腎

罵詈妄行巔疾為狂二陰為腎水之藏也二陽為胃土之府也土氣刑水故交至而病在腎也以腎
水不勝故胃盛而顛為狂二陰一陽病出於腎陰氣客遊於心脘下空竅
堤閉塞不通四支別離一陽謂手少陽三焦心主火之府也水上干火故病出於腎陰氣客游
於心也何者腎之脈從腎上貫肝鬲入肺中其支別者從肺中出絡心注胸中故如是也然空竅陰客上游胃不能制胃
不能制是土氣衰故脘下空竅皆不通也言堤者謂如堤擁不容泄漏胃脈循足心脈絡手故四支如別離而不用也○
新校正云按王氏云胃脈循足後此二陰一陽病出於腎胃當作腎一陰一陽代絕此陰氣至
心上下無常出入不知喉咽乾燥病在土脾一陰厥陰脈一陽少陽脈並木
之氣也代絕者動而中止也以其代絕故為病也木氣生火故病生而陰氣至心也夫肝膽之氣上至頭首下至腰足中
至腹脇故病發上下无常如也若受納不知其味竅寫不知其要而喉咽乾燥者喉嚨之後又咽屬為膽之使故病則咽
喉乾燥雖病在脾土之中蓋由肝膽之所為爾二陽三陰至陰皆在陰不過陽陽氣
不能止陰陰陽並絕浮為血瘕沉為膿胕二陽陽明三陰手太陰至陰脾也故
病至陰皆在也然陰氣不能過越於陽陽氣不能制心令陰陽相薄故脈並絕斷而不相連續也脈浮為陽氣薄陰故為
血瘕脈沉為陰氣薄陽故為膿聚而胕爛也陰陽皆壯下至陰陽若陰陽皆壯而相薄不已者漸

下至陰陽之内為大病矣陰陽者男子為陽道女子為陰器者以其盛受故也上合昭昭。下合冥冥。昭二謂陽明之上冥二謂至陰之内幽暗之所也診決死生之期。遂合歲首謂下短期之旨雷公曰：請問短期。黃帝不應。欲其復問而定之也雷公復問。黃帝曰：在經論中。上古經之中也。本自雷公已下別為一篇。新校正云：按全元起本，名四時病類。雷公曰：請問短期。黃帝曰：冬三月之病，病合於陽者，至春正月，脉有死徵，皆歸出春。病合於陽謂前陰合陽而為病者也雖三月脉有死徵陽已發生至王不死故出春三月而至夏初也冬三月之病，在理已盡，草與柳葉皆殺。裹謂二陰腎之氣也然腎病而正月脉有死徵者以枯草尽青柲葉生出而皆死也理裹也已以也古用同春陰陽皆絶，期在孟春。孟春之後而脉陰陽皆懸絶者期死不出正月。新校正云：大素无春字春三月之病，曰陽殺。陽病不謂傷寒温熱之病謂非時病熱脉洪盛數也然春三月中陽氣尚少未當全盛而反病熱脉應夏氣者經云脉不再見夏脉當洪數无陽外應故必死於夏至也以死於夏至陽氣殺物之時故云陽殺陰陽皆絶，期在草乾。若不陽病但陰陽之脉皆懸絶者死在於霜降草乾之時也夏三月之病，至陰不過十日。謂熱病也脾熱病則五藏危土成數十故不過十日也陰陽交，期在溓水。評熱病論曰溫病而

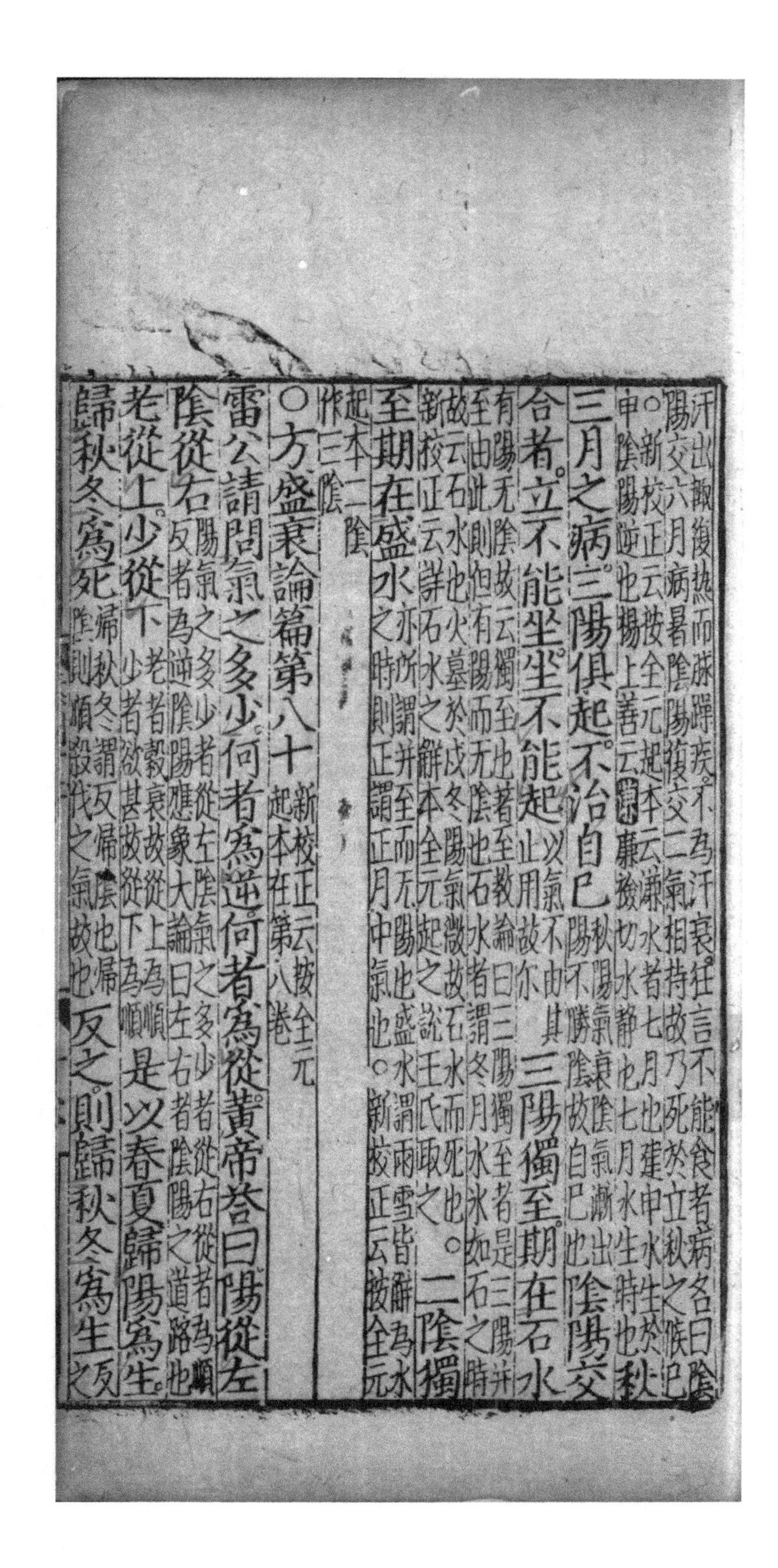

汗出頗復熱而脉躁疾不為汗衰狂言不能食者病名曰陰陽交六月病暑陰陽復交二氣相持故乃死於立秋之候也。○新校正云按全元起本云濂水者七月也建申水生於人申陰陽逆也楊上善云濂廉撿切水靜也七月水生時也秋

三月之病，三陽俱起，不治自已。秋陽氣衰陰氣漸出陽不勝陰故自已也 陰陽交合者，立不能坐，坐不能起。以氣不由其止用故爾 三陽獨至，期在石水。有陽无陰故云獨至也著至教論曰三陽獨至者是三陽并至由此則但有陽而无陰也石水者謂冬月水冰如石之時故云石水也火墓於戍冬陽氣微故云石水而死也。○新校正云詳石水之辭本全元起之說王氏取之 二陰獨至，期在盛水。亦所謂并至而无陽也盛水謂雨雪皆解為水之時則正謂正月中氣也。○新校正云按全元起本二陰作三陰

○方盛衰論篇第八十 新校正云按全元起本在第八卷

雷公請問氣之多少，何者為逆？何者為從？黃帝荅曰：陽從左，陰從右，陽氣之多少者從左陰氣之多少者從右從者為順反者為逆陰陽應象大論曰左右者陰陽之道路也 老從上，少從下。老者穀衰故從上為順少者欲甚故從下為順 是以春夏歸陽為生，歸秋冬為死，歸秋冬謂反歸陰也歸陰則順殺伐之氣故也 反之，則歸秋冬為生。反之

謂秋冬秋冬則歸陰為生也是以氣多少逆皆為厥陽氣之多少反從右陰氣之多少反從左

是為不順故曰氣少多逆也如是從左從右之不順者皆為厥厥謂氣逆故曰皆為厥也問曰有餘者厥

耶言少之不順者為逆有餘者則成厥逆之病乎答曰一上不下寒厥到膝少者秋

冬死老者秋冬生一經之氣厥逆上而陽氣不下者何以別之寒厥到膝是也四支者諸陽之本當溫

而反寒上故曰寒厥也秋冬謂歸陰歸陰則從右發生其病也少者以陽氣用事故秋冬死老者以陰氣用事故秋冬生

○新校正云按楊上善云虛者厥也陽氣一上於頭不下於足二脛虛故寒厥至膝氣上不下頭痛巔

疾巔謂身之上巔疾則頭首之疾也求陽不得求陰不審五部隔無徵若居

曠野若伏空室綿綿乎屬不滿日謂之陽乃脈似陰盛謂之陰又脈似陽盛故曰求陽

不得求陰不審也五部謂五藏之部隔謂隔遠无徵无徵猶无可信驗也然求陽不得其熱求陰不審是寒五藏部分又

隔遠无可信驗故曰求陽不得求陰不審五部隔无徵也夫如是者乃從氣以逆所作非由陰陽寒熱之氣所為也若居

曠野言心神散越若伏空室謂志意沉潛散越以氣逆而痛甚未正沉潛以痛定而復恐再來也綿綿乎謂動息微也身

雖綿綿乎且存然其心所屬望將不得終其盡日也故曰綿綿乎屬不滿日也○新校正云按太素云若伏空室為陰陽

之一有此五字疑此脫譌是以少陰之厥令人妄夢其極至迷氣之少有厥逆則令

人妄為夢其厥之盛極則令人夢至迷亂三陽絕，三陰微，是為少氣。三陽之脈懸絕三陰之診細微是為少氣之候也。○新校正云按大素云三陽絕氣氣是為少氣是以肺氣虛，則使人夢見白物，見人斬血藉藉，白物是象金之色也斬者金之用也藉藉夢死狀也得其時則夢見兵戰，得時謂秋三月也金為兵革故夢見兵戰腎氣虛則使人夢見舟船溺人，舟船溺人皆水之用腎象水故夢形之得其時則夢伏水中，若有畏恐。冬三月也肝氣虛則夢見菌香生草，菌香草生草木之類也肝合草木故夢見之○新校正云按全元起本云菌香是桂菌祛倫切得其時則夢伏樹下不敢起。春三月也心氣虛則夢救火陽物，心合火故夢之陽物亦火之類得其時則夢燔灼。夏三月也脾氣虛則夢飲食不足，脾約水穀故夢飲食不足得其時則夢築垣蓋屋。得其時謂辰戌丑未之月未合十八日築垣蓋屋皆土之用此皆五藏氣虛，陽氣有餘，陰氣不足。府者陽氣藏者陰氣合之五診，調之陰陽，以在經脈。靈樞經曰備有調陰陽合五診故引之曰以在經脈經脈則靈樞經之篇目也診有十度，度人脈度、藏度、肉度、筋度、俞度。度各有其二故二五為十以量度陰陽氣盡，人病自具。診備盡陰陽虛盛之理則人病自具知之脉動無常散陰頗陽脉脫不具診無常行診必上下度民君卿脉動无常數者是陰散而陽頗調理也若脉診脫畧而不具備者无以常行之診而察候之則當度量民及君卿三者調養之殊異尔何者憂樂苦分不同殊故也受師不卒使術不明不察逆從是為妄行持雌失雄棄陰附陽不知并合診故不明皆謂斈不該備傳之後世反論自章章露也以不明而授与人反古之迹自然章露也至陰虛天氣絶至陽盛地氣不足至陰虛天氣絶而不降至陽盛地氣微而不升是所謂不交通也至謂至盛也陰陽並交至人之所行交謂交通也惟聖人乃能調理使行也陰陽並交者陽氣先至陰氣後至陰陽之氣並行而交通於一如者則當陽氣先至陰氣後至何者陽速而陰遲也靈樞經曰所謂交通者並行一數也由此則二氣亦交會於一処也是以聖人持診之道先後陰陽而持之奇恒之勢乃六十首診合微之事追陰陽之變章五中之情其中之論取虛實之要定五度之事知此乃足以診奇恒勢六十首今世不傳是以切陰不得陽診消亡得陽不得陰守學不湛知左不知右知右不知左知上不知下知先不知後故治

不必知醜知善知病知不病知高知下知坐知起知行知止用之有診診道乃具萬世不殆聖人持診之明誠也起所有餘知所不足宝命全形論曰內外相得无以形先言起已身之有餘則當知病人之不足也度事上下脉事因格度事上下之宜脉事因而至於微妙矣格至也是以形弱氣虛死中外俱不足也形氣有餘脉氣不足死藏衰故脉不足也脉氣有餘形氣不足生藏盛故脉氣有餘是以診有大方坐起有常坐起有常則息力調適故診之方法必先用之出入有行以轉神明言所以貴坐起有常者何以出入行運皆神明隨轉也必清必靜上觀下觀司八正邪別五中部按脉動靜上觀謂氣色下觀謂形氣也八正謂八節之正候五中謂五藏之部分然後按寸尺之動靜而定死生矣循尺滑濇寒溫之意視其大小合之病能逆從以得復知病名診可十全不失人情故診之或視息視意故不失條理數息之長短候脉之至數故診之法或視喘息也知息合脉病必知聖人察候條理斯皆合也道甚明察故能長久不知此道失經絕理亡言妄期此謂失道謂失精微至妙之道也

○解精微論篇第八十一 新校正云按全元起本在第八卷名方論解

黄帝在明堂雷公請曰臣授業傳之行教以經論從容形法陰陽刺灸湯藥所滋行治有賢不肖未必能十全 言所自授用可十全然傳所教習未能必尔也賢謂心明智遠不肖謂擁造不法 若先言悲哀喜怒燥濕寒暑陰陽婦女請問其所以然者卑賤富貴人之形體所從羣下通使臨事以適道術謹聞命矣 皆以先聞聖旨尤未究其意端 請問有毚愚仆漏之問不在經者欲聞其狀 言不智校見頓問多也漏脱漏也謂經有所未解者也毚狡也愚不智見也仆尤頓也尤不漸也○新校正云按全元起本仆作朴 帝曰大矣 人之所大要也 公請問哭泣而淚不出者若出而少涕其故何也 言何藏之所為而致是乎 帝曰在經有也 靈樞經有悲哀涕泣之義 復問不知水所從生涕所從出也 復問重問也欲知水涕所生之由也 帝曰若問此者無益於治也工之所知道之所生也 言涕水者皆道氣之所生問之何也 夫心者五藏之專精也 專任也言五藏之精氣任心之所使以為神明之府是故故焉 目者其竅也 神內守明外鑒故目其竅也 華色者

其榮也。華色，其神明之外飾也。是以人有德也，則氣和於目；有亡，憂知於色。德者道之用，人之生也。老子曰：道生之，德畜之。氣者生之主，神之舍也。天布德，地化氣，故人因之以生也。氣和則神安，神安則外鑒明矣；氣不和則神不守，神不守則外榮減矣。故曰人有德也，氣和於目；有亡也，憂知於色也。○新校正云：按大素德作得。是以悲哀則泣下，泣下水所由生。水宗者積水也，新校正云：按甲乙經水宗作衆精。積水者至陰也，至陰者腎之精也。宗精之水所以不出者，是精持之也。輔之裹之，故水不行也。夫水之精為志，火之精為神，水火相感，神志俱悲，是以目之水生也。目為上液之道，故水火相感，神志俱悲，水液上行，乃生於目。故諺言曰：心悲名曰志悲。志與心精共湊於目也。水火相感，故曰心悲名曰志悲。神志俱升，故志與心神共奔湊於目。【奏】麄覓勾切。是以俱悲則神氣傳於心精，上不傳於志，而志獨悲，故泣出也。泣涕者腦也，腦者陰也。五藏別論以腦為地氣所生，皆藏於陰而象於地，故言腦者陰陽上樂也。樂則銷也。○新校正云：按全元起本及甲乙經、大素陰作陽。髓者骨之充也。充，滿也。言髓填於骨，充而滿也。故腦滲為涕。鼻竅通腦，故腦滲為涕，流於鼻中矣。志者骨之主也，是以水流

而涕從之者其行類也類謂同類夫涕之與泣者譬如人之兄弟
急則俱死生則俱生同源故生死俱○新校正云按太素生則俱生作出則俱亡其志以
早悲是以涕泣俱出而橫行也行恐當為流夫人涕泣俱出而相
從者所屬之類也所屬謂於腦也何者上文云涕泣者腦也雷公曰大矣請問人
哭泣而淚不出者若出而少涕不從之何也雖其所屬同而行出異也帝
曰夫泣不出者哭不悲也不泣者神不慈也神不慈則志不
悲陰陽相持泣安能獨來泣不出者謂淚也不泣者泣謂哭也水之精為志火之精為神水為
陰火為陽故曰陰陽相持泣安能獨來也夫志悲者惋惋則沖陰沖陰則志去目
志去則神不守精精神去目涕泣出也惋謂內爍也沖犹升也神志相感泣由是
生故內爍則陽氣升於陰也陰腦也去目謂陰不守目也志去於目故神亦浮游失志去目則光无內照神失守則精不
外明故曰精神去目涕泣出也且子獨不誦不念夫經言乎厥則目無所見
夫人厥則陽氣并於上陰氣并於下并謂各并於本位也陽并於上則
火獨光也陰并於下則足寒足寒則脹也夫一水不勝五火

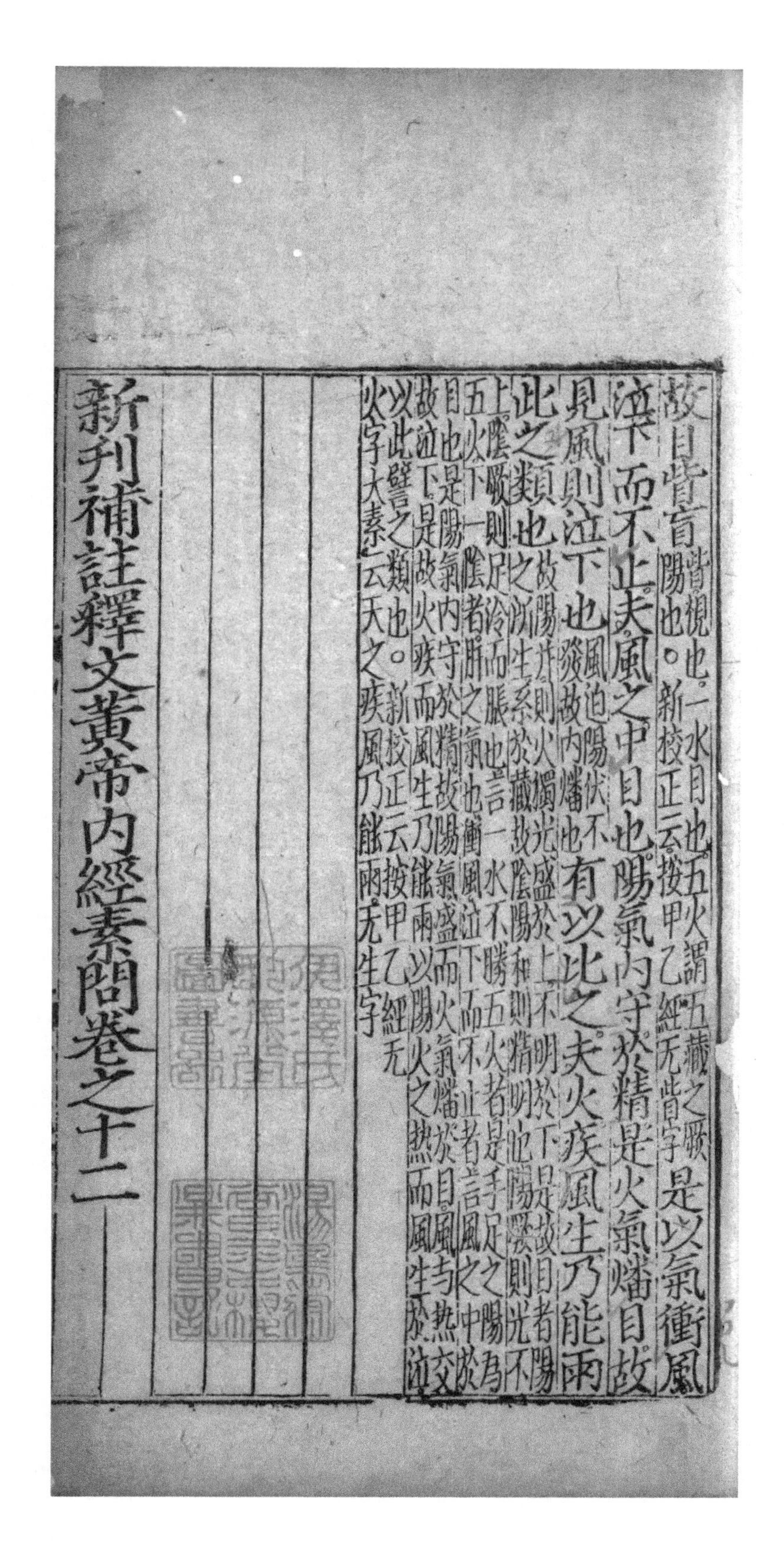

故目眥盲。眥視也。一水目也，五火謂五藏之厥陽也。○新校正云：按甲乙經无眥字。是以氣衝風，泣下而不止。夫風之中目也，陽氣內守於精，是火氣燔目，故見風則泣下也。風迫陽伏不發，故內燔也。有以比之，夫火疾風生乃能雨，此之類也。故陽并則火獨光盛於上，不明於下，是故目者陽之流，生系於藏，故陰陽和則精明也，陽厥則光不上，陰厥則足冷而脹也。言一水不勝五火者，是手足之陽為五火。下一陰者，肝之氣也。衝風泣下而不止者，言風之中於目也，是陽氣內守於精，故陽氣盛而火氣燔於目，風與熱交，故泣下。是故火疾而風生，乃能雨，以陽火之熱而風生於泣，以此譬之類也。○新校正云：按甲乙經无火字。太素云：天之疾風乃能雨，无生字。

新刊補註釋文黃帝內經素問卷之十二